U0093085
一笑

盛期之風貌

與

臥龍生作品 帶動武俠風潮

《飛燕驚龍》開一代武俠新風

《飛燕驚龍》(1958)爲臥龍生成名作，共48回，約120萬言。此書承《風塵俠隱》之餘烈，首倡「武林九大門派」及「江湖大一統」之說，更早於香港武俠巨匠金庸撰《笑傲江湖》(1967)所稱「千秋萬世，一統」達九年以上。流風所及，臺、港武俠作家無不效尤；而所謂「武林盟主」、「江湖霸業」等新提法，竟成爲社會大眾耳熟能詳的流行術語了。

《飛燕》一書可讀性高，格局甚大。主要是寫江湖群雄爲覬覦傳說中的武林奇書《歸元秘笈》而引起一連串的明爭暗鬥；再以一部假秘笈和萬年火龜爲餌，交插敘述武林九大門派（代表正派）彼此之間的爾虞我詐，以及天龍幫（代表反方）網羅天下奇人異士而與九大門派的對立衝突。其中崑崙派弟子楊夢寰偕師妹沈霞琳行道江湖，卻如夢似幻地成爲巾幗奇人朱若蘭、趙小蝶之絕世武功技驚天龍幫，而海天一叟李滄瀾復接連敗於沈霞琳、楊夢寰之手；致令其爭霸江湖之雄心盡泯，始化解了一場武林浩劫云。

在故事佈局上，本書以「懷璧其罪」（與真、假《歸元秘笈》有關）的楊夢寰屢遭險難，卻每獲武林紅妝垂青爲書膽(明)，又以金環二郎陶玉之嫉才害能，專與楊夢寰作對(暗)爲反派人物總代表。由是一明一暗交織成章，一波未平，一波又起，極盡波譎雲詭之能事。最後天龍幫冰消瓦解，陶玉帶著偷搶來的《歸元秘笈》跳下萬丈懸崖，生死不明，卻予人留下無窮想像空間。三年後，作者再續寫《風雨燕歸來》以交代陶玉重出江湖，爲惡世間，則力不從心，當屬狗尾續貂之作。

在人物塑造方面，臥龍生寫男主角楊夢寰中看不中用，固然乏善可陳，徹底失敗；但寫其他三名女主角如「天使的化身」沈霞琳聖潔無瑕，至情至性，處處惹人憐愛；「正義的女神」朱若蘭氣質高華，冷若冰霜，凜然不可犯；「無影女」李瑤紅則刁蠻任性，甘爲情死等等，均各擅勝場。乃至寫次要人物如「賓中之主」海天一叟李滄瀾之雄才大略，豪邁氣派；玉簫仙子之放蕩不羈，爲愛痴狂；以及八臂神翁聞公泰之老奸巨猾，天龍幫軍師王寒湘之冷傲自負等，亦多有可觀。

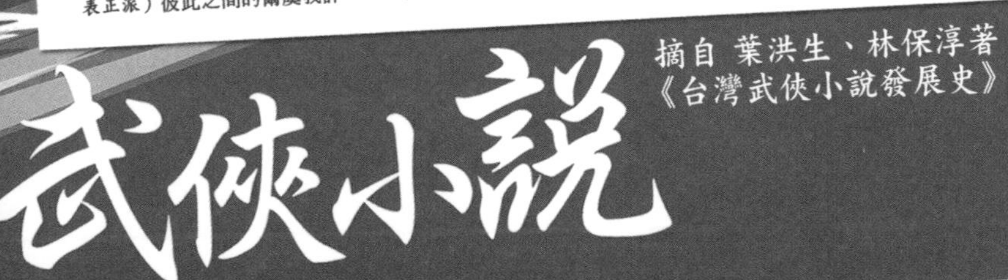
摘自 葉洪生、林保淳著
《台灣武俠小說發展史》
武俠小說

台港武侠文學

流行天王

臥龍生

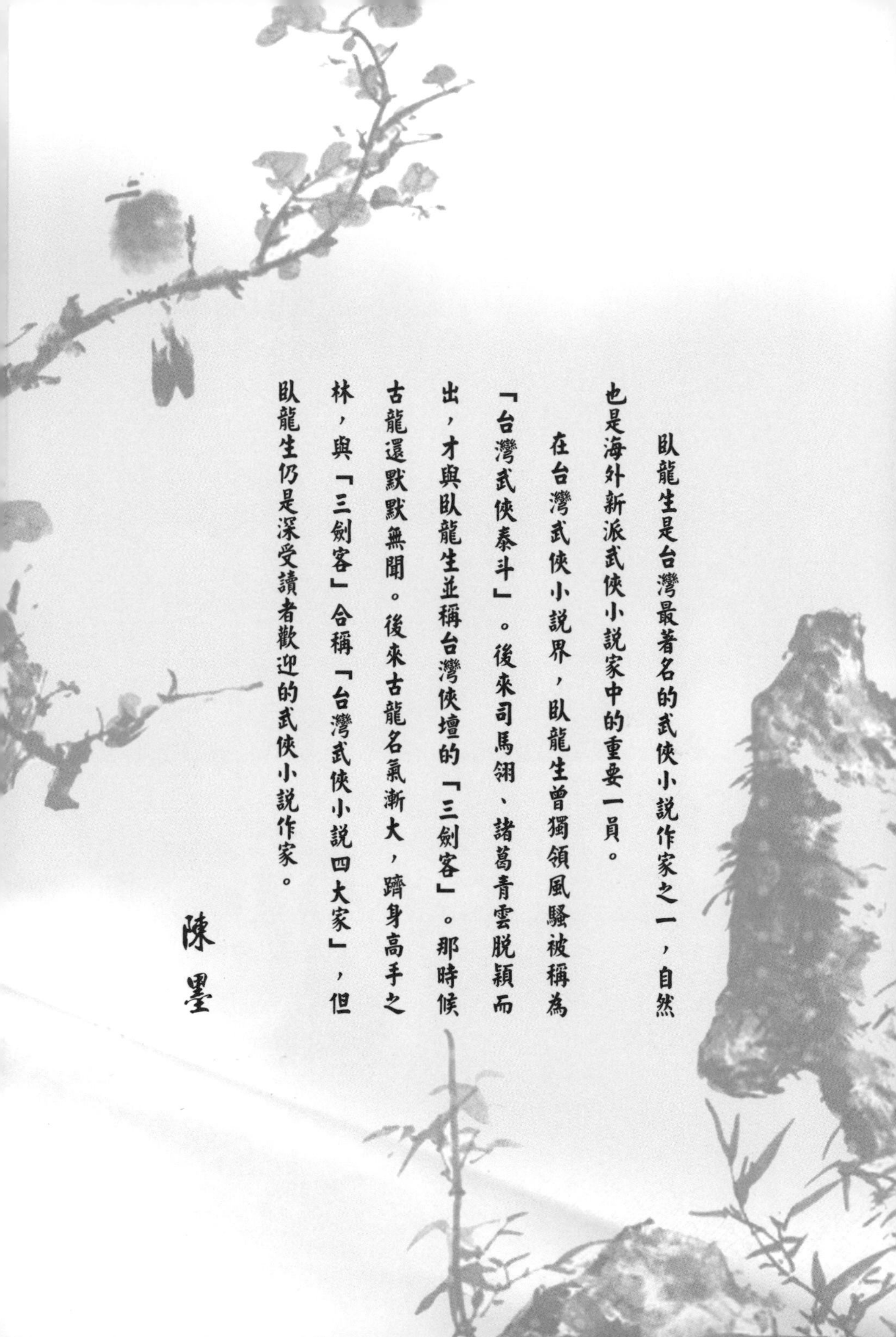

臥龍生是台灣最著名的武俠小說作家之一，自然也是海外新派武俠小說家中的重要一員。

在台灣武俠小說界，臥龍生曾獨領風騷被稱為「台灣武俠泰斗」。後來司馬翎、諸葛青雲脫穎而出，才與臥龍生並稱台灣俠壇的「三劍客」。那時候古龍還默默無聞。後來古龍名氣漸大，躋身高手之林，與「三劍客」合稱「台灣武俠小說四大家」，但臥龍生仍是深受讀者歡迎的武俠小說作家。

陳墨

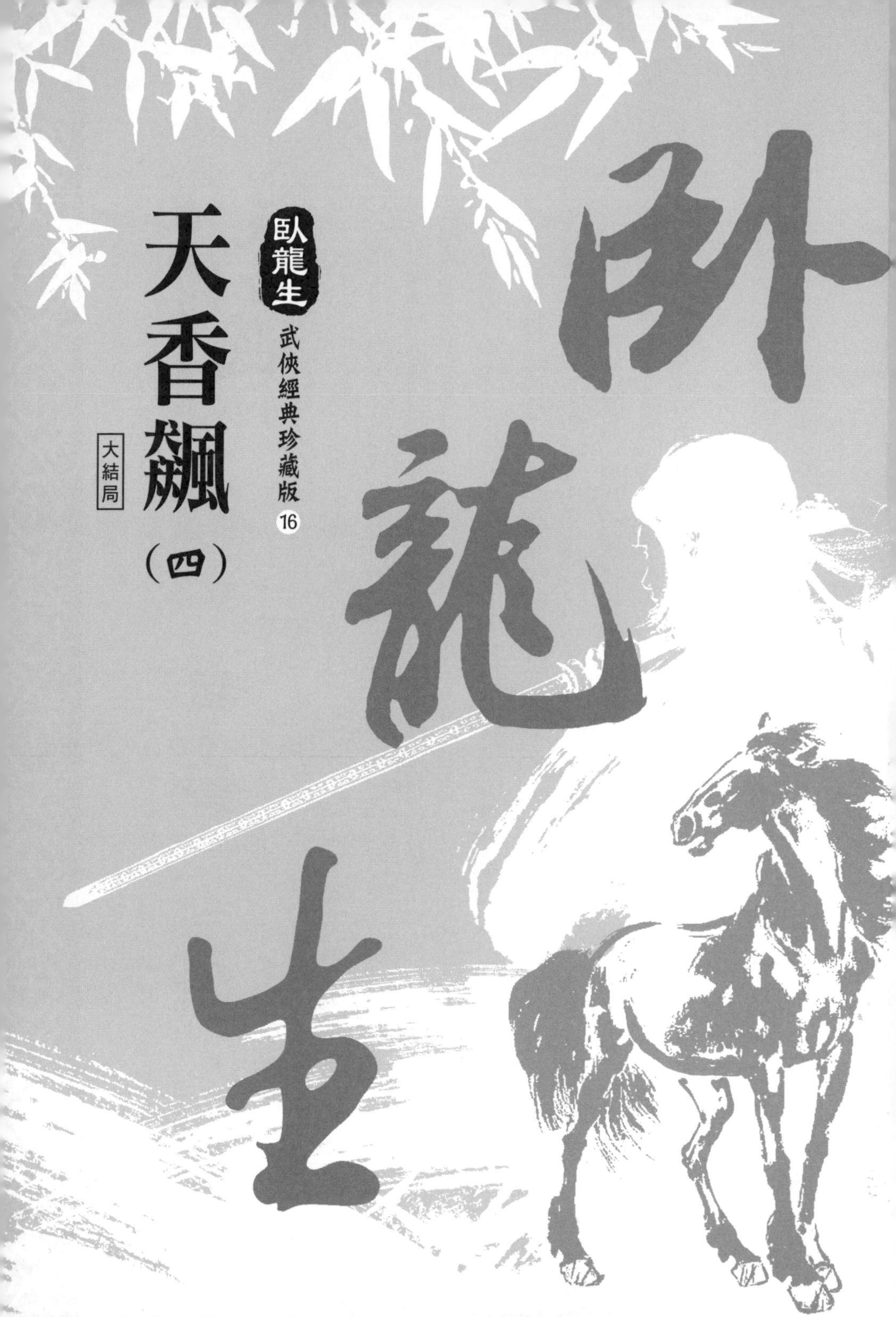
臥龍生
武俠經典珍藏版
16
天香飆
大結局
（四）
臥龍生

天香飆(四)

臥龍生精品集⑯

廿四　向心毒露

左掌劃了半個圓圈，欺身上步，霍地向谷寒香左腕攫去。

谷寒香將全身功力化作一股劍炁，由劍尖上逼了過去，藉著寶刃威力，猛刺無名老叟的掌心，無名老叟若不撤掌收招，勢必與谷寒香兩敗俱傷。

這種打法有點近於無賴，不過無名老叟見她能將一身功力化作劍炁傷人，雖然火候尚淺，卻也暗暗驚佩。

谷寒香一劍刺出，眼看無名老叟撤掌變勢，轉攫自己左腕，頓時蓮足一挫，施展「摘星步」法，猛地朝後疾閃。

但聽無名老叟冷笑一聲，道：「不知天高地厚的小輩！」

話聲中，五指一撮，業已抓住了毒針噴筒的前端。

谷寒香嬌軀才動，陡感左手一震，駭然之下，右手劍倏地劃個半弧，豎劍上撩，猛向無名老叟刺去。

這一劍又狠又快，凌厲之至，但見長劍才動，風濤之聲霍然而起。

無名老叟卻未料她在不能出劍的方位，突然刺來一劍，不覺雙眉一蹙，左手一鬆，飄然閃出了丈餘。

谷寒香也不追擊，劍勢一收，莞爾道：「老前輩，你老人家與亡夫可有淵源？」

無名老叟兩眼精芒電射，恨聲道：「丫頭，你笑裡藏刀……」

話未講完，突然轉面朝著通往內洞外厲聲喝道：「什麼人？趕快滾進來！」

語音甫落，忽聽有人咳嗽一聲，接著有步履之聲，隨隨傳來。

谷寒香聽那咳嗽之聲，不是一叟、二奇等人所發，暗暗忖道：「聽落足之聲，來人隔此處尚遠，這老者的耳目之力，當真不可思議。」轉念之間，扭頭向門外望去。

只見一個三旬左右的中年人，大步走了進來，碧綠燈光之下，但見來人一身黯色長衫，看去十分文弱，雙眼閃動，氣度卻很沉穩。

來人當門而立，目光環掠石室一周之後，突然雙拳一抱，朝著谷寒香遙遙一禮。

谷寒香與他相隔兩丈之遙，眼看他抱拳行禮，雙目之內，卻流露出一片淫邪之色，不禁怒氣橫生，冷冷地「哼」了一聲。

只聽來人皦聲一笑，道：「區區張敬安，這位姑娘可是新主『迷蹤谷』的谷寒香麼？」語調浮滑，隱含輕侮之意。

谷寒香心中有氣，冷聲道：「我叫谷寒香，你有何話講？」

那張敬安用手一整衣襟，笑聲道：「適才聽姑娘口稱亡夫，但不知指的是已故天下綠林盟主胡柏齡？還是天台『萬花宮』的主人佟公常？」

突然間，谷寒香眉心之上，露出一道深深的紫紋，一雙秀目，殺機騰騰，令人不敢直視。

張敬安凜然一驚！強笑一聲，道：「姑娘何必動怒，夫死從子，無子再嫁，這也是人情之常，區區問的，只是姑娘……」

話末說完，那無名老叟突然厲聲道：「畜牲！快躲到老夫背後來！」

谷寒香殺機大盛，暗暗運集功力，正待飛身一劍，將那張敬安毀於劍下，聞言之下，不禁目注無名老叟，怨聲道：「此人是酆秋的弟子，老丈袒護於他，莫非和他有什麼關連？」

無名老叟輕哼一聲，夷然不屑地道：「老夫何人？誰與這種不知死活的畜牲有甚關連？」

忽聽張敬安揚聲一笑，道：「原來姑娘識得區區的來歷，當真是榮寵之至。」

說著邁出數步，朝著無名老叟道：「你這老兒，剛才可是與我說話？」

無名老叟面孔一板，用手一指地上的「陰手一魔」和麥小明，道：「這兩人都死傷在谷寒香掌下，她已啓動殺機，要取你的性命，你快躲到老夫身後，以免遭了她的毒手。」

張敬安進門之後，早已看出地上躺著「陰手一魔」和麥小明二人，這兩人他都相識，武功深淺，他也知道，這時耳聽他兩人都傷在谷寒香的掌下，不禁滿面疑惑，轉眼朝她望去。

他來此之前，業已聽過有關谷寒香的傳說，雖知谷寒香以色盜藝，已經練成一身絕藝，但想時日有限，縱然得窺絕學，功力亦必有限，因而要說「陰手一魔」是谷寒香所傷，他實難以相信，麥小明怎會傷在谷寒香掌下，他更不知所以？

谷寒香暗暗忖道：「這老叟當真古怪，口口聲聲畜牲，卻教人躲到他的身後，不知他想弄什麼玄虛？」

思忖中，忽聽那無名老叟厲喝道：「畜牲！你到底過不過來？」

張敬安勃然大怒，道：「老狗！大爺豈是你呼來喝去的！」

但見無名老叟嘿嘿一笑，道：「你不過來，老夫只得動手了。」欺身直上，五指箕張，逕向張敬安當胸抓去。

張敬安怒火倏熾，左手一揚，疾扣敵腕，右掌一揮，猛地劈了過去。

谷寒香卓立一旁，冷眼觀戰，看那張敬安左手化解敵招，右掌同時攻敵，攻守兼備，使得恰到好處，掌勁如潮，大有海嘯山崩之勢，不禁暗暗忖道：「其徒如此，其師可知，要殺鄷秋，看來實非易事。」思忖中，不覺輕輕地嘆息了一聲。

無名老叟亦未料到張敬安的火候如此老辣，冷哼一聲，左臂倏縮倏吐，大袖擺動之間，已將張敬安的掌勢逼住，食、中二指一併，霍地向他咽喉上點去。

他右手提著燈籠，雖在對敵之際，那燈籠文風不動，絲毫不見搖擺。

張敬安一掌擊出，陡覺一縷尖風，直對喉間刺來，不禁冷汗一作，驚魂欲出，百忙中雙掌連劈，封閉敵勢，猛提丹田真氣，閃電般地朝後疾退。

無名老叟變指為掌，沉腕一撈，竟然未曾將他抓住，頓時飄身向前，虛空一掌按去，口中冷冷地道：「能夠擋住老夫三招，你也可以稱霸江湖了！」

谷寒香看這一掌虛幻空靈，玄奧難測，料那張敬安招架不住，於是嬌叱一聲，震腕出劍，突地向無名老叟刺去。

無名老叟怒哼一聲，雙肩微晃，陡然橫飄半尺，兩指一扣，驀地往谷寒香劍尖上彈去。

這扣指一彈，當真是動如靈蛇，快擬奔雷，刹那之間，手指已近劍葉。

谷寒香自忖劍術未成，因而非不得已，不願施展，此時一看無名老叟扣指下彈，立即玉腕一震，猛將劍身一側，欲將鋒刃迎向無名老叟的手指。

但聽「嘶」的一聲，無名老叟中指由劍身一掃而過，餘音嫋嫋，搖曳不絕。

忽聽張敬安朗喝道：「多謝嫂夫人援手。」

話聲中，只見他手執一個金光燦爛的黃圈，擰身上步，猛朝無名老叟攻去。

谷寒香突然冷聲道：「誰是你這畜牲的嫂夫人！」

話出口，寶劍驚芒暴漲，驀地朝著張敬安脅下刺去。

張敬安回首一顧，駭然色變，危急中猛施一個懶驢打滾，手中金圈狂揮，舞起重重圈影。

谷寒香殺機未泯，冷笑聲中，伏身探臂，陡地一劍下插，直刺金圈叢中。

但聽一陣金鐵交鳴，張敬安的腰際被劍尖一劃而過，拉了一條長達尺許的劍口，鮮血涔涔，灑得滿地都是。

谷寒香嬌軀電閃，倏然一劍，猛揮而下。

這一劍勢如奔雷激電，張敬安未及起立，眼看即要身遭腰斬。

無名老叟陡地一掌擊了過來，冷聲道：「未得老夫許可，豈能隨便殺人？」

就在這倏忽之間，他已將那個碧綠燈籠插在壁上，去勢如風，返回之勢更加迅快幾分。

谷寒香面凝嚴霧，嗔然道：「你橫生枝節，大概是不要『問心子』了？」

寶劍震起斗大的劍花，直往無名老叟面門刺去。

張敬安由地上一挺而起，怒火萬丈中，正欲不顧傷勢，趁著無名老叟與谷寒香動手之際，上前合力將谷寒香毀掉。

他作勢欲撲，身形未動，忽聽谷寒香口中道出「問心子」三字，不禁心神一動，脫口「嗯」了一聲。

谷寒香霍地劍勢一變，電掣星漩，剎那間連攻八劍，飄身後閃，嬌喝道：「老丈住手！」

無名老叟立定身形，嘿嘿一笑，問道：「你是否有話問那畜牲？」

張敬安怒喝道：「老兒再要出口傷人，大爺可就罵你祖宗十八代了！」

只見無名老叟雙眉一軒，右掌一揚，便待劈空擊去。

谷寒香突然道：「老丈是否要殺人滅口？」

無名老叟牙根一挫，睨視谷寒香道：「丫頭！你儘管撩撥老夫，惹得老夫火起，遲早總會取你的性命。」

谷寒香淡淡一笑，道：「我想來想去，覺得老丈必然是欠我大哥一點人情，因而……」

無名老叟截口道：「你不必作夢，老夫與胡柏齡素不相識，憑他後生小輩，也與老夫攀不上交情。」

谷寒香微微一哂，面龐一轉，冷冷地道：「張敬安，『問心子』有何用處？」

張敬安口齒一動，正欲答話，突然感到四道眼神，彷彿四根利箭，同時盯在自己身上，不禁暗暗忖道：「老子橫行江湖，幾曾受過這般折辱？這一男一女武功之高，倒也罷了，只是行事怪僻，令人無法測度，老子可不要多言招尤，枉送了一條性命。」

轉念之下，將頭一昂，道：「師嫂，小弟縱然出言鹵莽，衝撞了你，也不該得個死罪，師

嫂驟下毒手，豈不太爲過分？」

谷寒香冷然道：「你囉唆什麼？我只問你『問心子』有何用處？」

張敬安亢聲道：「小弟不知，師嫂何不問那老……」

他本待說「問那老兒」，突然想到無名老叟離奇難測的武功，話到唇邊，終於縮了回去。

谷寒香暗暗忖道：「那『問心子』不知有何用處？瞧他言語支吾，和那老者勢在必得的情形，其中必然另有隱秘。」

心念一轉，突然向著無名老叟道：「老前輩，咱們交易不成，你還是另做打算吧。」

無名老叟想是怒極，只見他震聲一陣狂笑，戟指谷寒香道：「老夫看你臥薪嚐膽，念念不忘夫仇，故而對你存了幾分敬意，誰知你貪婪成性，只圖小惠，不顧大局，庸俗一至如此？」

說到此處，倏地大袖一揮，猛向地面拂去，將那「陰手一魔」震得騰空飛起，直對石壁撞去。

谷寒香被他激顏厲色一頓數落，不禁嬌靨生暈，暗暗生出怒氣，其實她想挾制無名老叟，目的也在夫仇。

倏地，只見「陰手一魔」右手一按石壁，疾若流矢，猛地向門外射去。

谷寒香芳心一震，嬌喝道：「『陰手一魔』，扔下解藥再走！」

喝聲中，一掠數丈，閃電般追到了外面那間石室，直向「陰手一魔」後心刺去。

這間石室內沒有燈亮，僅憑門外射入的一線微光，幽暗之中，但見「陰手一魔」形如鬼

魅，倏地擰身一旋，右掌一揮，擊出一股冷森森的涼風。

谷寒香練的是至柔極陰的內功，情知只要被他的「陰風掌」襲上，則所受之傷，必較他人遠爲嚴重。當下不敢托大，左腕一掄，疾劈一掌，寶劍翻飛，護住了周身要害。

「陰手一魔」突然躍到右面壁下，大袖一揚，巧妙無比地在壁上按了一下，但聽隆隆聲響，通往峽外的石門霍然而開。

谷寒香冷聲道：「你撒手一走，偌大一片家業，棄了豈不可惜？」

「陰手一魔」一陣怪笑，道：「你動了『黑風峽』的一草一木，我管教你『迷蹤谷』化爲平地。」

忽聽那張敬安笑聲道：「老前輩，家師業已坐鎮『迷蹤谷』內，在下奉命到此，即是爲了與兩位釋嫌修好，請兩位即時命駕，同至『迷蹤谷』共商大事。」

谷寒香聞聽酆秋已到谷內，驚疑之下，雙目冷電迸射，轉向張敬安臉上望去。

張敬安當門而立，昂然發話，神情中流露出一股得意之色，他本來皮包骨頭，而且面黃如蠟，好似久病初癒，一眼望去，文弱不堪，毫無起眼之處，這刻存心賣弄精神，點頭晃腦，暗影沉沉中，看起來古怪可笑。

那無名老叟則更爲怪異，但見他緊貼在張敬安身後，悄然而立，彷彿一條鬼影。

「陰手一魔」先前被無名老叟點住了暈穴，穴道一解，頓時向外逃竄，未曾留意到張敬安身上，這時聽他發話，移目望去，不料目光所至，卻見無名老叟如影附形，緊貼在他背後。

老魔頭已成驚弓之鳥，楞了一楞，陡地雙足一頓，猛朝石門外縱去，他輕車熟路，毋須光

亮，身形微晃，業已消失在腹道之中。

谷寒香心念電轉，正在籌思應付無名老叟之策，張敬安陡然跨步向前，朗聲笑道：「師嫂，這地上躺的，可是名叫鍾一豪的那個傢伙？」

他跨上一步，無名老叟跟上一步，如影隨形，亦步亦趨，張敬安已具一身上乘內功，到了不著皮相之境，當年在「迷蹤谷」的大寨之內，曾經當著群雄之間，將「羅浮一叟」傷在「血手印」下，無名老叟隨在他的身後，他竟懵然不覺，怎不令人駭然！

谷寒香心知無名老叟是在向自己示威，那張敬安腰上血漬未乾，卻神氣活現，直對自己行來，不禁心中一煩，厲喝道：「畜牲，趕快閃到我的身後！」

張敬安聞言一呆，亮聲道：「師嫂是喚我麼？」說著身形一晃，直對谷寒香閃去。

無名老叟突然陰惻惻一笑，右臂疾探，一指戳在張敬安腰上，手腕一翻，將他挾在脅下。

谷寒香看在眼中，不覺滿頭玄霧，訝然道：「此人是酆秋的弟子，老丈殺之則可，擒在手中，豈非無益有害？」

無名老叟冷嗤一聲，道：「老夫要將這畜牲帶回山去，派做守洞之用，殺一殺酆秋的面皮。」

谷寒香忍不住莞爾一笑，雙眸一轉，道：「老丈在哪一座名山遁跡？倘若酆秋找上門去，豈不討厭？」

只聽無名老叟「呸」的一聲，道：「酆秋可沒有你這丫頭膽大，對老夫避之猶恐不及。」

谷寒香本非少艾，加之連年顛沛流離，境遇悲慘，因而失去了歡樂的心情，如今被無名老

叟口口聲聲喚做丫頭，不禁生出一股哭笑不得的感覺。

她暗暗忖道：「這老叟的武功，似乎不在佟公常之下，倘能得其臂助，對於報仇之事，必然大有裨益。」

無名老叟看她沉吟不語，頓時舉步向她走近，幽暗之中，但見他目射寒光，冷焰逼人。

谷寒香背貼石壁，倏地滑開丈許，左手執定毒針噴筒，冷峻地道：「老丈意欲何爲？」

無名老叟掌上早以凝足了功力，冷笑一聲，道：「老夫念你是個女子，一直不忍搜索你的身上，如今可想出了一個法子。」

谷寒香秀目一挑，嬌聲喝道：「什麼法子？」

無名老叟淡淡地道：「老夫先將你一掌擊斃，在你的屍體上搜索，自然無男女之嫌。」

語音甫落，陡地欺身直上，身形之快，恍若電光一閃。

谷寒香冷笑一聲，纖指一按噴筒上的機簧，雙足一挫，向裡閃開三步。

但聽「喀嚓」一響，一股毒針水疾射而出，直對無名老叟罩去。

她將時間拏捏得極準，無名老叟眼看手掌一揮，即可將她籠罩在掌力之下，無奈腥風刺鼻的毒雨，和沙沙作響的毒針，來勢如電，罩定了自己面前的六尺方圓。

他雖早已相度好趨避之勢，也不敢怠慢絲毫，緊迫中，一吸丹田真氣，身子猛地一掠，閃到了鍾一豪身旁，四散飛射的毒針毒雨，幾乎是擦身而過。

谷寒香暗暗心焦，忖道：「這暗器雖然厲害，卻只能暫保一時，他如能躲閃四次，毒針和毒水勢必用盡。」

思忖間，忽聽無名老叟厲喝道：「什麼人鬼鬼祟祟？快點滾進來。」

通道之內，傳來「拘魄索」宋天鐸的聲音，道：「夫人可在裡面？」

谷寒香冷聲道：「我在此地，你只管放膽進來。」

只聽宋天鐸的聲音逐漸移近，道：「『陰手一魔』由這面出去，又從正門進入了洞內，屬下恐怕夫人中了他的詭計，特地前來接應。」

谷寒香暗暗冷笑，循聲望去，只見「拘魄索」宋天鐸手持單刀軟索，慢步走了進來。

無名老叟突然喝道：「ㄚ頭，你到底想死想活？」

谷寒香暗暗忖道：「酆秋既已到了『迷蹤谷』內，我還得早點回去，同來之人傷了大半，若不行個權宜之計，今日也逃不掉這老叟的糾纏。」

心念一轉，說道：「我倒是真的想死，不過為時尚嫌太早，這樣吧！老丈若能再將『陰手一魔』擒住，晚輩但憑吩咐便了。」

無名老叟怒哼一聲，道：「你敢弄鬼使詐，可別怪老夫無禮！」

谷寒香淡然道：「這個老丈放心，怕只怕『陰手一魔』早已遠遁，老丈抓他不著。」

無名老叟突地左臂一鬆，扔下了張敬安，晃身一掠，一把抓住了宋天鐸的右腕。

這一下動作奇快無比，張敬安的身子尚未落地，宋天鐸業已被他抓住。

谷寒香冷冷地道：「此人是晚輩的屬下，老丈抓住他做甚？」

無名老叟恍若未聞，卻向宋天鐸聲色俱厲地道：「小子再講『陰手一魔』到了哪裡？」

「拘魄索」宋天鐸打量無名老叟一眼，道：「閣下何人？我剛才不是講過，『陰手一魔』

回到了洞內？」

他雖兩手執著兵刃，無奈腕脈被老叟扣住，半點勁力也使不出來。

無名老叟陡地暗將手指一緊，厲聲道：「小子再講『陰手一魔』到了哪裡？」

但聽宋天鐸慘嗥一聲，兩手一鬆，單刀軟索墜地，雙膝一軟，直往地面跪下。

谷寒香勃然色變，嬌喝一聲，飛身一劍刺到！

無名老叟頭也不回，身形疾轉，順勢一帶那宋天鐸的手腕，將他擋在中間。

谷寒香氣沉丹田，猛地駐足撤劍，冷聲道：「老丈這是什麼意思？」

無名老叟乾笑一聲，道：「丫頭，你還嫩得很，這小子言中有詐，你卻覺察不出。」

「拘魄索」宋天鐸滿頭大汗，顫聲道：「老前輩鬆手，『陰手一魔』逃出峽外去了。」

谷寒香暗暗罵道：「該死的東西！」口中卻微笑道：「老丈快追，遲恐不及。」

無名老叟目如利刃，盯住谷寒香道：「老夫若將『陰手一魔』抓住，你敢推三阻四，可莫怪老夫心狠手辣。」

谷寒香面露詭笑，道：「那得有個時限，如果老丈抓個三年五載……」

無名老叟怒哼一聲，截口道：「任他逃到天邊，不出一月，老夫必能將他抓住。」

說罷隨手一揮，將宋天鐸扔了出去。

谷寒香看他要走，急聲道：「老人家『向心露』留下。」

無名老叟微微一怔，接著將手一揚，擲出一個緊口玉瓶，道：「陰毒之物，用之只恐不祥，是福是禍？你自行思量。」語音甫落，人已消失於漆黑的甬道之內。

谷寒香皓腕一伸，接住了玉瓶，驀地一個踉蹌仆身朝前栽去。

「拘魄索」宋天鐸見谷寒香快要跌倒，不由悚然一驚！情不自禁地閃身向前，伸手扶去，但見谷寒香雙肩一晃，倏地橫飄數尺，立定身形，冷冷問道：「巴天義人在何處？」

「拘魄索」宋天鐸感到背脊一寒，垂首道：「他被『陰手一魔』的手下弄進洞內來了。」

谷寒香突然玉容一沉，陰森森一陣冷笑，道：「這『向心露』不知有無效應？我想命你首先服用，你的意下如何？」

「拘魄索」宋天鐸渾身一震，躬身道：「在下乃胡盟主舊屬，絕不敢對夫人稍存異心。」

谷寒香嘿嘿地冷笑道：「你也知道念舊？巴天義與你是生死之交，你怎能見危不救？」

「拘魄索」宋天鐸暗暗直冒冷汗，俯首道：「自今以後，屬下再不敢貪生惜命。」

谷寒香暗暗一嘆，忖道：「仰仗這種奴才胚子，怎能報大哥的血海冤仇？」

思忖之際，不禁悲從中來，兩滴熱淚，奪眶而下。

「拘魄索」宋天鐸俯首無言，心中卻在思念她方才突然栽倒的事，原來谷寒香日間飲下那杯藥茶後，雖然先聲奪人，鎮住了「陰手一魔」得以安然離去，但那劇毒浸入臟腑，並未能全部煉化，她久戰之餘，心神一弛，竟爲毒力所乘。

忽聽谷寒香冷聲說道：「這洞內燈籠甚多，你快去點亮，小心在意，不要觸動了機關。」

「拘魄索」宋天鐸應喏一聲，舉步往內洞奔去，谷寒香微一沉吟，接著走到鍾一豪臥倒之處，蹲下身子，解開他被點住的穴道。

只見鍾一豪吐出一口悠悠長氣，雙目緩緩張開，軟弱無力地朝谷寒香望去，目光之內，流

露出一片感激之色。

谷寒香輕嘆一聲，道：「你已服下『萬花宮』的奪命神丹，性命可保無虞，『陰風掌』須以純陽內功治療，我無法相助於你，你自行運功，五、六日後，想來即可痊癒。」

鍾一豪口齒一動，欲言又止，接著微微將頭一點，手撐地面，意欲坐起。

谷寒香暗暗忖道：「他癡迷不悟，我不可過於關注，引起他的誤解。」

心念一轉，任他自行掙扎，提起地上的張敬安，飄身進入裡間的石室之內。

麥小明依然仰面朝天，臥倒在地上，谷寒香看他臉上姹紅未退，心知若無解藥，勢難將其救醒，於是扔下了張敬安，轉身往內洞走去。

內洞中各處門戶大開，壁上燈籠多被宋天鐸點亮，谷寒香打量形勢，暗忖道：「這洞中門戶如此複雜，加上重重機關，今夜若非那老叟將『陰手一魔』制住，自己勢必要陷身此處。」

忽聽「拘魄索」宋天鐸的聲音傳入耳際，道：「夫人快來。」

谷寒香聽他語聲急迫，不知有何事故發生？連忙嬌軀疾射，電閃雲飄，循聲趕去。

只聽「拘魄索」宋天鐸揚聲道：「夫人……」

谷寒香疾若電射，竄入左面一座門內，縱目一掃，但見男男女女，倒了一地，縱橫交錯，幾乎無落足之處。

「拘魄索」宋天鐸立在室中，手指地面道：「巴老大倒在此地，霍大哥卻下落不明。」

谷寒香暗自驚道：「那老叟當真厲害，闖洞之人，竟被他一人制住。」

思忖中，躍到「搜魂手」巴天義身旁，翻過他的身子一看，原來他左背之上挨了「陰手一魔」一掌，這一掌似乎手下留情，雖傷得不輕，卻非「陰風掌」力，僅是平常的重手法而已。

「拘魄索」宋天鐸立在一旁，道：「『陰手一魔』的點穴手法自成一家，屬下試了幾處，無法解開。」

谷寒香聲色不動，一掌拍在巴天義的「神封穴」上，但見巴天義咳出一口濃痰，兩眼張了開來。

在一叟、二奇中，巴天義的性子較爲暴躁，鬼心眼卻是較少，谷寒香想起宋天鐸自稱是胡柏齡的舊屬的話，心腸一軟，遂由懷中取出一個朱紅葫蘆，傾出一粒藥丸，纖指一彈，投入了巴天義的口內。

「搜魂手」巴天義臉色大變，張口便往外吐，宋天鐸突然反手一揮，拂在他的下顎之上，道：「夫人賜的靈丹，趕快吞下去。」

谷寒香任他做作，視若未睹，飄身躍到一名綠衣少女身畔，檢視她被點住的穴道。

那無名老叟的點穴手法極爲怪異，谷寒香試了一盞熱茶的時光，才將綠衣少女穴道解開。

這綠衣少女正是日間奉茶敬客那個，穴道一解，本能地挺身而起，一看室中情勢，駭得花容失色，疾步往門外奔去。

谷寒香冷哼一聲，道：「你最好站住，出了門外，我便取你的性命。」

那綠衣女聞言一呆，停下腳步，在門邊立著。

只見谷寒香玉掌連揮，一掌一個，轉眼之間，解開了另外三個綠衣少女，和四個青衣少年的穴道。

四個青衣少年人一醒轉，頓時在地上尋找兵刃，綠衣少女等一見，也紛紛撿取自己的兵器，轉瞬間，四男四女，分別並肩而立，橫劍當胸，一副凝神待敵的樣子。

谷寒香面露薄哂，冷冷地望住他們，待得眾人站定之後，始才問道：「你們是『陰手一魔』的弟子，抑或僅是下人？」

她眉宇之間閃動著一股殺氣，語言之內流露出一種威儀，連一叟、二奇這等人物，對她尙且愈來愈爲怯懼，這幾名少年男女，眼看「陰手一魔」久不現身，恐懼之情，更是油然大熾。

四個青衣少年相互望了一眼，爲首一人答道：「我等俱是下人身分，並非洞主的弟子。」

谷寒香一瞥地面，但見十個黑衣大漢，其中並無起眼之人，不禁秀眉一剔，冷聲道：「據我所知，『陰手一魔』尙有兩名弟子，如今人在何處？」

爲首的青衣少年頓了一頓，道：「兩位姑娘原在洞內，如今到了何處，在下等卻不知。」

谷寒香暗暗忖道：「這幾個少年男女武功根基不錯，若能收爲己用，再加訓練之後，就可予以重任，只是『陰手一魔』尙在，他們定然不敢變節。」

心念一轉，目射神光，在眾人臉上橫掃一眼，說道：「『陰手一魔』素行不義，我不信他是個遇下有恩的人，你們與其永遠待在這種暗無天日的洞內，何不隨我轉回『迷蹤谷』去？」

八個少年男女似是大出意料，彼此面面相覷，俱都不敢率先答話。

谷寒香雙目，炯炯注定爲首那個青衣少年，道：「『陰手一魔』終難逃出我的掌握，你們放膽跟隨著我，諒他也無可奈何。」

忽見鍾一豪大步由門外走了進來，厲聲道：「棄暗投明，千載良機，誰敢執迷不悟，便以

綠林第四戒律治罪！」

他已將黑紗蒙在臉上，昂首闊步，看來豪邁如故，但是講話時語音乾澀，中氣短促，一聽之下，即知他身負極重的內傷。

爲首的那個青衣少年曾與鍾一豪交手，眼見他挨了一記「陰風掌」倒於地上，不料他非但未死，而且恁快就行動自如，且還大聲講話，不覺甚感詫異地怔在當地。

但見一個綠衣少女朝谷寒香斂衽一禮，道：「婢子等也曾聽人說過，綠林四大戒律的第四條是『逆不受命』，不過婢子等分屬下人，不知洞主是否在綠林，該受『迷蹤谷』的節制？未得洞主面允，實不敢貿然相從。」

谷寒香看那答話的少女，正是日間捧茶敬客的那個，不怒反笑道：「你倒是伶牙俐齒，姓什麼？叫什麼？」

那少女答道：「婢子沒有姓，賤名叫做綠雲。」

谷寒香淡淡一笑道：「名字倒也不俗，咱們有一人中了迷藥，現在外面躺著，你去將他救醒，領來此處。」

那名叫綠雲的少女聞言之後，轉面朝另外幾人望去，似乎要徵求眾人的同意。

「拘魄索」宋天鐸大聲喝道：「還不快去?當真找死不成?」

那綠雲向谷寒香望了一眼，見她嘴角掛住一絲冷笑，雙目之內威稜閃閃，不覺心中一餒，轉身向門外快步走去。

鍾一豪恐她暗中弄鬼，舉步跟著走去，擬待將她看住。

谷寒香將手一擺，道：「毋須。」

接著向那綠雲揚聲道：「『陰手一魔』早已逃之夭夭，誰敢節外生枝，可別怨我以『五陰搜魂』的手法治人。」

那綠雲轉身道：「婢子不敢。」

谷寒香冷冷一笑，揮手道：「速去速回，見著了你們那兩位姑娘，帶她們前來見我。」

綠雲低喏一聲，轉身走出門去，谷寒香轉向為首的青衣少年道：「咱們尚有一人下落不明，你速去將他找來。」

那青衣少年為谷寒香的威儀所懾，不敢抗命，只得疾步往室外奔去。

這一間石室頗為寬大，谷寒香卓立室中，彷彿一座高聳入雲，翠綠欲滴的山峰，秀逸絕倫之中，令人有高不可攀的感覺。

「搜魂手」巴天義盤膝坐在地上，正在運氣行功，以助藥力，鍾一豪和「拘魄索」宋天鐸二人，一邊一個，侍立在谷寒香身後。

十餘名身穿黑色勁裝的男子，橫七豎八，臥倒在地面，三個青衣少年和三個綠衣少女，則屏息而立，每人臉上都有點陰晴不定。

驀地，門外傳來麥小明的呼喝之聲，和兵刃相擊所發的金鐵交鳴之聲。

谷寒香黛眉一蹙，回顧宋天鐸一眼道：「你去瞧……」

話未了，只見綠雲披頭散髮，左臂、右腿之上，鮮血淋淋，手拏一柄長不盈尺的金色斷劍，狼奔豕突地竄入了房內，麥小明手揮寶劍，流星趕月一般，啣尾追了進來。

但見麥小明朗聲喝道：「看劍！」

驚虹電掣直往綠雲「脊椎穴」刺去。

那幾個少年男女早就躍躍欲動，睹狀之下，頓時齊聲怒喝，同時揮劍而上。

谷寒香突然雙肩一晃，閃電般地到了麥小明身旁，玉手一探，倏地奪下了他的寶劍！

但聽一陣「叮叮」之聲，谷寒香寶劍連震，連點六個少年男女的劍尖，將六人震得同時大退了一步。

室中鴉雀無聲，沉寂如死，每個人都爲谷寒香的奇奧手法，和神妙劍術所怔住。

麥小明瞠目結舌，楞了半晌，訥訥地道：「師嫂這兩手，我都未曾學過。」

谷寒香冷冷地望他一眼，轉對綠雲道：「你快將創口包紮起來，能逃到此地，你的武功也算不錯。」

要知麥小明的武功，係由獨眼怪人佟公常親授，與谷寒香是同一師承，正因爲藝出同源，麥小明所能的，谷寒香都會，谷寒香所會的，麥小明卻有未學，故而谷寒香才能輕易地將他的寶劍奪下。

谷寒香見一個綠衣少女，已在替綠雲敷藥裹傷，於是將寶劍朝麥小明扔了過去。

麥小明接住寶劍，突然一指地上的張敬安，訝聲道：「師嫂，張敬安怎地也在這裡？」

谷寒香答非所問地道：「他算不算你的師兄？」

麥小明嘻嘻一笑，道：「我在酆秋那裡吃過幾天飯，酆秋要收我做徒弟，我是無可無不可，他要我喚他做師父，我看反正不行拜師之禮，師父就師父吧。」

谷寒香冷冷一哼，道：「有奶就是娘，虧你講得出口！」

麥小明嘀咕道：「本來是麼，難道說沒奶的倒是娘。」

谷寒香沉聲道：「我就要整治張敬安了，如果你有故人之情，最好是迴避一下，不要看入眼中。」

說話中，門外傳來一陣步履之聲，跟著便見「羅浮一叟」霍元伽一手提著一人，大步走了進來。

谷寒香移目望去，但見霍元伽束髮金箍已失，鬚髮蓬亂，渾身爲汗水浸濕，左手提著一個紫衣艷婦，右手提著一個黃衫女子，兩個婦人都長得十分艷麗，此時軟綿綿地昏睡未醒，似是被人閉住了穴道。

霍元伽進門之後，雙目一閃，環掃眾人一眼，接著扔下兩個女子，朝谷寒香躬身一禮道：「屬下無能，差點折了夫人的名，特此請罪。」

谷寒香向兩個少婦模樣的女子掠了一眼，看出二人是被無名老叟的點穴手法所制，心中暗暗想道：「他含糊其詞，明是有意遮羞，瞧他狼狽之狀，想必也歷經一番艱苦了。」

心念一轉，突然一反常態，溫言道：「霍兄定已久戰身疲，先請一旁歇息，我尚有一樁小事處理。」

「羅浮一叟」抱拳一禮，移步退到一側，谷寒香突然玉面一沉，注視幾個綠衣美婢道：「你們久隨『陰手一魔』，諒必知道『向心露』的用法。」

四個綠衣美婢相視一眼，頓了半晌，始由綠雲開口道：「洞主爲了攜帶方便，將『同心

露』製成了藥丸，用時以酒化開，服後約莫醉死一個時辰，醒來後靈志不清，心中只有施藥之人。」頓了一頓，接道：「洞主向來將藥丸帶在身上，如果夫人想要，婢子等卻難以從命。」

谷寒香問道：「解藥呢？」

綠雲說道：「昨日洞主命婢子取『向心露』時，是大小姐揣測洞主的心意，裝了兩粒解藥，用以搪塞夫人，那藥丸只須吞下，自然有效。」

她說到大小姐時，目光朝地上的紫衣艷婦瞥了一眼，谷寒香早已料定那兩人是「陰手一魔」的弟子，當下懶得理會，僅只淡淡地說道：「你們去斟一碗酒來，我有用處。」

一個綠衣美婢惑然望她一眼，轉身奔出房外，谷寒香走到張敬安身畔，翻過他的身子，一掌拍在他的背上。

但見張敬安身軀一震，吐了一口濁氣，略一定神，由地面挺身而起。

谷寒香突然陰沉沉一笑，玉手一揮，一指向他的「神封穴」上戳去。

這一指其快絕倫，張敬安足未站穩，睹狀之下，急忙猛力一挪身子，可惜爲時已晚，谷寒香的纖指業已戳在穴道之上，毫厘不差。

張敬安的痳穴被點，身子頓時動彈不得，苦笑一聲，道：「師嫂，你制住小弟做甚？」

谷寒香冷然不語，卻由囊中取出那個緊口玉瓶，拔開瓶塞，傾出一粒黑黑的藥丸。

張敬安駭得面無人色，顫聲問道：「師嫂這藥丸有何用處？難道是給小弟吃的？」

麥小明立在一旁，口齒一動，似欲講話，卻又像恐怕觸怒了谷寒香，終於忍了下去，緘口不言。

張敬安見谷寒香悶聲不響，連忙轉動目光，向麥小明望去，乞憐之色，流露無遺。

只見麥小明怔了一怔！期期艾艾地道：「師嫂……」

谷寒香猛地轉面，殺機騰騰，怒聲道：「叫你滾出去，你是想死？還是想嚐嚐『向心露』的味道？」

張敬安一聽「向心露」三字，剎那之間，額上冒出了一層冷汗，雙目之內，露出一片恐懼的光芒。

只見麥小明怔了一怔！有氣無力地道：「出去也好，眼不看爲淨。」說罷轉身，往門外走去。

張敬安突急聲道：「麥師弟，你就無同門之誼，也該看在恩師分上，勸師嫂手下留情。」

麥小明扭頭道：「你別怕，師嫂也不殺你，你偏向她，她不會虧待你的。」語罷疾步走出門外。

適在此時，那綠衣美婢著一只小巧的玉碗，由門外走了進來，玉碗中盛了大半碗濃醇美酒。

谷寒香看她目含怨毒，飄了霍元伽一眼，不禁秀眉微蹙，轉而問道：「霍兄是否已將那個少年廢了？」

「羅浮一叟」躬身道：「屬下出手不重，想必尙有救。」

谷寒香道：「霍兄速去瞧瞧，是我命他去傳喚霍兄，傷了他的性命，難免令人恥笑。」

霍元伽面上一紅，道聲：「遵命！」快步走了出去。

谷寒香接過綠衣美婢手中的玉碗，將那粒黑色藥丸投入酒中，移步向張敬安走近。

張敬安汗出如漿，急聲道：「師嫂，只要你不嫌小弟魯鈍，做牛做馬，小弟俱都甘心，赴湯蹈火，萬死不辭，絕不敢稍有二心。」

谷寒香充耳不聞，絲毫不爲所動，但只手掌微晃，使碗中的酒動盪不止，一會兒工夫，酒色已變得濃黑如墨。

張敬安見軟求無效，不禁駭極而怒，狂聲吼道：「谷寒香，『迷蹤谷』男女老小的性命，都在恩師的手中捏著，你胡作非爲，定必後悔莫及！」

谷寒香冷冷地道：「你最好是閉嘴，惹得我割掉你的舌頭，你才是後悔莫及。」

張敬安駭得渾身汗下，無奈身子不能動顫，徒呼負負，無可如何。

谷寒香看那藥酒業已調勻，皓腕一抬，即往張敬安唇邊送去。

室中的人，誰也不敢出一口大氣，每人的目光都集中在那碗「向心露」，每個人都聽得到自己心跳的聲音。

除了鍾一豪之外，每人的心頭都暗自惴惴，似乎都有一種感覺，張敬安之後，下一個吞服「向心露」的即是自己。

忽聽張敬安淒厲怒吼道：「賤婢……」

谷寒香左掌疾伸，拇、中二指，倏地箝住了張敬安的下顎，玉碗一傾，大半碗濃黑如墨的藥酒，頓時灌入了張敬安腹中，點滴無餘。

但見張敬安唔唔連聲，轉眼之間，蒼白的臉頰上泛出一片青紫，眼皮也逐漸垂落下來。

谷寒香玉掌一揮，解了他的厤穴，厲聲喝道：「小明！」

麥小明探首朝室內一望，問道：「幹什麼？」

谷寒香冷冷地道：「將他背著。」

震腕一推，將張敬安的身子送了過去。

麥小明閃身向前，伸手接住，惑然問道：「咱們這就走麼？」

谷寒香目光流盼，一掃鍾一豪和「搜魂手」巴天義道：「兩位是否能騎馬？」

鍾一豪尚未開口，「搜魂手」巴天義由地上一彈而起，搶著道：「多謝夫人慨贈靈丹，屬下業已行動無礙。」

谷寒香玉面一轉，看了鍾一豪一眼，鍾一豪急忙抱拳道：「屬下已不礙事。」

「羅浮一叟」霍元伽大步走進室中，躬身道：「這洞內有一座室，控制各處的門戶，夫人是否要前去檢視番，予以拆毀？」

谷寒香微一沉吟，道：「酆秋已到『迷蹤谷』內，咱們須得立即動程，趕了回去。」

接著轉向幾名少年男女道：「掌燈帶路，你們洞主如果回來，要他即日前來見我。」

幾個少年男女聞得吩咐，誰也不敢多話，轉眼間碧光晃動，手提燈籠，當先朝外走去。

谷寒香隨後向外走去，霍元伽與鍾一豪等一班人心意，都怕養虎貽患，希望就此將「陰手一魔」的手下除去，毀掉他這洞府，但見谷寒香喜怒不測，俱都不敢開口，以防多言招尤。

出到「黑風峽」外，一看天色已是近午時光，一個綠衣少女牽了谷寒香的馬匹送了上來。

谷寒香飄身上馬，忍不住掃視了幾個少年男女一眼，道：「倘若『陰手一魔』在一月之內

仍不回轉，你們最好自動前來投我，『迷蹤谷』雖未招賢納士，也不致薄待爾等。」

說罷之後，絲韁一帶，馳馬絕塵而去。

一叟、二奇和鍾一豪等人，急忙策馬緊隨在後，麥小明將醉倒的張敬安搭在鞍前，驅馬跟在最末。

六騎健馬奮蹄疾馳，直投西北而去，谷寒香歸心似箭，馬不停蹄，愈馳愈快，眾人雖然飢腸轆轆，也不便講出口來。

疾馳中，軟綿綿地搭在鞍上的張敬安，陡地大喝一聲，手按馬背，猛地騰身躍地。

麥小明一驚之下，不遑多想，右手一伸，疾往他的足踝抓去，左手駢食、中二指，飛襲他的腰際「太乙穴」。

只見張敬安含胸拔背，猛地一擰身形，雙足翻飛，直踢麥小明面前。

這一連環飛足，快若迅雷疾電，凌厲如巨斧開山，麥小明被坐騎前衝之勢一帶，直往他雙足上撞去。

急迫中，但聽麥小明大叫一聲：「師嫂。」連翻帶滾，閃落到了地面，張敬安形如巨鳥破空，雙掌猛划，疾射盈丈，一把抓住了馬鬃。

谷寒香馳馬在前，一聞張敬安的喝聲，頓時猛勒韁轡，掉頭朝後一望，眼看張敬安搶到馬匹，不禁脫口厲喝道：「張敬安！」

只見張敬安聞得喝聲，渾身一震，勒韁繩，轉面望來。

谷寒香目光如炬，相隔雖遠，卻看出他眼神撩亂，一副茫然若失的神情，當下將手一招，厲喝道：「過來！」

張敬安耳聞谷寒香招喚，兩眼遙遙盯在她的臉上，恍忽似曾相識，未記陌路之人。

兩人四目相接，一直僵持了盞茶工夫，張敬安始才雙腿微夾馬腹，策馬向前走來。

谷寒香目射冷電，盯住張敬安的雙眼一瞬不瞬，口中冷冷地道：「跳下馬來，隨在我的鞍旁行走。」

張敬安看來似懂非懂，轉臉一望「羅浮一叟」等人，露出一副手足無措的樣子。

麥小明但問好惡，不論是非，他帶藝投師，曾與張敬安相處兩年，二人之間，既無情感，亦無嫌隙，這時眼看他癡癡呆呆，一副失魂落魄的神情，心下感到有點過意不去，於是朝著谷寒香道：「師嫂，就讓他騎馬，我跑一段再說。」

谷寒香暗忖道：「這藥力雖然厲害，不過似這等麻木不仁的人帶在身畔，也沒有大用。」忖念之下，不由心頭一煩，絲韁一抖，縱馬朝前馳去，張敬安好似唯恐她要將自己撇下，策馬上前，搶過霍元伽與鍾一豪的馬頭，緊傍著她的馬鞍馳去。

黃昏時分，趕到了忻縣城外，六騎馬首尾相啣，正自往城內衝去，驀地，蹄聲震耳，一匹棗紅健馬風馳電掣，迎面疾衝而來。

谷寒香神目如電，瞥眼之際，看出馬上人乃是「多爪龍」李傑，當下一勒絲韁，低喝道：「老三！」

「多爪龍」李傑聞得呼喝，抬眼一望，急忙收韁繩，只聽那棗紅馬一聲長嘶，人立而起，收住了急衝之勢。

谷寒香目光一閃，見他衣衫和坐馬俱已爲汗水濕透，想是長日趕路，一直未曾歇足之故。

「多爪龍」李傑躍下馬背，忽見張敬安隨在谷寒香一旁，不覺面色一變，口齒微動，欲言又止。

谷寒香道：「你有話但講無妨，這般馬不停蹄，可是谷中生了變故？」

「多爪龍」李傑躬身一禮，瞥眼向張敬安臉上一掃，看他神情木訥，大異尋常，不由訝聲道：「酆秋已至寨內，除了派人遠下嶺南，柬邀『鬼老』和『人魔』等人外，並且擅傳夫人的號令，召集天下綠林同道，限於四月初八浴佛之日，前來『迷蹤谷』聽令。」

說到此處，用手一指張敬安道：「這廝腳程好快，我一路換馬，兩日夜未曾駐足，不料仍然被他趕到了前面。」

谷寒香沉吟少頃，問道：「酆秋擅傳我的號令，是口頭之令？或是書面之令？傳令之人是否都是谷中的弟子？」

「多爪龍」李傑喘了一口大氣，說道：「余先生剛剛將三色令符製好，不知怎地，竟被酆秋得知，他逼著余先生交出了四面『威鳳金符』，派了他自己帶來的四個手下，持符傳令。」

說話之間，城門下熙熙攘攘，兩扇厚重的城門發出一陣吱呀之聲，緩緩合攏起來。

谷寒香將手一揮，道：「落店之後再講。」絲韁一抖，縱馬往城內衝去。

七匹健馬首尾相啣，剛剛衝入城內，谷寒香倏地猛勒絲韁，扭頭喝道：「宋天鐸，抓住前

面兩個老道，快！」

「拘魄索」宋天鐸聞得吩咐，縱目朝前一望，只見長街盡頭，依稀有兩個道袍揹劍的身影，當下不敢怠慢，騰身下馬，施展輕功身法，全力向前追去。

麥小明的坐騎讓給了張敬安，這時飄身躍到宋天鐸的馬上，嘻嘻笑道：「師嫂好眼力，這遠的距離，我都瞧得不太真切。」

谷寒香正在朝前凝視，對他的話，似乎一字未曾聽入，直待宋天鐸的背影消逝之後，始才驅馬向前走去。

冬日晝短，轉眼之間，夜幕四合，滿街燈光閃動，谷寒香策馬在前，沿街徐徐行去，一會兒找著了一家客店，率領眾人投入店中。

眾人俱是整日未進飲食，落店之後，立即開始飲酒用飯，那張敬安癡癡呆呆，守著谷寒香寸步不離，一起一坐，俱都隨著她行動。

席間「多爪龍」李傑向谷寒香稟道：「酆秋命手下的人持符傳令，曾經吩咐派去的四人，說是如果有人表示不服，立即就地予以格殺，余先生見茲事體大，因而命我趕來稟告夫人。」

谷寒香淡淡一笑，道：「據你們所知，各處開山立號的人中，是否有什麼好手？」

「多爪龍」李傑怔了一怔，道：「自盟主大哥遭了不幸後，咱們兄弟一直追隨在嫂夫人身側，凡咱們知道的，夫人諒必也都清楚。」

谷寒香秀目流盼，一顧霍元伽道：「近來的江湖情勢，霍兄料必清楚，綠林之中，是否有

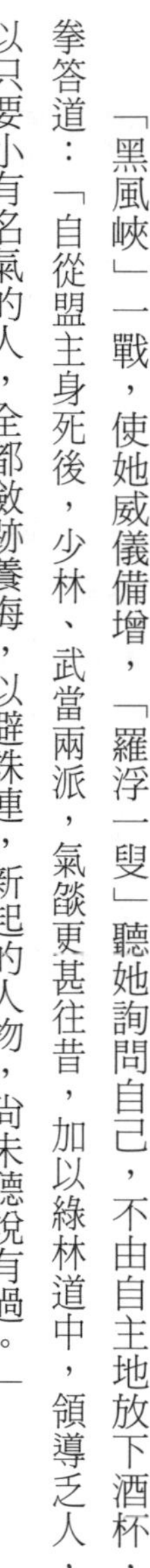

後起之秀？」

「黑風峽」一戰，使她威儀備增，「羅浮一叟」聽她詢問自己，不由自主地放下酒杯，抱拳答道：「自從盟主身死後，少林、武當兩派，氣燄更甚往昔，加以綠林道中，領導乏人，是以只要小有名氣的人，全都斂跡養晦，以避誅連，新起的人物，尚未聽說有過。」

鍾一豪忽然接口道：「『嶗山三雄』對胡盟主崇敬有加，他們得了夫人的號令，定然不待四月初八，即會趕到『迷蹤谷』內，還有屬下的一些舊部，也必是聞令動身兼程趕來。」說到此處，頓了一頓，接道：「酆秋既予傳令之人以生殺大權，那四人的武功，大概都不等閒，否則的話，豈不求榮反辱？」

谷寒香轉眼望著麥小明，問道：「酆秋共有幾個弟子？」

麥小明笑道：「三個半。」

只見谷寒香玉面一沉，雙目之內，迸出一股殺氣，麥小明急忙接聲道：「本來就是，我算半個。」一指張敬安道：「他還有兩位老兄……」

谷寒香突然冷冷一哼，截口道：「酆秋是罪魁禍首，本來我打算料理了『陰手一魔』之後，就去找他算賬，不想他自投羅網，竟會送上門來？」

麥小明問道：「師嫂想要殺他麼？」

谷寒香冷冷一笑，尚未講出話來，甬道之外，突地傳來一陣疾步之聲。

眾人轉面望去，只見「拘魄索」宋天鐸舉步若飛，匆匆奔了進來。

谷寒香雙肩微聳，問道：「那兩個老道，可是武當派的？」

「拘魄索」宋天鐸行了一禮，道：「正是武當四陽之二，青陽、白陽二人。」

谷寒香瞿然一驚！暗暗忖道：「在武當派中，這兩人輩分崇高，聯袂北上，定然是有重大事故。」思忖之際，一股騰騰殺機，陡地自眉心露出。

「拘魄索」宋天鐸話未講完，睹狀之下，心神不禁一凜，不知不覺地住口不言。

谷寒香沉聲問道：「兩人如今到了哪裡？你是否洩露了行藏？」

「拘魄索」宋天鐸忙道：「二人並未發覺屬下，他們才到城北一家客店門外，店中立即有個中年男子迎出，三人未曾交談幾句，同時往城外奔去，行色匆匆，好似有什麼急事，屬下跟出城外，發覺三人所去的方向並非恆山，故而回來請示。」

谷寒香心忖道：「武當派人多勢眾，『五行劍陣』非同小可，想殺武當四陽，正是談何容易，難得這兩人落單，再不下手，更待何時？」心意一決，頓時推杯而起，目光一掃鍾一豪和巴天義兩人，道：「你二人內傷未癒，就留在店中歇息吧。」說罷當先往房外走去。

張敬安一見，立時跟在她的身後，霍元伽與麥小明也都離座而起，隨同向外走去。

忽聽鍾一豪大聲道：「屬下的傷勢，已無大礙，甘願隨著夫人出陣。」

「搜魂手」巴天義接口道：「屬下也願同往。」

谷寒香似是無心理會二人，隨口「嗯」了一聲，疾步往店外走去。

她出了店門，「拘魄索」宋天鐸立時上前帶路，一行八人順著長街疾行，直往城北奔去。

出城之後，谷寒香問明所行的方向，立即吩咐眾人隨後跟上，自己展開輕功腳程，全力朝前疾追。

曠野之上，夜風呼嘯，遍地積雪，泛出一片皚皚的白光。

她這一全力疾奔，霎時撇下了眾人，但那張敬安卻如流星趕月一般，雖然終是愈掉愈遠，卻逐漸超在霍元伽等人的前面，麥小明好勝之心大起，竭盡全力，緊追在張敬安之後。

疾奔了半個時辰，突見一座小小的岡巒橫在前面，隱約的金刃劈風之聲，隨風送到耳畔。

谷寒香深吸一口長氣，「颼颼颼」接連激射，剎那之間，搶進了數百丈距離。

突地劍光耀眼，強勁的掌風，呼呼作嘯。

谷寒香縱目一望，只見岡巒上人影幢幢，圍了一圈，劍氣、掌風，由圓圈中央升起，動手之人卻無法看見。

她打量地勢，情知要想看得真切，便無法隱蔽身形，於是足下連縱，幾個「燕子三抄水」之後，「一鶴沖天」逕朝岡山撲去。

谷寒香一躍七、八丈，嬌軀尚未著地，忽見人影晃動，喝叱之聲大起，眨眼之間，四個手執兵刃的男子，一字排在眼前。

但聽一個粗重的口音大喝道：「來者何人？火速報出名號！」

谷寒香目射冷燄，向身前四人橫掃一眼，蓮步輕移，直往打鬥場中走去。

這平岡之上，三個人激鬥正烈，一個是五短身材，瘦骨嶙峋，雙臂特長，鳩形鵠面的人，另外兩個，則是一般打扮，髮挽道髻，身著藏青道袍，花白長髯，飄拂胸際。

忽聽先前那個粗重的口音厲喝道：「回去！」

原來四個攔阻谷寒香的大漢，被她懾人心神的目光一掃，俱各爲之一怔！待得神志清醒，谷寒香業已走到近處，玉掌一揮，直向居中二人橫劈過來。

那出聲發話之人立在最右，此人手持一柄寬達五寸的厚背鋸齒刀，一見谷寒香持強硬闖，不覺惱羞成怒，聲出刀出，反手一招「猛虎當道」，一刀斜劈過去，霍霍刀風，震得人耳膜生痛！

但聽居中二人齊聲一哼，身形後仰，被摜出一丈開外。

谷寒香隨手一掌，既無劈空嘯風，亦無暗勁潛力，兩個手橫兵刃的彪形大漢穴道已被震閉，倒地不起，說時遲，當時快，未見她變招換式，纖指倏合，已將那柄勢如瘋虎的鋸齒刀握住。

那人一刀劈出，驀感手腕一震，刀身文風不動，駭極之下，雙腿一坐馬步，暴喝一聲，竭盡全力，猛地將刀往懷中一奪。

同時間，左面那名大漢大喝一聲，一根粗如鵝卵的七節鋼鞭，朝谷寒香攔腰擊到。

谷寒香一雙冷芒逼射的美目，依然盯住打鬥中的二道一俗身上，但聽她冷森森一哼，纖腰微擺，形如柳絮隨風，倏地橫飄三尺，藉著移形換位之勢，皓腕陡地一折。

忽聽一個清朗的口音縱聲道：「姑娘手下留情。」

話聲中，一條人影疾如雷奔電射，由十餘丈外一閃而至。

此人輕功奇高，來勢如電，谷寒香心頭微微一驚，功貫五指，力透刀身，霍地沉腕一擰。

但聽「嗆」的一聲脆響，那柄寬達五寸，背厚寸許的鋸齒刀，竟被她春蔥似的纖指硬生生捏斷。

似她這等嬌美如花，柔弱如水的女子，手握刀鋒，力斷利刃，怎不令人駭然？兩個大漢駭極而癡，目瞪口呆地立在當地，彷彿泥塑木雕似的。

那電閃而至的人影突然沉聲道：「爾等還不退開？莫非當真要找死！」俯身揮掌，頓時解了地上兩人的穴道。

兩個大漢聞言一驚！齊聲一喏，疾步退了開去。

谷寒香凝目望去，只見來人年約二十五、六，一身銀色勁裝，劍眉星目，猿臂蜂腰，背插寶劍，英氣迫人。

忽聽劍氣掌風之中，響起一個蒼勁的口音道：「時寅，貧道等以多勝少，情非得已，你再不束手就縛……」

只聽那鳩形鵠面，瘦骨嶙峋之人截口道：「少放屁！勝得了大爺時，大爺將項上人頭給你。」

語聲中，雙掌翻飛，忽擊忽拏，疾變如電，招招不離兩個老道的要害。

谷寒香暗暗忖道：「此人骨頭好硬。」移目望去，只見那人臉色鐵青，雙掌烏黑，手肘以下，條條血管賁張，將手掌脹得又粗又大。

她目光如炬，三人雖然動作快速，往來如電，但在雪光反映之下，她卻看得纖微畢呈，巨細不遺。

那猿臂蜂腰的男子見她望了自己一眼後，重又凝神觀戰，移步往場邊走去，不禁俊面微紅，抱拳道：「姑娘尊姓芳名?此人使的是『黑煞掌力』，奇毒無比，姑娘若非……」

他本想說「若非他的同道，最好不要攏去。」話到唇邊，忽然想到如此秀美高雅的女子，絕不可能是那時寅的黨羽，率爾出言，只恐唐突佳人。

要知谷寒香也不過二十許人，她天生絕色，雖然飽經憂患，心若槁木死灰，但是外表看來，依然是個艷光照人的少婦。

谷寒香一聽那以一敵二，掌對雙劍之人姓時，使的又是「黑煞掌力」，頓時芳心一動，飄身向場邊閃去。

那猿臂蜂腰的男子，見她對自己的話置若罔聞，不覺赧然一呆，接著雙肩一晃，隨後躍了過去。

驀地，一陣疾風貼地掠到，但見張敬安舉掌一揮，陡然朝那猿臂蜂腰之人背心擊去。

這一掌來勢奇詭，力道驚人，掌挾腥風，凌厲至極。

那猿臂蜂腰之人，身手居然極高，耳聞掌風襲到，蜂腰一扭，霍地轉過身來，健腕一掄，猛地一掌迎去。

忽聽他驚聲道：「血手印!」

「砰」地一聲巨響，兩掌一接，激風旋迴震蕩。

他功力原本較遜，又是倉卒反身發掌，已短敵長，竟被震得右臂麻木，內腑齊動，眼花耳鳴，身軀彈出一丈之外。

張敬安一掌拍出，身形絲毫不停，瞬眼之間，靜立在谷寒香身側。

突地，麥小明疾掠而至，敞聲笑道：「范玉崑，吃我一掌！」

揚掌一揮，猛向那猿臂蜂腰之人天靈蓋上擊下。

但聽喝聲大起，六、七條人影齊向麥小明撲至，驚芒電掣，刀、劍、鞭、鉤俱有。

原來這猿臂蜂腰之人，正是已死的「神劍」范銅山之子，北嶽「落雁谷」之戰，曾與麥小明狠拚百餘回合，未曾分出勝負。

名家之後，果然非同凡響，范玉崑被張敬安的「血手印」震出丈外，身形依然未倒，此時眼看麥小明一掌壓下，欲待還擊，無奈右臂無法舉起，只得恨聲一哼，猛力往一側竄開。

麥小明嘻嘻一笑，道：「饒你不死！」

騰身而起，倏地飛過迎面撲來之人的頭頂，瀉落於谷寒香身旁。

激戰中的兩個老道，顯然是知道谷寒香是敵非友，兩人一般心意，都想速戰速決，盡快將那名叫時寅的人毀在劍下。

兩個老道功力之深，堪稱武林一流高手，兩人所使的劍法，更是大異尋常，但見此劍未消，彼劍即長，此劍倏出而收，彼劍未動而至，交織來去，如穿梭織錦，相生相應，綿密極頂，重重劍幕，將那時寅緊緊地裹在其中。

麥小明看了半晌，心中大感不服，脫口道：「師嫂，兩個牛鼻子太不要臉，我去給點顏色他們瞧瞧好麼？」他至今尚著道裝，見著道人，仍然叫牛鼻子。

谷寒香面如玄冰，眼神隨著三人的劍、掌幻動不已，口中冷冷地道：「留神瞧著，休得多話。」

麥小明嘀咕道：「武當派的『兩儀劍法』有什麼好瞧的？『五行劍陣』我也殺得進去，殺……」他要說「殺得出來」，忽然住口不言。

倏地，風聲颯颯，一叟、二奇和鍾一豪、李傑等人，先後躍到場邊，簇擁在谷寒香兩側。這面的人愈來愈多，范玉崑和激戰中的兩個老道，俱都覺出情勢嚴重，霎時間，人影晃動，原是環列一圈的人，這時雁行排列，與谷寒香等人遙遙相對，兩個老道也劍勢緊迫，招招制敵要害。

那時寅殊爲沉著，劍幕愈縮愈小，兩柄寒光耀眼的劍尖，在他周身大穴點來劃去，他卻絲毫不見忙亂，雙掌交揮，護住周身要害，蹈隙還攻，氣勢如虹。

他這「黑煞掌力」，乃黑道中極負盛譽的絕技，除了掌勢雄厚渾猛之外，還夾有異常強烈的毒氣，一被擊中，縱然不被震死，亦將爲掌毒所傷，難逃一命。

「拘魄索」宋天驛站了一會兒，見那「兩儀劍法」循環相生，如江河下瀉，愈來愈見威猛，時寅隨時有喪生的危機，他雖不知時寅的來歷，卻知必是黑道中人，敵愾同仇，不免關心，因而移近谷寒香身側，低聲道：「啓稟夫人，這兩個雜毛，即是青陽、白陽。」

谷寒香點了點頭，道：「我知道。」說話中，三人愈打愈快，但見劍光閃動，掌飆奔騰，不見三人的身影。激鬥中，危機迭起，那時寅想是知道難逃一死，因而潑出了性命，招式一變，盡是以命換命的打法，冀圖拚個兩敗俱傷，與敵偕亡。

瞬眼間，三個人的氣息，同時轉爲粗重，場外的人，也都似久處密雲不雨的空氣之中，逐

漸感到煩悶異常，喘不過氣來。

驀地！谷寒香冷冰冰一哼，人影乍閃，投入了劍氣、掌飆之中。

場外之人，俱都早已躍躍欲動，谷寒香哼聲才出，麥小明即已翻腕拔劍，縱身往場內撲去。張敬安神志不清，反應較為遲鈍，但他功力精湛，身法快捷，谷寒香嬌軀一動，他也隨同動作，擁身撲向場中。

豈料谷寒香的動作太快，麥小明和張敬安才至半途，其餘的人剛剛轉過念來，場中業已冷笑、怒喝、悶哼之聲，同時響起，四條盤旋交錯的人影，快若火花飛濺，突地分散開來。凝神看去，只見谷寒香滿面冷笑，卓立在原地，兩個老道手橫長劍，並肩立在兩丈開外，鬚髮倏張，臉色氣得鐵青。

那時寅站在兩者之間，氣息喘喘，汗水如漿，胸前一道長幾盈尺的劍創，血湧如泉，轉眼之間，濕透了胸前的衣衫。

谷寒香突然陰沉沉一笑，朝著青陽、白陽兩個道人道：「你二人休要氣忿，如果你們的本領，僅止於這套劍法，今夜就別想活命。」

青陽道長未及開口，白陽已搶先怒喝道：「你的口氣好大，莫非與『迷蹤谷』有何關連？」

說著向一叟、二奇等人瞥了一眼。

谷寒香冷冷地道：「我姓谷，天下綠林，俱都歸我統轄，你是青陽？還是白陽？」

她適才投身劍叢之中，出手救人，雖只一招半式，卻令青陽、白陽震駭不已，是以她雖自稱統轄天下綠林，兩人卻無法不信。

白陽道長驚詫未已，站在一邊的時寅突然身形一仆，張口一噴，吐出一口紫血。

谷寒香雙眸凝光，在他面上一轉，惑然道：「我瞧你血中淤塊，莫非內腑已被重手法震傷？」

只見時寅雙眼一翻，打量了谷寒香一眼，道：「哼！我若未曾受傷，憑這幾個鼠輩，豈是我的對手？」冷傲之性，溢於言表。

「拘魄索」宋天鐸突然道：「你的口氣也不小，咱們夫人救了你的性命，你怎麼慢不為禮，道謝之言，也沒有一句！」

谷寒香看那時寅濃眉一豎，似欲發作，頓時玉手一擺，道：「屬下直言，你不必放在心上。」說著探手囊中，取出一只羊脂玉瓶，攤開左掌，由瓶中傾出了兩粒龍眼大小、色作金黃的藥丸。這藥丸功能起死回生，鍾一豪與「搜魂手」巴天義俱曾服過，眾人見她玉瓶一頓，知道藥丸僅剩二粒，不覺全都睜著雙目，看她如何發落。

只見她將一粒藥丸重裝入瓶中，蓋好瓶塞，放回囊中，接著兩指一彈，將另一顆藥丸朝時寅投了過去。時寅接住藥丸，發覺她身旁之人都面帶惋惜，怔了一怔！忽將藥丸擲了回來，道：「我今日受你援手之德，將來一定設法補報，這丸藥看來極為貴重，我不再領情了。」

谷寒香淡淡一笑，將那藥丸重又扔去，道：「武當派慣於群打合毆，你武功雖高，內傷未癒，逃得過今夜，逃不過明天，我救人救徹，而且尚還有事相求於你，你快將藥丸吞下，我有話要講。」

忽聽范玉崑大聲道：「姑娘，此人乃是『黑魔』時佛之後……」

谷寒香突然玉面一轉，冷冷地問道：「你又是何人之後？」

「拘魄索」宋天鐸接口笑道：「他是豫南范銅山的兒子，家門名氣亦復不小！」

范玉崑雖已聽到宋天鐸稱谷寒香爲夫人，但卻忍不住要稱她姑娘，谷寒香神情冷漠，言語難堪，令他的自尊心大受損傷，但他不知怎的，竟然不忍發作，宋天鐸這一接口，頓時激得他怒氣勃發，劍眉一軒，便待躍身上前。

青陽道長靜立一旁，左思右想，始終想不出黑道之中，何人配有谷寒香這等武功深不可測，貌美勝似天仙的妻室，此時朝著范玉崑虛虛一攔，道：「范公子權忍一時，是非強弱，好歹總有分曉。」

范玉崑雖然心頭不願，但因與張敬安對過一掌後，右臂至今運轉不靈，無奈之下，只得強忍一口惡氣，憤然立在原處。

青陽道長忽向谷寒香稽首一禮，道：「貧道青陽，敢問女施主的尊夫是哪位成名英雄？」

谷寒香突地目射寒光，陰沉沉一笑，反問道：「兩年前北嶽之戰，你是否曾經到場？」

青陽道長似是未曾料到她有此一問，怔了一怔！始才緩緩地道：「那一次『落雁谷』大戰，驚天動地，青陽恭逢其會，至今歷歷如在目前，不知女施主何以有此一問？」

但見谷寒香雙眉之間，陡地顯出一道紫紋，殺機盈面，厲聲道：「你是否識得『冷面閻羅』胡柏齡其人？」

這一句話，恍若青天霹靂，但見白陽、青陽，與范玉崑三人，身子同時一震。

胡柏齡死時，身上留著一道劍創，自後背直貫前胸，刺穿內腑，當時赴會之人，以少林、武當兩派爲主，少林派無人使劍，其他雖有用劍之人，僅只神劍范銅山的名譽最隆，但是范銅山和天禪、紫陽等爲首三人，一上來便中了酆秋的三絕神針、七毒消魂散，及「毒火」成全的白燐劍，三人同受重創，片刻之後，即已劇毒發作，人事不知。

當日之戰，谷寒香身畔的人，僅只麥小明在場，但當胡柏齡重創身死之際，他卻業已退下，因而谷寒香等推究情勢，判斷胡柏齡是死在武當派的「五行劍陣」，或是白陽、青陽等武當高手的圍攻之下？

此時，谷寒香眼看青陽、白陽二人一聞胡柏齡之名，頓時面色大變，身軀震動，越發證實了自己平時的判斷，霎時之間，只感到心頭一陣劇痛，雙手顫抖不休。

驀地，只見她仰面望天，震聲一陣長笑！

淒厲的笑聲，劃破長空，直沖霄漢，回音搖曳，久久不絕！

但聽她愈笑愈見激越，直笑得敵我兩方的人俱都心搖神駭，恍忽天搖地動一般。

陡地，笑聲戛然而遏，谷寒香皓腕一抬，抽出了肩後的長劍，一步一頓，直對青陽、白陽兩人身前走去。

張敬安早已被她淒厲陰惻的笑聲，駭得六神無主，手足不住地戰顫，這時見她亮劍上前，頓時探手腰際一摸，取出一個金光燦燦的黃圈，躡足跟了上去。

谷寒香陡地扭頭怒喝道：「滾回去！」

只見張敬安手足一顫，舉步躊躇，一副徬徨無主的樣子。

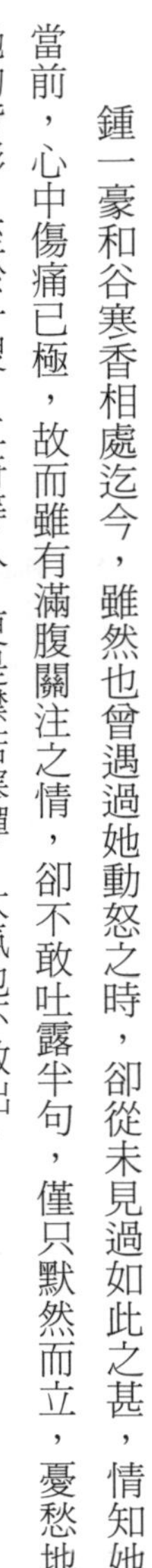

鍾一豪和谷寒香相處迄今，雖然也曾遇過她動怒之時，卻從未見過如此之甚，情知她夫仇當前，心中傷痛已極，故而雖有滿腹關注之情，卻不敢吐露半句，僅只默然而立，憂愁地望著她的背影。至於一叟、二奇等人，更是噤若寒蟬，大氣也不敢出。

麥小明看張敬安呆了一呆，又有跟著上前之勢，急忙飄身過去，拉著他的手臂，將他拖了回來。

谷寒香突然陰惻惻一笑，目注青陽、白陽二人道：「你們若不出手，我可不等了。」

她那副冷漠的神色，和懾人的殺氣，確實使對方不寒而慄，對她望而生畏。

青陽道長倏地單掌當胸，問道：「女施主莫非是已故江湖奇俠胡柏齡的夫人？」

谷寒香秀眉猛剔，嘿嘿一笑道：「江湖奇俠？好怪的謚號！」微微一頓，厲喝道：「谷寒香爲夫報仇，你們準備了！」

長劍一震，疾刺而出，倏然襲向青陽的胸口。

只見青陽、白陽二人同時飄身，暴退五尺，青陽道長縱聲道：「夫人暫請住手，貧道等尙有下情奉告！」

谷寒香劍勢一收，冷然說道：「事到如今，昭然若揭，你們還有什麼話講？」

青陽、白陽二人，突然相視一眼，同時將長劍插回了鞘中。

谷寒香秀眉一顰，淡淡地道：「武當四陽，久負盛名，你二人聯劍拒敵，未必不能自保，如此畏首畏尾，豈不令人齒冷？」

白陽道長性情原極驕躁，聞言好似忍無可忍，面色一變，開口似欲講話。

青陽道長突地轉面喝道：「師弟難道忘了掌門師兄的告誡？」

只見白陽道長將頭一垂，低聲道：「白陽不敢。」

谷寒香看二人對答之間，神色自然，不似故意做作，不禁心下大奇，詫然道：「武當派自視甚高，縱橫江湖，素來是鋒芒畢露，但不知紫陽有何告誡，竟使你們忍辱含垢，如此地一再相讓？」

青陽道長雖然聽出她語含譏誚，依然不動怒氣，浩嘆一聲，肅容道：「非僅敝派，連少林寺亦是一樣……」

谷寒香聲色俱厲道：「怎麼樣？」

青陽道長正色道：「武當、少林兩派，追念胡大俠的恩澤，敬仰他的俠骨仁心，兩派掌門，俱已嚴命門下，任何情況之下，不許與胡大俠的遺族動手。」

這幾句話，大出眾人意料，谷寒香也不禁聳然動容，滿腹殺機，消泯不少。

忽見時寅將那粒藥丸投入口中，朝著谷寒香微一抱拳道：「胡夫人厚賜，時某業已敬領，夫人有何差遣，只管示下。」

谷寒香轉眼朝他一望，突然冷聲道：「你所服的那粒藥丸毒絕天下，若無我的獨門解藥，百日之後，腹破腸穿而死。」

時寅一聽那粒藥丸竟如此陰毒，剎那之間，臉色變得難看無比，目射凶光，躍然欲動。

谷寒香知他正在暗中凝聚功力，欲待猝起發難，不禁冷冷一笑，道：「你內傷未癒，久戰身疲，此時與我動手，不啻自找死路。」

說罷目露殺機，轉朝青陽、白陽二人望去，口中說道：「你們自棄先機，死了不必怨誰。」倏然一劍，同時刺向二人。

青陽、白陽並肩而立，眼著這一劍來勢凌厲，辛辣異常，凜然之下，雙雙挫步飄身，橫移數尺。

谷寒香冷然一哂，道：「我以為你二人以身殉道，原來生死關頭，還是性命要緊。」話聲中，劍去如風，直向青陽眉心點去。

忽聽時寅大喝道：「住手！」

谷寒香收劍卓立，扭頭道：「你有什麼話講？」

時寅怒哼一聲，道：「你解鈴繫鈴，出爾反爾，究竟是何用心？」

谷寒香淡淡地道：「我要殺盡武當、少林兩派為首一輩的人，無奈眾寡懸殊，難以如願……」

時寅恍然大悟，截口道：「你的意思，是想我與這批人一樣，隨在你身側聽令？」

說話之間，伸手向一叟、二奇等人一指。

谷寒香冷聲道：「這批人原也各霸一方，武功威望，俱不在你時寅之下，你若願意入夥，也未見得受了委屈。」

只見時寅濃眉連聳，沉吟不語，雙目炯炯，緊盯在谷寒香臉上，神色之間，獰惡無比。

谷寒香泰然一笑，道：「你仔細考慮一番，待我殺了這兩個道人，再與你從長計議。」

時寅突地牙根一咬，厲聲道：「要說殺盡武當、少林兩派的人，我時寅倒是自願效力，但

卻不願受你羈絆，與這批人為伍。」

說著將手一伸，二度向一叟、二奇指去。

「羅浮一叟」突然雙目一翻，冷哼道：「你是什麼東西？黑白雙魔不可一世，結果依然被武當派聯合崑崙、峨眉兩派的高手，圍攻得重傷而遁，終於無聲無息而死，你父仇未報，還臭美什麼？」

時寅怒火如焚，右臂一舉，即待一掌劈去！

谷寒香玉手一擺，道：「時寅，他雖然語出唐突，但是所講的都是實情，你惱羞成怒，豈不令人見笑？」

時寅強壓怒火，狠狠地看了霍元伽一眼，陡地轉朝谷寒香道：「念你解圍之德，今日之事，恩怨兩抵，你報夫仇，我報父仇，我們各行其事，互不相涉。」

谷寒香看他似欲離去，頓時玉面一沉，喝道：「且慢！恩是恩，怨是怨，哪有兩抵之事？」

時寅怒髮如狂，厲聲問道：「依你如何？」

群雄見她講出這種大違常情的話，俱皆為之一怔！一雙雙精芒逼射的眼睛，全都集中在她的面上，要看她到底是何居心？

谷寒香突然淡淡一笑，緩緩說道：「十餘年前，開封城發生過一樁震駭武林的血案，十四個武林高手，被殺在黃河渡口……」

這一樁慘案，曾經哄動一時，一叟、二奇等俱是人走江湖之人，對於此事，全都耳熟能詳，知之甚稔，這時聽她突然提起，頓時傾耳靜聽，看她尙有什麼下文。

只見那白陽道長口齒一動，似欲插言，青陽道長向他一施眼色，白陽道長立即緘口不語。

谷寒香微微一頓，忽然神情一整，肅然道：「時寅，你據實答我兩句話，我今晚救你的事，從此一筆勾消，百日之內，只要你勝得了我的雙掌，我定然解你所中之毒。」

時寅濃眉一軒，洪聲道：「此話當真？」

忽聽麥小明插口道：「師嫂，這筆交易，未免太不划算了！」

谷寒香冷冷望他一眼，道：「你放言無忌，幾時我割掉你的舌頭，將你趕回『萬花宮』去。」

麥小明一聽要割舌頭，腦中突然現出包九峰的影子，急忙將嘴一抿，退了一步。

谷寒香面龐一轉，朝時寅說道：「我說話算數，問你的也甚簡單，你願答則答，否則作罷。」

時寅不假思索，接口道：「時某知無不言，你問吧。」

谷寒香笑道：「開封血案，你是否在場？」

那白陽道長似是忍耐不住，手指時寅，憤然道：「那慘死的十四人中，五個是本派門下，四個是少林僧侶，其他崑崙門下兩人，和三個中原武林中的名鏢頭，十四人中，六個人死於『黑煞掌力』……」

谷寒香秀目一轉，哂然道：「『黑煞掌力』又怎麼樣？」

白陽道長聲色俱厲道：「姓時的業已親口供出，那次慘案，乃是他所策劃……」

時寅冷笑一聲，打斷他的話道：「正是時大爺主謀，依你應該怎樣？」

白陽道長厲喝道：「血債血償，你今夜就別想走了！」

谷寒香突然縱聲一笑，鄙夷不耐地掃他一眼。

白陽道長勃然色變，敞聲道：「谷寒香，貧道等格於掌門師兄的令諭，你可不能欺人太甚！」

只聽青陽道長沉聲喝道：「師弟！你若不知進退，爲兄便權代掌門師兄，以家法治你！」

白陽道長聞言一怔！頓了一頓，轉眼望著他處。

谷寒香冷然微哂，眼望時寅道：「這樣說來，當時是有你在場了？」

時寅將頭一昂道：「時某親手擊斃六人，豈有不在場之理？難道這也算得一問？」

谷寒香螓首微點，笑道：「不錯，我所要問的第二件事，即是『神鞭飛梭』萬曉光，是否也參與其事？」

青陽、白陽二人，此時恍然大悟，明白了谷寒香問話的目的，同時間，二人臉上露出了不安之色。

原來昔日在「萬月峽」外，武當派的掌門人紫陽道長，見萬曉光身負絕毒的黑煞掌功，因而錯疑開封懸案，係萬曉光所爲，乃以綿掌將萬曉光震傷，至令萬曉光掌毒反侵，自碎天靈，血崩氣絕而死。

只見時寅微微一楞道：「萬曉光今在何處？時某正在尋他。」

谷寒香厲聲問道：「你尋他則甚？莫非那次血案，也有他一份？」

時寅見她殺機盈面，大有一言不合，即要猝然出手之勢，不禁暗忖道：「這女子喜怒無常，心意難測，不正不邪，委實令人費解？」

但聽谷寒香追問道：「你既然知無不言，怎不回答我所問的話？」

時寅雙眉一軒，道：「萬曉光對先父有救命之恩，也是當今世上，第二個練有黑煞掌功的人；我既然重在江湖上走動，自然想與他見上一面，至於開封殺人之事，卻是我與另外兩個同道所爲，與萬曉光無涉。」

谷寒香暗暗忖道：「以三人之力，同時擊殺十四名武林高手，另外那兩人的武功，想來定不在這時寅之下。」思忖之際，不由隨口問道：「另外那兩人是誰？你與萬……」

說話中，突然記起自己講過，僅問他兩個問題，急忙住口不言，玉手一揮，道：「我話已問完，你去吧，百日之內，隨時可至『迷蹤谷』見我。」

時寅略一沉思，道：「我與萬曉光素未謀面，你若道出他的居處，我也將另外兩人的姓名出身，說與你聽。」

谷寒香漠然說道：「萬曉光已被武當紫陽道人逼死，他的兩個後人，如今隨我住在『迷蹤谷』內，至於和你同謀殺人的是誰？你不說也罷。」

時寅目射精芒，注視谷寒香半晌，忽然道：「另外兩人，一個名叫龍行風，一個名叫朱五辰，同是『白魔』門下。」

說罷將手略略一拱，轉身昂然而去。

白陽道長忽然揚聲道：「時寅，你今日倖逃一命，若不立即洗心革面……」

天香飆

時寅不待他將話說完，轉身道：「但願你二人今夜不死，時某若不將你二人碎屍萬段，誓不為人。」

說完之後，反身揚長而去，對於自己身中劇毒之事，彷彿業已忘懷了似的。

谷寒香眼望他逐漸消逝的背影，心中暗暗忖道：「此人形貌雖然狼狽，生死之際，卻不失男子氣概，比起自己身旁的人，是要強得多了。」

思忖中，心內不覺忽忽如有所失。

忽見那青陽道長稽首一禮，道：「胡夫人得承先夫遺志，重整綠林，為生民造福，青陽等感佩無已，如今暫且告退，他日有幸，再向夫人請教。」

谷寒香見他們要走，心中轉念道：「我以清白之軀，忍辱含垢，側身綠林，目的為了什麼？」

轉念之下，「冷面閻羅」胡柏齡神威凜凜的面龐，與溘然長逝時的遺容，同時出現在她的腦海之中。

她本是極端善良，博愛眾生的人，自從胡柏齡身遭慘死之後，她的生性突然大變，芳心深處，隱隱覺得天下武林的人物，無分邪正，俱是殺害胡柏齡的兇手，俱是她報仇洩忿的對象。一股狂烈無比的仇火，剎那之間，燃遍了她的全身，只見她雙眼血紅，陰森森笑道：「生死有定，你們最好死得硬朗一點。」

青陽道長見她作勢欲撲，急忙喝道：「夫人且慢。」

谷寒香秀眉雙剔，怒聲道：「事到如今，已不是口舌之爭，你們抵抗也好，不抵抗也好，

我是一定要取你二人的性命。」

青陽道長道：「貧道並不如夫人想像的那樣怕死，不過夫人對貧道等如此仇深恨重，貧道卻百思不解，難明其故？因而既不敢有違掌門師兄的令諭，又不甘束手就戮，死得不明不白。」

但聽谷寒香嘿嘿一笑，厲聲問道：「我大哥因何而死？」

青陽道長浩嘆一聲，道：「胡盟主之死，乃是武林千古未有的慘事，雖然陰錯陽差，事出誤會，但是武當、少林，以及鄷秋、水寒等人，俱都難辭其咎。」

谷寒香「哼」了一聲，冷笑問道：「『神鞭飛梭』萬曉光又是因何而死？」

青陽道長無詞以對，嘆了一口氣，默然不響。

白陽道長原是剛愎之性，眼看谷寒香咄咄逼人，自己的師兄一再容讓，心中有氣，忍不住鼻中一哼，轉朝著悄然立在一旁的范玉崑道：「范公子，此地留之無益，我看還以離去爲是。」

谷寒香仇火未熄，怒火倏熾，冷嗤一聲道：「萬曉光之死，便是因你而起，我今夜岩不殺你，實無顏面見他的後人！」

話聲甫落，驀地身形似箭，一射而上，精鋼劍電閃星漩，帶起漫天精芒，朝白陽道長亂點而下。

這一劍千頭萬緒，凌厲懾人，白陽道長也是使劍名家，眼看青芒刺目，驚風撲面，萬點銀星簇擁而至，竟然瞧不出刺向自己的何處？

急怒之下，雙足一個「伶仃步」，猛地往一側疾閃，口中厲聲道：「谷寒香！趕人不上百步……」

語聲未落，陡見谷寒香纖腰微擰，倏地欺近了身前，長劍一掄，倏然襲到。

白陽道長來不及伸手拔劍，雙足一頓，激射而起，百忙中右臂一揮，一掌劈空擊去。

但聽「嗤」的一聲經響，寒芒一閃，一片青色衣袂應手而落。

青陽道長滿面憂色，目注谷寒香的身形，暗暗忖道：「想不到此女的武功，強到如此的境界，無怪她放著手下這許多高手不用，反要獨鬥自己師兄弟的『兩儀劍法』。」

白陽道長刺空躍起，反手急拔肩後的長劍，耳中忽然聞得驚「哦」之聲。

垂首一顧，不禁心頭大駭，只見一片耀眼精芒，輪轉如電，緊附著自己的雙足，騰空而上。

一陣羞念，泛起心頭，竭盡平生之力，雙掌猛地下劈，藉那掌勢帶起的風力，身軀旋空折轉，斜往七、八尺外飛去。

谷寒香追蹤躍起，一招「羅掘俱窮」，猛襲白陽雙足，驀感劍勢一頓，似為一道無形的堅壁所阻，殺機大盛之下，猛地一提丹田真氣，嬌軀一折，震腕一劍刺出去。

但見她目光陰冷如電，頭下足上，劍尖直指白陽後心，這一劍如果刺上，勢必要貫胸而過。

白陽道長乃是上一代武當掌門人廣松道長最末弟子，甚得師父寵愛，他天資聰慧過人，對武當派內功心法劍術，均有極深的造詣，成就之高，在武當四陽中，僅次於紫陽道長，及正在

修習上乘內功，閉關十年的金陽，較之青陽道長，卻不稍遜。

且說白陽身軀尚未落地，突然感到身後疾風震動，一股銳利無倫的劍炁，刺得自己的「脊心穴」火辣生痛，危急中，身子盤空一轉，陡然騰開四、五尺外，疾瀉而下。

谷寒香出手三劍，將白陽逼得險象環生，詎料三劍連發，依然未能將他傷著，芳心之內，不禁燃起一股熊熊的怒火。

白陽單足點地，霍地翻過身來，「嗆瑯」一聲龍吟，已將一柄百鍊精鋼長劍撤於掌中。

谷寒香似是惱怒至極，但見她沉聲一哼，身未著地，陡地纖腕一抖，長劍猛然向白陽一灑。

只聽「鏗」地一聲脆響，一柄長劍，突然寸寸而斷，殘劍紛飛，狂風驟雨地朝白陽頭面處飛去。

白陽道長見她自行將長劍震斷，不知她用意何在？凜然之下，回劍一揮，一招「雲連秦嶺」，護住了周身上下。

但聽一陣「叮叮」碎響，數十截斷劍，被擊得四散飛濺，恍若火樹銀花一般。

谷寒香蓮足沾地，纖腕霍地一震，手中劍柄疾若流矢，猛然往白陽臉上射去。

白陽道長雖然驕氣凌人，此時為谷寒香的威勢所懾，也不由感到氣餒，眼看劍柄飛來，不敢以劍去撩，僅只雙足一滑，橫飄尺餘，將劍柄避開。

果然，谷寒香快逾電閃，隨身欺上，玉掌一揮，直對白陽胸口擊去，對他掌中的長劍，視如無物一般。

白陽道長雖知眼前這個女子，是自己生平所遇武功最強的敵手，無奈盛怒之下，欺她年事尚輕，左掌一揮，硬接了谷寒香一掌。

劍爲短兵之帥，最是難學難精，谷寒香的劍法，乃是依照獨眼怪人佟公常所遺的秘笈自行修鍊，一則無師自通，事倍功半，再則時且尚淺，功力火候太差，是以三招殺手，仍然無法將白陽傷在劍下。

此時，她改以徒手對敵，情勢又自不同，她的「三元九靈玄功」及「摘星步」法，都是佟公常所親授，「生死玄關」也係佟公常親手所打通，因而其內功掌法，殊非劍法所能比擬。

谷寒香這一掌雖然只用六、七成功力，勁道之強，已足驚人，白陽道長求勝心切，一時誤算，竟然出掌相接，雙掌一觸之下，白陽道長當場被震退三步。

白陽道長驚怒交集，飛快地提起一口氣，在胸腹間略一流轉，發覺內腑尚無大礙，頓時長嘯一聲，欺身探臂，劍光電閃，暴出滿天劍花，直向谷寒香刺去。

但見谷寒香冷森森一笑，劈手一掌，直對劍身拍去。

白陽道長瞿然一驚，看那掌勢，飄忽詭異，虛實莫測，自己手中的長劍，卻陡地嗡嗡一響，不禁閃電般地轉念道：「這女人的武功，當真邪門得很。」

轉念中，長劍劃了半環，一招「風捲長草」，反削她的手掌。

谷寒香雖然劍未練成，眼光卻是銳利無比，一見白陽挾破空嘯風，暗含黏、捲、拏、引之力，剛柔並兼，氣勢非凡，情知他已用出武當太極劍法，心中冷冷一笑，滑步旋身，倏地往他身後轉去，快如飄風，霎眼已至他的背後，玉掌一揮，疾拍而去。

白陽道長眼見她身法之快，爲自己前所未睹，不禁戒心大起，旋身揮劍，運使「杏花春雨」、「雲靨蔽日」、「斗柄南指」三招，脫出了她的掌勢之外。

二人乍分又合，眨眼之間，打得慘烈異常，只見掌影縱橫，劍光閃閃，攻拒之勢，危機迭出。

鍾一豪立在場外觀戰，突然向麥小明附耳道：「夫人自昨日起，一直未曾歇憩，如今仇人見面，分外眼紅，打來不免有點心浮氣躁……」

麥小明左手正抓著張敬安的臂膀，以防他貿然上前插手，聞言笑道：「這老牛鼻子雖然有劍在手，三百招內，仍然要死在師嫂的掌下。」

鍾一豪暗暗一蹙眉頭，低聲道：「世事難料，我身上有傷，你留神在意，隨時準備接應。」

麥小明微微一笑，滿不在乎地將頭點了一點。

片刻之間，雙方已力搏百餘回合。

另外一邊，范玉崑忽然移步走到青陽道長身側，愁眉苦臉地道：「道長快點設法，將兩位拆開，再打下去，必有一方傷亡。」

青陽道長慘然一笑，道：「胡夫人對敝派成見已深，貧道的話，她半句也聽不進去。」

微微一頓，接道：「如果白陽師弟喪了性命，貧道也無臉回山，就煩范公子走一趟武當，將『神鞭飛梭』萬曉光與開封命案無涉的事，代爲稟報敝派掌門人得知，至於青陽等喪命之事，務請委婉陳詞，以免加深了兩方的仇隙。」

他說話之際，雙目神光炯炯，緊隨著白陽道長的劍訣閃動。

原來他見識淵博，目光極爲犀利，一看谷寒香所帶從人的身法步伍，即知這批人個個均是一流高手，每人的武功，都與他在伯仲之間，單打獨鬥，他就未必全能勝過，混戰起來，他這一方更遠非敵手，因而打定主意，即使眼看白陽道長不敵，他也不加援手，反之，萬一谷寒香失手，他卻有救援之意。

激戰中，忽然谷寒香嬌軀電閃，飛快地在劍影之下盤旋遊走，形如鬼魅，飄忽至極，白陽道長招招連綿，如抽絲剝繭，劍劍如擦身而過，看得敵我兩方的人，俱都目眩神馳，震駭不已。

此時場中劍氣瀰空，掌飆奔騰，劍、掌呼嘯之聲，如雷電交作，頃刻後，二人惡戰已近三百回合。

武當派以劍術名世，尤其太極劍，虛實相生，剛柔互濟，爲內家劍法之翹楚，其精妙之處，在一招出後，不論對方如何招架退避，第二招順勢而出，不需收回再發，圓通混暢，如太極圖。

白陽道長劍上的功力，已至爐火純青之境，意在劍先，念動劍至，如珠走玉盤，了無空隙。

谷寒香使「三元九靈玄功」與「摘星步」，掌法身法之奇奧，無與倫比，劍來掌去，奇招迭出，直使敵我兩方的人目不暇接，眩惑不已。

驀地，谷寒香玉掌翻飛，妙著連發，瞬眼之間，連攻二十餘掌。

這二十餘掌變化玄詭，迅捷無匹，掌掌間不容髮，如長江大河，滾滾而下，逼得白陽道長回劍自守，退讓不迭。

激戰中，忽聞一聲冷哼、暴喝，兩條交錯盤旋，疾轉如輪的人影，倏然分了開來。

在場之人，都爲之心頭一震，定神看去，只見兩人對面而立，中間相距約四、五步，各自微閉雙目而立。

兩面觀戰的人，俱都心頭狂跳，凝神朝自己一方的人看著，除了鍾一豪黑紗蒙面、麥小明滿臉笑意之外，所有的人都面容肅然，顯露出緊張惶恐之狀。

青陽道長眼看白陽左手劍訣向天，右手劍尖微翹，擺出了太極劍中最後一招「紫府雲封」的架式，情不自禁地，脫口浩嘆了一聲。

陡地，谷寒香蓮步輕移，斜走兩步，右掌一揮，遙遙對白陽道長拂出一掌。

這一掌擊出的勢道，十分緩慢，毫無破空的風聲，但是白陽道長卻似大難臨頭一般，瞋目一喝，猛將長劍一舞，一片耀眼寒芒隨劍而起，布滿身前。

只見谷寒香拂出一掌後，嬌軀突然如風擺楊柳，前後一陣搖晃，白陽道長則雙足拖動，「登登」連退兩步，嘴角沁出了兩道紫血。

此等變化，大出群豪意料之外，不禁瞧得一呆。

青陽道長暗暗忖道：「我只道師弟要死在她詭異莫測的掌法之下，誰知她年紀輕輕，竟然身負此等大違武學常規的內力。」

思忖之際，眼中彷彿見到無數的武林人物，被她一掌一個，擊得口噴鮮血，相繼倒地，自

己鼻內，似乎已聞著了血腥氣味。

驀地，只見谷寒香左足橫移半步，走「无妄」進「訟」位，轉西北「歸妹」，緩緩一掌，對著白陽道長推去。

在場之人，多是武學行家，一見她足踏伏羲六十四卦，出掌如推出塡海一般沉凝，都知這一掌是她全身功力所聚，白陽道長如果功力不敵，勢必非死即傷，無法再戰，但若功力勝得過這生死一擊，則谷寒香勢必爲自己的掌力所反震，當場殞命。

但見白陽道長鬚髮蝟立，雙目暴張，長劍震動得嗡嗡作響，顯然也已將畢生修爲的功力，凝聚在劍身之上。

就在這掌劍真力一發，生死存亡即判之際，忽聽范玉崑顫聲道：「姑娘，『冷面閻羅』胡柏齡，乃是在下親手所殺！」

這幾句話，宛如青空霹靂，谷寒香、鍾一豪、麥小明，以及一叟、二奇等人，都不禁身心爲之大震！

要知「冷面閻羅」胡柏齡雄霸綠林，劍、枴之下，罕逢敵手，其武功造詣，具是江湖上尖頂的高手，這范玉崑雖是名家之後，身手不弱，但要與胡柏齡相較，縱無天壤之別，亦難以相提並論。

因而，胡柏齡含冤慘死後，谷寒香等猜來猜去，始終未曾想到范玉崑頭上，此時聽他親口供出，怎不令人大出意料、驚詫欲絕？

谷寒香蓄勢凝功，正待全力一掌，置白陽於死地，爲死去的亡夫和萬曉光復仇，聞言之後，只感到腦中轟然一響，嬌軀一晃，搖搖欲墜。

忽聽白陽道長大喝道：「范公子，走！」

「走」字出口，人已快若電掣，閃到范玉崑身側，左手疾探，抓住他的膀臂，掠出數丈之外。

剎那間，喝叱之聲，響徹四野。

麥小明手持寶劍，形若長虹經天，飛越二人頭頂，直往兩人的前方射去。

霍元伽、宋天鐸、「多爪龍」李傑，俱都身形電射，朝二人身後縱身疾躍，鍾一豪和「搜魂手」巴天義二人雖然重傷在身，也都急抽兵刃，飛快地撲了過去，眾人一則激於義憤，再來全都本能地感到，今夜如果放走了范玉崑，谷寒香定必遷怒到自己頭上。

然而，谷寒香卻如泥塑木雕，牢牢地站在原地，只將兩道陰森可怕的目光，冷冷地罩住范玉崑的身形。兩條深深的紫紋，倏地在她雙眉出現，閃閃跳動，令人看在眼中，不禁膽顫心寒。

另外那十餘名大漢，俱范玉崑所率的從人，一見麥小明等人追撲自己的主人，頓時紛紛喝吼，隨後撲上。

這都是同時間的事，白陽道長手抓范玉崑的膀臂，一掠數丈，足點地面，踴身又是一縱。

只見麥小明快如閃電，半空中身子一折，大喝道：「哪裡走！」一片耀眼精芒，鋪天蓋地而下。

他的劍法，奇奧處較谷寒香小有不如，劍上的功力，卻深厚得多，白陽道長眼看漫天精

芒，蒙頭而下，只得猛施一個「七星步」，斜刺裡暴閃一步。

但聽「多爪龍」李傑嘶聲喝道：「該死的小輩，還我大哥的命來！」喝聲中，一對虎頭鉤揮舞如電，瘋狂似地向范玉崑襲去。

原來「江北三龍」久隨胡柏齡麾下，胡柏齡大仁大義，待人以誠，因而五龍對胡柏齡也忠心耿耿，五體投地，胡柏齡身罹慘死後，李傑等人哀慟之甚，復仇心之切，遠在鍾一豪和麥小明這批人之上。

白陽道長陡地厲喝道：「范公子，你不殺人，人家可要殺你！」一陣金鐵相擊之聲同時響起，「多爪龍」李傑被震得連退數步，雙臂痠麻，虎頭鉤幾乎把持不定。

突聽谷寒香冰冷的聲音道：「小明，先將白陽賊道剁掉。」這一句，冷得不能再冷，彷彿萬丈冰窖之下，吹來的一陣寒風。麥小明哪敢怠慢？寶劍一揮，大叫道：「牛鼻子，別走啦！」劍如驚霆迅雷，朝白陽猛刺而去。

剎那間，兵刃相擊與喝喊之聲，響成一片。

「多爪龍」李傑雙眼漲得血紅，虎鉤狂舞，二度向范玉崑撲去。

范玉崑先頭一時衝動，自承殺害胡柏齡之事，說話之際，心中原是充滿了愧悔、自責之意，這刻見谷寒香尚未動手，她手下的人卻與自己拚命，不由怒心暗生，思忖道：「孰是孰非，本難論定，范某便是該死，也不能死在爾等手中！」

轉念之下，倏地挫步旋身，避開了李傑的雙鉤，抬臂一掠，將寶劍撤到了手內。

只聽霍元伽沉聲一哼，青龍奪波翻浪捲，潮湧而至，口中冷然道：「小子，你最好橫劍自絕。」

話聲中，慘嗥之聲，此起彼落，三個持刀大漢，被鍾一豪和「嶺南二奇」在一招之間，結果了性命。

轉眼間，人影交錯，寒光耀眼，一場慘不忍睹的混戰，展露在雪地上。

谷寒香殺機盈面，冷冷地向青陽道長望了一眼，陡地面龐一轉，朝著躡足趨至身後的張敬安厲聲喝道：「滾下去！」

只見張敬安駭得身子一顫，退了一步，露出一副悒然若失、手足無措的樣子。

谷寒香氣得銀牙亂挫，玉掌一揚，便待一掌劈去，霍地心意一變，轉向混戰場中，猛地將手一揮，張敬安楞了一楞，好似明白了這個手勢，一聲不響，直往場中撲去。

青陽道長滿面惶急之色，稽首一禮，道：「夫人明鑒，這般濫造殺劫……」

谷寒香截住話頭，冷然道：「你悲天憫人，何不揮劍上前，解救彼等之厄？」

話聲中，慘哼之聲，接連不斷地傳來，只見張敬安雙掌狂揮，盡找范玉崑的那批從人下手，一掌一個，擊得眾人鮮血狂噴，直往場外揮去，幾句話的工夫，剩下的人，業已寥寥無幾。

青陽道長突地猛一跺足，沉重地「唉！」了一聲，一拔長劍，飛朝張敬安撲去。

這一場惡鬥，打得驚天動地，鬼哭神號，交手的人，俱都捨死忘生，有進無退，猛惡之

狀，似是敵對之人，全與自己有殺父之仇，奪妻之恨一般！

片刻間，喝喊聲已竭，滿地遺屍散發出撲鼻的血腥味，范玉崑所率的十餘名屬下竟然一個也不剩。

只見麥小明與白陽道長兩道劍光，翻翻滾滾，交織來去，漫天劍氣，沖起數丈高空。

張敬安不知何時，撤出了那個金光燦爛的圓環，與青陽道長的長劍鬥在一起，他那左掌殷紅如血，招招不離青陽道長的要害，獰惡萬狀，睹之駭然。

另外一邊，一叟、二奇、鍾一豪、「多爪龍」李傑，五個人將范玉崑團團圍住，兵刃如狂風驟雨，大有將他亂刀分屍之勢，范玉崑雖然劍法了得，功力不凡，無奈這五人之內，四個是綠林中雄霸一方的高手，每一個的武功，皆與他在伯仲之間，李傑雖然較弱，但他奮不顧身，較其他四人更為拚命。以一敵五，他哪裡支持得住？

青陽、白陽二人，眼看范玉崑喪命在即，兩人一般心意，都想移身過去，三個人聯手拒敵，無奈麥小明與張敬安招招緊迫，逼得二人無絲毫緩手的餘地。

這兩人俱是武當派支撐門戶的高手，近十年來，成為派中最高的一輩，無論平居外出，俱得同道尊崇，兩人也確有真實功夫，因而兩人心中，全都自視頗高，對於等閒之輩，輕易不願出手，豈料此刻與麥、張二人過手，非但難以取勝，甚且險象環生，岌岌可危，這等情勢，怎不令兩人驚怒交集，暗暗震動？谷寒香見勝劵在握，不由一聲冷笑，向鍾一豪等人道：「手足可以卸下，但要留下活口！」語音冷峭，字字冰涼，叫人聽了，不由從心底湧起一陣寒意。

話聲中，只見霍元伽青龍奪帶起一片烏芒，驀地向范玉崑左臂襲去，一面漠然道：「小

子，你就認命算了！」

范玉崑四面受敵，雖知絕難倖免，卻也不甘束手就戮，百忙中，寶劍揮出千重劍幕，猛地迎面推去。

詎料霍元伽變招奇速，青龍奪快逾奔雷激電，一圈一吐，猛然向上一崩。

只聽范玉崑慘嗥半聲，左手五指，已被青龍奪砸得粉碎，血肉橫飛，怵目至極！

「拘魄索」宋天鐸趁機搏進，大喝一聲，軟索一掄，照著范玉崑的右肩一抽而下！

只聽白陽道長震天一聲怒喝，厲叱道：「谷寒香，你好毒的心腸！」聲甫出，長劍一招「星河搖斗」，盪開麥小明的寶劍，雙臂一振，霍地往范玉崑頭頂射去。他情急救人，奮不顧身，這擁身一躍，原是迅捷無儔，無耐麥小明劍招詭辣，武林罕見，但見他怒吼一聲，寶劍倏然一轉，挽劍進擊，陡地向白陽道長小腹間刺去，聲出劍到，快迅駭人！

白陽雙足離地不過數尺，忽見一片刺目寒光，飛襲而起，不禁心膽皆寒，寶劍疾沉，施展一招武當絕學，「法輪九轉」猛然望下罩去，左掌迸力一揮，凌空劈下！

這一劍一掌，爲白陽畢生功力所薈萃，麥小明雖然驃悍，亦不敢輕其鋒，銳喝一聲，連人帶劍，瞬眼閃出了一丈之外，白陽道長雙腿齊腰以下，卻已血肉模糊，藏青道袍被絞得稀爛。

白陽道長痛得渾身亂顫，人卻依然疾若勁矢，直往范玉崑頭頂撲去，半空中虎吼一聲，一招「法華傳旨」，朝「拘魄索」宋天鐸猛劈而下！

說時遲，彼時快，宋天鐸的拘魄索雖是軟兵器，但若被他一索擊實，勢非將范玉崑的右臂打折不可。

廿五 決戰時分

另一邊，青陽道長展盡一身所學，始終脫不出張敬安的環掌之下，此時也潑出了性命，刺出了孤注一擲的一劍。

原來張敬安服下「向心露」之後，除武功一道，出諸本能，不退反進外，對與其他的事俱都懵懵懂懂，一無所知，臨敵之際，既無生死之念，更無怯懼之心，一心一意，只欲將敵人打敗，至於是否制敵於死，則順其自然，毫無打算。

他武功本高，如今動起手來，心頭無絲毫雜念，既不知道貪生，又不知道畏死，攻守之間，不覺恰到好處，使得原來的功力火候，突然間大爲增進。

只見青陽道長一招「后羿射陽」直刺而去，接著「千里流沙」一劍橫削，緊跟著縱步騰身，豎劍上撩，一招「諸天令到」，猛向張敬安的頭面上襲去。

這三招連環迸發，快速無匹，招式玄奧，威力絕倫，尤其最後一招「諸天令到」，乃是武當「度世三招」之一，不傳之秘，武林中只有耳聞，從來無人見過。

這「度世三招」威力極猛，因而在武當派內，素來由掌門人代代相傳，派中的弟子，若非輩分已高，生性謙和，極難獲得掌門人的傳授，而且學得之後，亦絕不許私相授受，因而白

陽道長雖然與掌門人是一師之徒，亦未蒙其傳授，青陽道長若非看出張敬安心神喪失，不可理喻，也不會率爾施展出來。

張敬安似是識得這招「諸天令到」的厲害，只見他金環飛舞，輕描淡寫地化解了前面兩招，接著將口一張，發出一聲沉悶的怒嘯，擰腰半旋，展動金環，灑出層層環影，將自己裹了一個風雨不透。

但聽環劍交擊之聲，響成一串，火花飛濺，蔚成一片奇觀。

二條人影倏地分開，張敬安蠟黃的面孔扭動不已，鷹目緊盯在青陽道長的劍尖之上。

青陽道長見這神情怪異、貌不驚人的男子，居然擋住了自己看家的絕藝，一時之間，也驚得怔在當地，想不出其中的道理？

忽聽麥小明高聲道：「牛鼻子，還不與我躺下！」

青陽道長瞿然一驚，冷汗直冒，飛身猛躍，急聲道：「夫人高抬貴手！」

原來白陽躍至范玉崑頭頂，一招「法華傳旨」，朝「拘魄索」宋天鐸當頂劈下，宋天鐸軟索將要擊在范玉崑的右肩之上，一看這一劍凌厲非凡，迫得身軀一仰，猛地倒縱開去，拘魄索順勢一帶，纏住范玉崑的右臂，將他拖倒在地。

白陽道長一劍擊空，身形尚未墜落，鍾一豪的緬鐵軟刀，霍元伽的青龍奪，業已同時襲到。

他眼光銳利，早已看出鍾一豪和「搜魂手」巴天義招勢軟弱，顯出身負重傷，內力不繼，這時凌虛一個轉折，避過霍元伽的青龍奪，寶劍一掄，以泰山壓頂之勢，朝鍾一豪的緬鐵軟刀

猛劈而下！

就在此時，只見那「多爪龍」李傑貼地一掠，竄到范玉崑身側，手起一鉤，猛力剁下！范玉崑的左手五指，被霍元伽一奪砸爛，痛徹心肺之下，早已寶劍脫手，此時倒地未起，忽感右肩上一陣劇痛，慘叫一聲，頓時昏死過去！

原來「多爪龍」李傑手起一鉤，擊在范玉崑右肩之上，剁得他鮮血四濺，皮開肉綻，深可見骨。

白陽道長身在切近，睹狀之下，目眥欲裂，暴喝一聲，擁身撲了過去。

鍾一豪被他一劍迫退，心中忿怒異常，不理胸前痛如刀割的傷勢，緬鐵軟刀一揮，直往白陽身後劈去。

「羅浮一叟」霍元伽暗暗忖道：「要鬧就鬧個大的，殺了這個雜毛，何愁天下不亂？」心念急轉中，欺身直上，青龍奪一招「龍躍雲津」，朝白陽攔腰突襲而去。

這一奪力猛招沉，烏光閃閃中，凌厲的勁風，先將白陽的道袍震得獵獵作響。

同時間，麥小明人隨聲到，倏然一劍，逕刺白陽的心口，來勢奇速，晃眼便至。

白陽道長雙腿已帶重傷，足尖點地，頓感腿上劇痛難當，雙膝一軟，身形朝前一傾，驚魂未定，三件如狼似虎的兵刃，業已同時襲到。

這一刀、一劍、一奪，合力一擊，便是武當掌教紫陽真人，也承受不起，白陽道長雙腿已傷，哪裡還躲讓得掉？生死一髮之際，瞋目暴喝，猛地身子一扭，避過霍元伽的奪招，寶劍一揮，迸力向麥小明的劍上撞去。

另一邊，青陽道長好不容易地脫出了張敬安的金環之下，眼看師弟殆危，急忙飛身一縱，躍了過去，豈料雙足才離地面，忽見人影一晃，谷寒香已擋在身前！

玉臂一揮，倏地拍出一掌。

青陽道長熱血沸騰，情急之下，竭盡十成功力，一掌揮了過去。

雙掌一交，「啪」的一聲，谷寒香蓮足移動，大退兩步，青陽道長懸空揮掌，被那反震之力彈得身軀後仰，飛出兩丈之外！

青陽道長血氣翻騰，人未落地，背後已有疾風撲到，匆促中，陡地凌虛一個轉折，朝一側疾瀉而下。

只見張敬安不聲不響，一招擊空，二招又出，剎那之間，將青陽道長裹於了金環之內。

這都是俄頃間的事，但聽「嗆瑯」一陣龍吟，白陽道長與麥小明的兩口寶劍撞在一起，震得二人身子同時一晃，霍元伽的青龍奪一招擊空，鍾一豪則一刀劈實，鋒刃過去，血湧如泉，白陽再也立身不住，哼得半聲，仆身倒了下去。

只見霍元伽大邁一步，「青龍奪」快如電掣，猛向白陽的後腦砸下，勁風盈耳，力雄勢沉。

忽聽谷寒香冷聲喝道：「霍元伽住手！」

「羅浮一叟」霍元伽唯恐天下不亂，眼看青龍奪離白陽後腦不過寸許，惡念暗生之際，故意猛力一縮右臂，裝出全力收招之式，卻巧妙至極地一沉奪勢，欲將白陽暗毀在青龍奪下。

但聽麥小明嘻嘻笑道：「老兒好狡猾！」

寒光電閃，一劍刺到了霍元伽的喉間，後發先至，劍到血崩。

只見霍元伽暴吼一聲，快如離絃之箭，倏地倒射出一丈之外，雙足一頓，猛地撲了回來，怒喝道：「小狗拏命來！」

青龍奪「呼」的一聲，力劈而下。

這一退一進，迅捷無倫，麥小明寶劍一揮，即待反擊，陡地眼前一花，谷寒香已閃到了中間。

霍元伽怒發如狂，青龍奪上凝聚了全身的勁力，豈料招出未半，突見谷寒香擋在身前，任他如何膽大，這幾日之間，眼見谷寒香超人的膽勇，剛硬的心腸，詭詐的手腕，此刻也不由自主地心氣俱餒，將擊出的奪勢，硬生生地撤了回來。

谷寒香面如玄冰，冷冷地向霍元伽頸下瞥了一眼，神色之中，突然露出一片陰沉沉的笑意。

此時除張敬安尚在和青陽纏戰不休外，其餘的人，俱已停下手來，一個個鴉雀無聲，噤若寒蟬，大氣也不敢出。

霍元伽伸手一摸頸下，覺出咽喉旁邊，被麥小明的寶劍挑了一個黃豆大的創孔，再偏毫厘，勢必傷到喉管，憤恨難抑之下，雙眼怒火熊熊，轉朝麥小明望去。

麥小明咧嘴一笑，道：「老兒瞪什麼眼？倘若心中不服，幾時找一處無人的所在，咱們好好地打上一場。」

谷寒香玉面一轉，冷冷地掃了麥小明一眼，轉向霍元伽道：「亡夫仁厚，谷寒香偏激，你

久闖江湖，當有知人之明。」

這幾句話，講得平平淡淡，毫無激言厲色之狀，但是所有的人聽在耳內，俱感到心下一寒。

霍元伽明白她言中之意，是說如果自己有不軌之舉，她即有壯士斷腕，剷除自己之心，忍了又忍，終於俯首退了兩步。

忽見谷寒香目射寒光，一掃血泊中的范玉崑和白陽道長，轉朝麥小明冷冷地道：「將兩人的『厥陰心脈』閉了！」

青陽道長正與張敬安打得難分難解，一聽谷寒香命人閉白陽和范玉崑的「厥陰心脈」，不禁心頭大駭，急聲叫道：「夫人請看天明大師的金面……」

話未講完，張敬安金環一掄，霍地撞在青陽的精鋼長劍之上，嗆瑯脆響中，左手電掣「血手印」突地襲至。

武當劍法，首在心定神穩，要能把握以靜制動的要訣，始能發揮劍法的精妙。

青陽道長憂急交加，方寸已亂，加以久戰乏力，環劍相撞之下，長劍竟被盪開了尺餘。危急之中，只得雙足猛挫，施展「七星步」法，往一側迸丿一閃。

但聽「嘶」的一聲，張敬安「血手印」擊空，順勢一抓，將青陽的道袍左袖齊肩扯了下來。

少林派的天明大師，曾收谷寒香爲記名弟子，此事麥小明聽人說過，這時睜著兩眼朝谷寒香望住，等候她的令下。

只見谷寒香抬眼望天，默然半晌，突然冷哼一聲，自語道：「當日你們殺我的大哥，何以又不看我師父的份上？血債血償，還有什麼話講？」說罷面色一沉，對麥小明將手一揮。

麥小明一言不發，蹲下身子，將白陽道長與范玉崑翻過面來，出指如風，在二人心口連戳數下，兩人本因失血過多，昏死過去，麥小明的手指戳上，二人的身子仍然顫抖不已。

這「厥陰心脈」被點之後，無論功力深淺，百日之後必死。在場之人，雖然都是江湖行家，對這手法，也是但聞其名，未嘗目睹，麥小明想是知道這手法過於陰毒，是以動手之際，特為背著身子，不讓眾人瞧見，饒是如此，眾人心頭兀自震動不安。

那青陽道長氣急敗壞，劍招之中，殺手與破綻並起，張敬安渾渾噩噩，反而打得不矜不躁，頭頭是道，眼看數招之內，青陽性命難保。

適在此際，谷寒香陡地冷哼一聲，玉肩微晃，閃至兩人身側，雙掌一分，倏地向二人推去。

張敬安一見谷寒香推來一掌，未待她掌力出手，即已滿面驚愕地疾躍開去，青陽道長早是欲罷不能，這時也足尖點地，飄身退出八尺。

青陽道長嘆息未定，遙遙望了地上的白陽道長一眼，義憤塡膺，鬚髮皆顫，手指谷寒香怒道：「夫人此等作為，只恐天理難容……」

谷寒香冷笑一聲，截口道：「青陽！我大哥的屍體尚在，你是否能令他復活？」

青陽道長激動異常，喘了一口氣，道：「人死豈能復生？貧道不是大羅金仙，沒有此種能耐！」

谷寒香縱聲一笑，一指白陽道長和范玉崑二人，道：「如果你能令我大哥死而復生，我負責將范玉崑的左手還原，將他二人的傷勢治癒。」

青陽道長聞言一怔！范玉崑的左手五指，業已被霍元伽的青龍奪砸得骨肉俱無，便是華陀重生，也無法令其還原，心念一轉，明白她講的反話，於是忿然道：「讎仇糾結，你報不了許多，胡大俠雖是蒙冤而死，武當、少林及范公子，俱犯的無心之過，似你這般殘忍無道……」

忽聽「多爪龍」李傑怒喝道：「住口！我嫂夫人若非心軟，你此刻哪有命在！」

谷寒香將手一擺，道：「老四不必岔口，讓他講下去。」

青陽道長頓了一頓，繼道：「你仇恨蒙心，靈智已蔽，貧道的話，諒你也聽不進去。」說到此處，喘了一口大氣，道：「貧道只問你一句，范公子與貧道的師弟已經傷得半死，你又命人點了他兩人的『厥陰心脈』，如今還要怎樣？」

谷寒香柳眉一剔，漠然道：「范玉崑要想活命，除非是日從西出，不過我一時還不會殺他。」

青陽道長激聲道：「你要怎樣？」

谷寒香陰惻惻一笑，道：「我要將他剖腹挖心，生祭我大哥的英靈。」

青陽道長不由鬚髮怒張，厲聲道：「你可知道『神劍』范銅山，也死於『落雁谷』一戰？」

谷寒香「嘿嘿」一笑道：「既然如此，范玉崑何以放著父仇不報？你們俠義為懷，又怎忍袖手旁觀？」

這幾句話，犀利尖刻，事實俱在，青陽道長便是有什麼道理，也無法講出口來。

谷寒香忽然目光一垂，黯然自語道：「如果姓范的是個孝子，念念不忘父仇，我便將他放過，將來在大哥面前，也還有話可講了。」語聲淒涼，聞之惻然。

原來她對胡柏齡情深愛重，自覺爲夫報仇，就算殺盡武當、少林兩派，及范玉崑和酆秋等人，也於理無虧，於心無愧，因此之故，認爲報仇雪恨，乃是理直氣壯，最值得同情的事。

青陽道長沉吟俄頃，一指血泊中的白陽，道：「胡夫人意下，對貧道這個師弟，又待如何處置？」

谷寒香淡淡地道：「萬曉光雖然是被紫陽逼死，其起因則由此人一手所釀成，照理來說，他是死有餘辜。」

她微微一頓，接道：「念你對我大哥敬意真誠，我權且饒他一死，不過人卻由我帶走，百日之內，請你們的掌門人親至『迷蹤谷』內，向我谷寒香要人。」

青陽道長暗暗忖道：「霍元伽凶名久著，在她面前，居然忍氣吞聲？那小童和這癡呆男子，俱是默默無聞之輩，武功之高，竟又出人意表？自己就想不依，也不過徒自取辱而已。」

轉念之下，不禁低嘆一聲，舉掌一禮，道：「范公子與貧道這個師弟，俱都傷勢沉重，此去『迷蹤谷』路程尚遠，倘若死在半途，豈非大違夫人的原意？」

谷寒香冷笑道：「依道長之意，又待如何？」

青陽道長道：「貧道亦不多求，只想先將二人的創口醫好，暫保他們的殘生。」

谷寒香一無表情，玉手微擺，道：「道長只管動手，有什麼靈丹妙藥，不妨與二人服下。」

說罷轉過身形，飄出數丈之外。

青陽道長急忙趕到二人身旁，掏出內外傷藥，撕碎了身旁的道袍，先將范玉崑左手及肩上的傷處敷藥裹好，然後敲開他的牙關，餵了幾粒丹丸到他口內。

積雪之上，遍地横屍，曉色朦朧中，一片慘澹的景象，眾人雖然都是殺人不眨眼的好漢，也不願多看這戰後沙場一眼。

青陽道長看眾人都不注意自己，於是趁著推宮過穴之際，暗自檢視范玉崑的穴脈，無奈只能察出他心脈有異，無法診出毛病所在，情知麥小明的點穴手法特異，自己無能解開，只得廢然一嘆，轉又料理白陽的傷勢。

這兩人都是受的外傷，血止之後，即相繼醒了過來，只是兩人都失血過多，人雖醒轉，卻虛弱不堪，似是連張眼的氣力也沒有。

青陽道長暗嘆一聲，緩緩地道：「范公子與師弟靜心……」

話未講完，忽然住口不言，浩嘆一聲，飄身到了谷寒香面前，深施一禮，道：「多謝夫人，貧道這就告辭了。」

谷寒香雙拳一抱，道：「後會有期，恕不遠送。」

青陽道長淒然一笑，飄身下岡而去，行出十丈後，忍不住回首望了一眼。

原來不知何時，那瘦小乾枯、鳩形鵠面的時寅，悄然回到了原處，昂首向天與「羅浮一叟」等站在一起。

轉眼之間，青陽道長的背影消失於晨曦之下。

谷寒香美目流盼，在群豪臉上掃了一眼，當她掠過時寅倨傲瘦削的面孔時，眼神之中，不禁露出一絲欣慰的色彩，芳心之內，似覺離手刃夫仇之日，又近了不少。

離「迷蹤谷」已久，酆秋又已入據谷中，她心下逐漸地懸念起留守的人來，尤其對那義子翎兒，每一念及，輒感悶悶不樂，當下一反冷漠的常態，溫言道：「我知諸位連日勞累，疲憊不堪，照理原該歇憩一天，不過谷中有變，我歸心似箭，還請諸位委屈一點。」

群豪連宵大戰，確是身心交疲，但是都知她情非得已，因而無人提出異議。

谷寒香瞥了躺在屍體間的白陽道長和范玉崑一眼，道：「此處不可久留，老四和小明將此二人帶上一程，回頭僱一輛大車，兼程回谷。」

「多爪龍」李傑低喏一聲，躍到范玉崑身旁，雙手一抄，將他橫抱在手，范玉崑勉強睜了睜眼，煞白的臉上，隱隱露出痛苦之狀。

麥小明走了一步，突然停下身來，打量時寅一眼，道：「喂，你可是叫做時寅？」

時寅仰臉向天，鷹目一垂，冷冷地道：「時某正是，你有什麼話講？」

麥小明將頭一偏，問道：「你可是有意入夥？」

時寅傲然道：「時大爺的事，不用你這小兒操心。」

麥小明不怒反笑，道：「這麼說來，你是入夥了？」

那范玉崑和白陽道長二人，所用的寶劍，俱非凡品，兩人倒地之後，「搜魂手」巴天義立即撤下了二人的劍鞘，將兩柄劍拏到了手內，此刻正將寶劍交到谷寒香手上，請她過目。

谷寒香正在審視兩柄劍的鋒刃，耳聽麥小明與時寅鬥口，暗中目光一轉，冷冷地朝二人瞥去。

只聽時寅鼻中一哼，道：「時大爺高興入夥，小兒有什麼屁放？」

麥小明嘻嘻一笑，道：「你出言無理，只此一端，已該殺頭……」

谷寒香突地秀眉一蹙，沉聲道：「小明，你惹事生非，是存心使『迷蹤谷』內離心離德麼？」

麥小明聞言一呆，轉面向白陽身旁走去，嘀咕道：「凡事有個先來後到，壞差事就派我，不公平麼。」

他口中囁嚅，好似滿腹委屈，谷寒香見他囉嗦半天，原來只爲懶得帶人，本待不去理會，忽然心中一動，暗忖：「他與酆秋雖無授藝之實，卻有師徒之名，倘若他故人之情尙在，豈不要壞我的大事？」

心念一轉，眼中不覺露出一股殺氣，故意淡淡地道：「你若想要偷懶，就叫張敬安替你。」

麥小明大喜過望，道：「這可是師嫂講的！他癡癡呆呆，如果弄死了老牛鼻子，師嫂可不要怪我。」

說話中抱起白陽道長，向張敬安遞了過去。

張敬安愕然不解，雙手一縮，轉眼向谷寒香望去。

谷寒香暗暗嘆道：「『向心露』果是厲害，瞧他這種神情，顯是除自己外，誰也不再認

識，但不知自己命他去死，他聽是不聽？」

感慨中，同他做了一個手勢，示意他將人接過，張敬安果然雙手一伸，將白陽道長接了過去。

此時天光已亮，谷寒香喝一聲：「走！」當先往來路奔去，群豪各展輕功，隨後馳下，轉眼之間，曠野寂寂，只剩滿地遺屍，和雪地上斑駁刺眼的血漬。

匆匆一日，第二天凌晨，定襄縣內，馳出了五騎快馬，和二輛四馬高軒的篷車。

這一行人，正是谷寒香等，只見鍾一豪黑紗蒙面，高踞在第一輛篷車的車座之上，「搜魂手」巴天義雙手籠在袖內，坐在第二輛車座上養神，五騎馬上，坐的是一叟、一奇、麥小明、李傑和時寅。

蹄聲雷鳴中，車馬快如一陣狂風，直往恆山方向馳去，離「迷蹤谷」只有兩日途程，家園在望，每人都開始心急起來。

由此北上，人煙愈渺，車馬出城之後，直馳到日中時分，仍然馬未停蹄。

突然間，第一輛車內，傳出谷寒香的聲音，問道：「離『牧虎岡』尚有多遠？」

馬蹄聲震耳欲聾，疾風割人肌膚，她那語音卻聚而不散，字字送入群豪的耳中。

鍾一豪大聲道：「再有半個時辰即到。」

只聽谷寒香在車內吩附道：「後車的馬匹，已經乏力，附近若有避風的所在，就停下來打尖吧！」

鍾一豪高聲道：「這附近風沙很大，看來只有趕到地頭了。」

說罷傾耳聽了一會兒，果然後車的馬匹，步伐有一點散亂。

「搜魂手」巴天義，忽然由趕車的手中接過馬鞭，將左面兩匹馬抽了幾鞭，鍾一豪看身旁趕車的汗流浹背，氣喘如牛，索性將馬鞭與韁轡一齊奪下，親自駕車前進。

半個時辰未到，眼看百餘丈外，一條岡巒阻路。

忽聽麥小明大喝道：「老禿驢！你敢是討死？」

語聲未罷，群豪俱已瞧出，一個面如古月，白髯垂胸，頭頂油光閃閃，兩行戒疤，清晰可數，粒粒皆有銅錢大小的和尚，盤腿坐在岡下，擋住了過岡的道路。

這一行人，全是江湖行家，一眼望去，便知老和尚大非常人，這批人都是桀傲不馴之輩，既覺老和尚來勢有異，非但無意停馬，反而馬鞭齊揮，加速朝前衝去。

麥小明原是一馬當先，「拘魄索」宋天鐸突然猛抽兩鞭，與他奔個並排，眼看剎那之間，即要衝到老和尚身上。

車簾之後，忽然傳出谷寒香的聲音，道：「駐馬！」

麥小明與宋天鐸如雷貫耳，只見兩人猛地一帶絲韁，兩匹馬倏地分開，由老和尚身旁一掠而過。

霎時間，馬嘶之聲響成一片，鍾一豪手挽韁轡，將篷車硬刹在老和尚身前，再近數尺，老和尚勢必要死在馬蹄之下。

只見群豪坐馬人立，團團亂轉了一陣，接著馬首四合，將老和尚圍在了核心。

這老和尚鎮靜至極，端坐道上，文風不動，雙目微睜，緩緩環顧群豪一眼，然後凝目注視著谷寒香的座車，神色之間，既無驚悸，亦無慍色。

「多爪龍」李傑一看老和尚氣度非凡，知道不是等閒之人，急忙飄身下馬，往谷寒香車前走去。

忽聽麥小明笑聲道：「喂！和尚，你可是少林派的？」

老和尚雙目一睜，湛湛神光，在麥小明臉上一轉，道：「阿彌陀佛，行腳僧人，正是少林寺的。」

「多爪龍」李傑剛將車簾掀開，忽見谷寒香緊鎖的眉頭一舒，淡淡地道：「問明那僧人的來意，有什麼事，可由霍元伽作主。」

這幾句話，雖然講的聲音不大，在場的人，卻都聽入了耳內。「多爪龍」李傑低喏一聲，放下車簾，轉向霍元伽望了一眼。

「羅浮一叟」先是一怔！繼而尋思道：「這事古怪？明知來者不善，卻命我代爲作主？」心念一轉，暗道：「是了，天明和尚是她的師父，她自己不便出面，卻行這掩耳盜鈴之計，既然如此，豈非暗示自己，就是殺了這個和尚，也無不可？」

正思忖間，忽見那老和尚眼望自己，道：「貧僧天覺，這一位莫非就是羅浮霍施主？」

「羅浮一叟」心頭一凜，飄身下馬，雙拳一抱，道：「不才正是霍元伽，常聽江湖傳言，大師乃少林三大高僧之一。自來行腳天下，但不知是什麼時候，返回少林寺的？」

鍾一豪見谷寒香授權予霍元伽，心頭本來感到不是味道，這刻聽霍元伽先問天覺大師返寺

的日期，也不禁暗暗的喝采，情知換了自己，未能問出這句話來。

只聽天覺大師朗聲道：「貧僧無德無能，豈敢當高僧之名。」

頓了一頓，接道：「天覺在外三十餘年，迄今未嘗回過嵩山，不知施主何以有此一問？」

「羅浮一叟」抱拳當胸，道：「大師既未回過少林，對於少林派與『迷蹤谷』小有嫌隙之事，諒必尚還不知？」

天覺大師壽眉微揚，目注霍元伽道：「『落雁谷』之戰，貧僧也曾聽人說起，同時貧僧也曾聽人言道，『迷蹤谷』當今的主人，乃是少林寺記名的弟子。」

「羅浮一叟」濃眉一軒，手撫長髯，亢聲道：「如此道來，大師攔住去路，乃是有意尋釁了？」

天覺大師合掌朗誦一聲佛號，道：「貧僧是苦行之人，尋釁之事，萬萬不敢。」

「羅浮一叟」雙目陡射神光，電掃天覺大師一眼，道：「既非尋釁，如此攔住去路，是何用意？」

天覺大師浩嘆一聲，道：「貴盟主雖是少林寺的記名弟子，不過既然僅只記名，貧僧怎敢妄自尊大？如此挽留諸位的大駕，實因有一件兩全其美的事，冀圖與貴盟主結一樁善緣。」

忽聽麥小明接口笑道：「和尚，咱們這個盟主殺人從不嫌多，我看你這善緣不結也罷！」

天覺大師尚未開口「羅浮一叟」忽然面色一沉，冷冷地朝麥小明望了過去，目光之內，隱含責備之意，似是怪他不該多口。

麥小明雙眼大睜，笑道：「好傢伙！你大權在握，這就作威作福……」

話未講完，耳內陡地響起一聲陰冷的哼聲，駭得呆了一呆，趕緊將口抿住。

這陰冷一哼，直入他的耳內，其餘的人都毫無所覺，「羅浮一叟」霍元伽見他突然住口不言，於是轉向天覺大師道：「敝盟主有話吩咐，大師有事，可與霍某商量，但不知什麼事兩全其美？這善緣如何結法？」

天覺大師口齒一動，未曾講出話來，瞧他沉吟難下之狀，好似心頭甚爲作難。

群豪見他沉吟再三，欲言又止，俱感心中不耐，只是懾於谷寒香的威嚴，均不敢發出聲來，各人面上，卻都顯出了鬱怒之色。

「羅浮一叟」冷冷地道：「大師可講則講，若嫌此處人多眼雜，就請閃開道路，改日至『迷蹤谷』內，與敝盟主面議。」

只聽天覺大師輕嘆一聲，道：「非是貧僧瞧諸位不起，實因此事關係重大，輕率不得。」

「羅浮一叟」微泛怨聲，昂聲道：「你既有礙難之處，敝盟主又不願見你，看來今日之事，只有作罷了。」

天覺大師似是迫於無奈，道：「施主毋須動怒，貧僧此來，實因有一件重寶，意欲獻與『迷蹤谷』的主人。」

群豪一聽天覺攔住去路，用意只爲獻寶，刹那之間，各人的眼睛同時一亮。

天覺大師略爲一頓，又復言道：「貧僧除了有物呈獻外，尚有一點不情之請，亦望貴盟主俯允。」

忽聽麥小明笑道：「老和尚拐彎抹角，原來目的是在交易！什麼寶貝？先拏出來大夥瞧

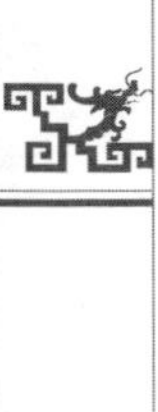

瞧，我師嫂法眼揀金，等閒的玩意兒，她可看不上眼。」

「羅浮一叟」見他又插口講話，心中本來不樂，只是自己也想看看，老和尚行腳之人，有什麼稀世的奇珍？因而聲色不動，只將雙眼朝和尚望住。

天覺大師環視群豪一眼，正色道：「貧僧所有之物，武林之內，人人夢寐以求，茲事體大，請恕貧僧不能讓諸位過目。」

此言一出，群豪臉上俱露慍色，同時亦大起好奇心。

麥小明嘻嘻笑道：「老和尚，那東西是拳經、劍訣麼？」

天覺大師搖了搖頭，目注車簾，朗聲道：「谷檀樾，可否容老衲親自將寶物奉上？」

車內寂然無聲，顯然谷寒香不願與天覺大師見面。

只聽麥小明大聲道：「你那寶貝，可是靈丹妙藥，服後得以增長功力，駐顏不老麼？」

天覺大師搖了搖頭，眼望車簾，道：「谷檀樾，其實老衲所求不多，谷檀樾坐失良機，只恐他日後悔莫及。」

「羅浮一叟」忽然冷笑一聲，道：「大師的目的，昭然若揭，敝盟主非是貪婪之人，大師不必枉費唇舌了。」

說罷將手一拱，飄身落至馬上。

麥小明聞言一怔！脫口道：「和尚，你說來說去，可是想我師嫂將白陽牛鼻子和姓范的放掉？」

「羅浮一叟」雙目倏張，精光逼射，怒道：「你少開尊口就不行麼？」

麥小明豎眉瞪眼，大有發作之意，忽聽天覺大師道：「兩位不必爭執，貧僧之意，只想以懷中至寶，換范玉崑一人。」

「羅浮一叟」坐在馬上，道：「換一人也罷，換兩人也罷，大師不將寶物先讓霍某過目，這交易是談不成了。」

說罷雙拳一抱，接道：「我等尙要趕路，相煩大師借道一行。」

天覺大師壽眉微揚，靜靜地凝視霍元伽一眼，突然雙目一合，竟不聲不響地坐在當地。

「羅浮一叟」暗暗忖道：「老禿驢與天明、天禪二人，被武林道稱爲『少林三僧』，其武功絕非小可，我若獨自上前，一個不好，勢必弄得灰頭土臉，讓那小狗和姓鍾的笑話。」

心念電轉下，朝「拘魄索」宋天鐸一施眼色，縱聲道：「大師強阻道路，難道是要我等硬闖？」

天覺大師充耳不聞，依然閉目雙目，盤腿坐於道中。

只見「羅浮一叟」臉上一紅，怒喝道：「大師既然恃強，休怪霍元伽無理！」

聲甫落，左掌一按馬背，條地騰身而起，半空中含胸吸腹，掉頭下撲，右掌畫了一個圓圈，猛地朝天覺頭頂擊下！

「拘魄索」宋天鐸突然身形一側，滾鞍下馬，欺身朝天覺撲去，口中笑聲道：「出家人強買強賣，成何道理？」

十指箕張，罩定天覺前胸後背的諸大穴道。

忽見天覺大師雙目一張，敞聲道：「谷檀樾！你就毫無故舊之情麼？」

話聲中，左掌擎天，直對霍元伽下擊的手掌迎去，右手一揮，疾扣宋天鐸的右腕，那隻僧袍大袖驀地上捲，「呼」的一聲，倏然向宋天鐸的左掌擊去。

這三招同發，平平淡淡，大開大合，但那掌指袍袖之中，隱蘊著極爲強猛的威力，群豪俱是久戰一生的高手，豈有看不出的道理？

「羅浮一叟」狡詐多疑，臨敵之際，未慮勝，先慮敗，絕不魯莽躁進。

他本來不敢與天覺大師硬拚，這一掌下擊，蓄勁不發，可虛可實，詎料天覺大師不閃不避，雙掌力敵一人，不禁怒哼一聲，忖道：「我就不信，你比兩個霍元伽還要厲害！」

這念頭閃電般地掠過腦中，掌勢一沉，疾迸而下。

但聽「啪」的一聲，雙掌甫交，霍元伽咬牙一哼，身子淩空一陣翻滾，瀉落於一丈之外。

同時間，只見天覺大師右臂一舒，陡地扣住了宋天鐸的右腕，反手一揮，將他扔出了三丈之遙。

只聽麥小明笑道：「不過手法快捷，功力深厚，此外也沒有什麼。」

語音未落，忽聽「呀」的一聲，谷寒香那輛篷車的車門，緩緩地打開來。

霍元伽與宋天鐸雙雙墜地，兩人驚悸猶在，立即各提一口真氣，暗自在周身流轉。

忽見谷寒香由車門探身出來，道：「兩位退下，待我親自會一會這位師父。」

說話中，蓮步姍姍，直向天覺大師走去。

群豪見她下車，頓時紛紛下馬，鍾一豪和巴天義二人，亦由車座躍下，各自舉步，往她身側移近。

天覺大師雙足一彈，振衣而起，未待她走近身前，先自雙掌合十，低眉垂首道：「老衲鹵莽，衝撞了谷檀樾的玉駕，尚祈海涵一、二。」

谷寒香目凝神光，冷冷地打量天覺一眼，只見他身著灰布僧袍，赤足草鞋，脅下懸一布袋，衣履破舊，滿臉風塵，確有一副苦行僧的模樣，不禁暗忖道：「這老僧英華深斂，不著皮相，倒是個難以打發的敵手。」思忖中，人在天覺身前丈外一站，抱拳一禮，淡淡地道：「谷寒香草莽之人，失禮之處，老禪師萬勿見罪。」

聲音一冷，道：「范玉崑重傷垂危，如今就在後車之內，未知老禪師與他何親何故，何以甘捨重寶，換他一命？」

天覺大師見她單刀直入，不覺為之一怔！沉思少頃，道：「老柄與范玉崑素未謀面，亦無何等親故，但念他代人受過，心有不忍，加以適逢其會，若不救他一命，自問心頭有愧。」

谷寒香柳眉一軒，冷聲道：「亡夫死在他的劍下，他代何人受過？」

天覺大師喟然道：「想胡大俠武藝超群，當年與老衲的天明師兄鏖戰數日，始終未曾分出勝負，范玉崑年輕技淺，如何能傷他的性命？」

谷寒香冷冷一笑，道：「老禪師言之成理，其實谷寒香何嘗沒有此等想法？無奈范玉崑親口自供，谷寒香也只好寧可錯殺，以免錯放了。」

天覺大師朗誦一聲佛號，道：「胡大俠宅心仁厚，已是舉世皆知的事，谷檀樾錯殺好人，豈不有損胡大俠的英名？」

谷寒香嘿嘿冷笑，斬釘截鐵地道：「谷寒香心如鐵石，老禪師不必說法了。」

天覺大師道：「那麼以寶換人之事，谷檀樾是毫不考慮的了？」

谷寒香漠然道：「苟且偷生，尚要寶物何用？」

天覺大師道：「唉！那件寶物，對你報仇雪恨之事大有裨益，難道你就不知權衡輕重麼？」

只見谷寒香玉面一沉，將手一伸，怒道：「何等至寶？敢說對我報仇之事有助？」

天覺大師嘆了一口氣，將手伸入懷中，緩緩地摸出一物，舉步上前，道：「此物關係太大，除谷檀樾外，不能容他人見到。」

谷寒香秀眉一蹙，朝群豪一揮手，道：「各退十丈，未得我令，不許走近一步。」

群豪雖然好奇心盛，亟想一知究竟，但知此時違令不得，鍾一豪首先一躍而起，將那趕車的往脅下一夾，快步向一旁退去，轉眼間僅勝天覺大師與谷寒香二人留在當地。

忽聽「搜魂手」巴天義遠遠地縱聲道：「夫人留意，說不定老禿驢懷有詭計！」

谷寒香暗暗忖道：「巴天義倒有點義氣，不枉自己捨去靈藥，救他一條性命。」

轉念之下，只見天覺大師將一個長約六寸，破布小包遞了過來，神色之間，一片肅穆。她不假思索，隨手接住，緩緩地攤開破布，向其中之物看去，但見那布中裹的，不過是半截小刀，通體烏黑，似是牛角製成。瞧這小刀的形式，原來的長度，最多不過八寸，如今齊中折斷，刀尖的一截已然不在，剩下這刀柄一截，統共長才四寸，看來看去，實無半點奇處。

谷寒香審視小刀半晌，突然雙目一抬，陰森森一笑，道：「老禪師乃是有道高僧，諒必不會有欺人之舉，谷寒香孤陋寡聞，無法看出此物的妙用。」說著將小刀重又包好，朝天覺大師

遮了過去。

天覺大師自谷寒香將布包拆開後，一雙精光隱蘊的神目，就緊盯在她的臉上，似是唯恐漏掉了她絲毫的表情，這時接過小包，慎重其事地揣入懷內，一面訝聲道：「谷檀樾當真不識此物的來歷麼？」

谷寒香搖了搖頭，道：「谷寒香識見淺陋，看不出此物的奇處。」

天覺大師似乎大失所望，輕嘆一聲，自語道：「這麼說來，是老衲估料錯了。」

谷寒香滿腹疑雲，道：「我雖不識此物的來歷，但如果對我報仇之事有所裨益，咱們的交易也未始不能談成。」

天覺大師搖首道：「如果谷檀樾不知此物的根底，這筆交易，老衲不願談了。」

谷寒香被他神秘謹慎之狀，惹得好奇心大起，故意冷笑一聲，道：「既然如此，范玉崑之事，老禪師最好是不用管了。」

天覺大師眼光一轉，向囚禁范玉崑和白陽道長的那輛馬車望了一眼，忽然心意一變，試探道：「這柄小刀雖只半截，但是鋒銳異常，任何寶刀、寶劍難以劈開之物，這刀只須輕輕一劃，立時應手而開。」話才講完，突然轉向西南方望去，雙目之內，倏地射出兩道亮如閃電的光芒。

谷寒香暗驚老和尚內功的深厚，順著他的目光望了一眼，但見幾叢雜樹，數堆殘雪，和隨風翻騰的黃沙。

天覺大師突然轉過面來，匆匆地道：「濫造殺劫，上干天和，但望谷檀樾速放屠刀……」

「刀」字出口，人已雙肩一晃，飄出了十餘丈外，幾個起落，轉眼間消失於「牧虎岡」後。

谷寒香驚疑未已，忽覺身後一陣疾風撲到，趕忙雙足一挫，飄身閃出丈外，移目望去，原來那纏著自己，追討「問心子」的無名老叟，風馳電掣地到了場中。

無名老叟目光如箭，朝四處亂射，口中道：「丫頭，少林寺的一個賊和尙，是否剛剛離開此地？」

谷寒香莞爾一笑，道：「老前輩問的，是否少林派的天覺？」

無名老叟目射奇光，點頭道：「正是那個賊禿，他找你何事？」

谷寒香一指馬車，笑道：「我抓住了范銅山的兒子，和武當派的一個道人，那和尙攔路劫人，正要動手時，忽又不戰而退，老前輩問他則做甚？」

無名老叟臉色一沉，踏上一步，厲聲道：「丫頭！你敢在老夫面前弄鬼！」

谷寒香暗暗忖道：「老怪物色厲內荏，似乎惶急得很，難道天覺和尙與『問心子』有關麼？」轉念之下，舉手向四外一揮。

群豪散布在十丈之外，一見谷寒香的手勢，頓時紛紛急奔過來，颯然風響中，時寅首先趕至，張敬安與麥小明同時跟到，分立在谷寒香兩側。

無名老叟冷笑不絕，環掠群豪一眼，道：「酒囊飯袋爲數倒是不少。」

麥小明大喝道：「老兒何人？可是嫌命長了？」

無名老叟勃然大怒，右臂一抬，即待揮掌劈出。

谷寒香笑叱道：「小明不得無禮！」

麥小明笑道：「今日怪事真多，這老頭兒大模大樣，難道又有什麼寶貝不成？」

此言一出，無名老叟雙眼一翻精芒亂射！

谷寒香眼內神光隱隱，兩人各自盯住對方，似是都在揣測對方的心意。

麥小明大惑不解，眼望二人，訝然道：「你們鬧得什麼玄虛？難道又是事關重大，不能讓第三者知情麼？」群豪有的老成持重，有的心機深沉，誰也不願甘冒不諱，貿然開口，只他一人莽莽撞撞，放言無忌。

忽見無名老叟面色一冷，眼內凶光逼射，道：「丫頭，快將東西還給老夫，否則這『牧虎岡』下，即是你斃命的所在！」

谷寒香暗暗忖道：「那『問心子』明明是我大哥的遺物，老怪物偏講屬他所有？江湖中險詐重重，我可不能上他的當。」

只聽麥小明大聲道：「老頭兒，什麼東西還給你？瞧你老氣橫秋，想必不知我師嫂的厲害。」

無名老叟陡地冷哼一聲，欺身直上，陡然一掌朝谷寒香襲去！

谷寒香看這一掌陰辣險狠，顯然是蓄勢而發，凜然之下，猛施一個「摘星步」，閃電般地橫飄八尺。

只聽麥小明大喝一聲，驚虹乍展，一劍刺向無名老叟的右腕。

無名老叟似是深知群豪的底細，一掌襲空，雙肩倏地一晃，閃過麥小明的寶劍，唰身朝谷寒香撲去，瞧那焦急猛惡之狀，明是提防群豪一哄而上，欲以迅雷不及掩耳之勢，一舉將谷

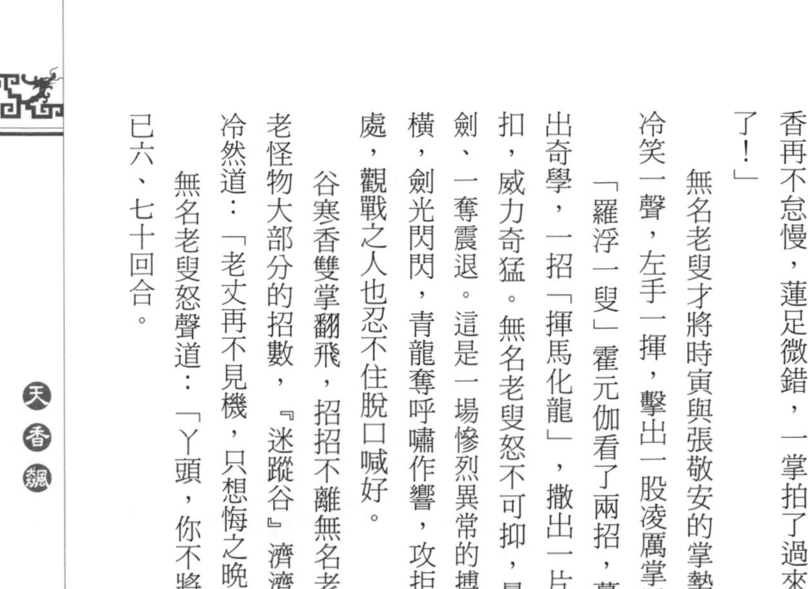

寒香制住。倏地，疾風震耳，張敬安與時寅雙掌同揮，齊向無名老叟襲去，這兩人一個手掌猩紅，一個手掌烏黑，單是顏色，已足令人心驚。

無名老叟咬牙一哼，顧不得追襲谷寒香，雙掌一挫，同時迎向時寅和張敬安二人。谷寒香再不怠慢，蓮足微錯，一掌拍了過來，口中冷冷地道：「你既言而無信，怪不得我不仁不義了！」

無名老叟才將時寅與張敬安的掌勢逼開，忽感一股如山暗勁，直向自己脅下撞來。只聽他冷笑一聲，左手一揮，擊出一股凌厲掌風，對著谷寒香的掌力迎去。

「羅浮一叟」霍元伽看了兩招，驀地青龍奪一揮，不聲不響，側攻而上，麥小明寶劍忽出奇學，一招「揮馬化龍」，撒出一片寒芒，這兩人原是對頭冤家，這聯手一招，竟然絲絲入扣，威力奇猛。無名老叟怒不可抑，暴喝一聲，倏然疾拍數掌，硬以強勁無倫的掌力，將一劍、一奪震退。這是一場慘烈異常的搏鬥，交戰之人，俱都是江湖中一流的高手，只見掌影縱橫，劍光閃閃，青龍奪呼嘯作響，攻拒之間險象環生，敵我雙方，危機迭起，看到化險爲夷之處，觀戰之人也忍不住脫口喊好。

谷寒香雙掌翻飛，招招不離無名老叟的要害，心中暗忖道：「今日若非有個時寅，接去了老怪物大部分的招數，『迷蹤谷』濟濟群雄，豈不要土崩瓦解？」轉念之下，奇招迭出，一面冷然道：「老丈再不見機，只想悔之晚矣！」

無名老叟怒聲道：「丫頭，你不將東西還來，老夫與你誓不兩立。」說話之間，雙方力搏已六、七十回合。

谷寒香暗自尋思道：「他從不在人前提『問心子』三字，此中必然大有隱秘，那天覺和尙與他避道而行，看來也與此事有關。」她本是絕頂聰明之人，略一揣摩，已知其中的大要，同時暗忖道：「老怪物武功之高，堪稱舉世第一，若能得他效力，報仇之事，也就指日可待了。」念起了夫仇，她的心腸，變得無比的剛硬，當下掌勢一緊，峻聲道：「各自當心，誰手下走脫了人，我取誰的性命！」話聲中，左手在腰間一探，將那柄淬毒匕首握於了掌中，張敬安見她手抄兵刃，也將自己的金環撤了出來。剎那間，情勢急轉，金刃劈風之聲，淹沒了呼嘯澎湃的掌飆，耀眼精芒，遮斷了眾人的身影。

鍾一豪與「搜魂手」巴天義內傷未癒，「拘魄索」宋天鐸和「多爪龍」李傑自知藝差一著，插手不上，四人立在一旁，眼看這一場生平未睹的惡鬥，只感到目不暇接，心搖不已。

無名老叟被五大高手環攻，任他武功通神，亦感到力絀勢窮，岌岌不保，左衝右突，闖不出五人的圍困，急怒交迸之下，打定擒賊擒王的主意，掌勢一變，連連向谷寒香反擊。

張敬安渾渾噩噩，獨對谷寒香的安危反應敏捷，無名老叟心意才露，他的金環頓時如狂風驟雨一般，猛然向無名老叟攻去。

無名老叟逐漸感到自己掌上沉重起來，心中暗暗忖道：「這蠢才神智已迷，對那丫頭死心塌地，看來非先將他擊斃，或是重傷在掌下，才有傷那丫頭之望。」心念一轉，殺機暗生，擺脫劍、奪與時寅的掌招，朝張敬安連下十餘招殺手，迫得他手忙腳亂，閃避不迭。

忽聽谷寒香冷笑道：「老丈若不拚著自己傷亡，休想動咱們一毫一髮。」話聲中，淬毒匕首藍芒如雨，挾著強凌的劍炁，疾湧而至。

無名老叟厲聲道：「老夫就拚著傷亡，先將你這丫頭毀了！」反手一揮，倏地一掌擊去。

但聽時寅沉擊道：「你先接我一掌試試。」「呼」的一聲，一股排山倒海的掌力，潮湧而至。原來他生性好強，自念出道以來，單打獨鬥，從未遇上敵手，不料投身谷寒香麾下，初次出戰，竟然合五人之力，還制不了這個來歷不明的老叟，因而不顧內傷未復，暗將「黑煞掌力」凝足十成，捨命擊出一掌。

無名老叟目光雪亮，才一交手，卻已瞧出時寅的來頭，此時看他一掌擊來，知他業已用出全力，如果自己出掌反擊，縱能將他震斃，其餘的人，亦必趁機攻上，自己縱或不死，亦要身受重創。他料敵機先，雖是快捷無比，無耐薑桂之性，老而彌辣，好勝之念，較之時寅更強，腦中念頭尚未轉完，掌上卻已凝足功力，猛地揮了出去。

但聽霍元伽與麥小明齊聲一喝，一劍一奪，同時向無名老叟身後襲至，張敬安亦是臨敵經驗車載斗量之士，此時神志雖然不清，武功本能卻在，一見二人掌勢欲接，頓時仆身探臂，金環猛地擊出。這交戰的人，無一是武學正宗，每人的武功，都是走的偏激詭辣之路，但看雙方招術一合之勢，凶險之狀，觸目心驚。

突然間，谷寒香厲喝道：「穩紮穩打！」淬毒匕首一揮，直削無名老叟的右掌。

無名老叟剛一逞強，心頭已自後悔，這時掌勢一沉，閃電般地與谷寒香交錯而過，舉手之間，與四人各自拆了一招。

時寅正待與無名老叟硬拚一掌，忽見谷寒香由身前一掠而過，忙將欲吐未吐的掌力一收，身形疾晃，搶了谷寒香原來的位置，瞬眼之間，重將無名老叟圍在中央。

忽聽無名老叟冷冷地道：「臭丫頭，你討好老夫做甚？」

谷寒香掄手一掌，淡然道：「我覺得似你這般武功的人，死了未免可惜，再來也不願『迷蹤谷』的人，斷送在你的手上。」

無名老叟嘿嘿笑道：「你為夫報仇，倒是苦心孤詣，足以上動天心了！」

谷寒香漠然道：「你知道就好。」說話中，雙方捨死忘生，重又打得如火如荼。

忽聽鍾一豪急急喝道：「抄傢伙，準備暗青子！」聲未落，十餘條人影風馳電掣，直對此處奔來，眨眼之下，來人現出身形，居然男女老幼，僧俗皆全。

谷寒香耳目靈警，雖在激鬥中下，依然看出了來人的形貌、衣著，與武功、身法的高下。原來急奔而至的人，共是一十二名，為首一個緇衣老尼，略後半步，一個是帶髮頭陀，一個是年約四旬，俗家打扮的男子，這三人身後丈餘，則是八名年輕的男女，這批人中，除了那帶髮頭陀手提一根方便鏟外，其餘的人，俱都肩插著長劍。颼颼幾聲，鍾一豪、「嶺南二奇」、「多爪龍」李傑，四人縱身到了大車之旁，手橫兵刃，據守當地。

谷寒香芳心之內，暗暗焦急，但見她掌勢一緊，冷然道：「原來你意在救人，我只得將你留下了。」話聲中，連攻八掌，招招襲向無名老叟的要害。

無名老叟怒哼一聲，道：「快將東西還給老夫，不然你兩頭落空，未免不值。」雙手忽擊忽拏，忽指忽掌，力拒五人的攻勢。

忽聽鍾一豪大喝道：「來者何人？」那緇衣老尼身法奇快，一掠數丈，當先馳到了近處，正欲答話之際，目光忽被谷寒香等人的搏鬥吸住，只見她眼神似電，緊隨著無名老叟的掌指閃

動，容色之中，驚喜交集，對鍾一豪的喝問，恍若未聞。

谷寒香暗暗忖道：「來敵身手不弱，夜長夢多，看情形只有大刀闊斧，先將老怪物收拾掉才行。」心念一決，殺機陡起，厲喝道：「一齊加勁，先將老怪剁掉！」

聲出招變，「三元九靈玄功」疾變如風，招招俱是殺手。

張敬安似與谷寒香心意相通，谷寒香掌上威力一增，他的金環亦光華大盛，左手「血手印」幻起一片紅影，朝無名老叟連連猛攻。

只聽麥小明笑道：「老頭兒，你好本領，可惜今天要變鬼了！」

「唰唰」兩劍，逼得無名老叟連閃兩步。這五人手下加勁，無名老叟頓感不支，轉眼工夫，滿頭是汗，只見他左遮右架，岌岌殆危。

忽聽那緇衣老尼怒聲道：「誰叫谷寒香？以多勝少，算是哪一門好漢？」

谷寒香冷冰冰地道：「誰叫你不上來？」左手匕首一撩，右掌疾掄，一招「幻影遊音」，陡地向無名老叟擊去。

無名老叟手忙腳亂，勉強支持到現在，對這一招「幻影遊音」再也無力化解，危急之下，身子閃電般地橫移半尺，左手倏伸，直對霍元伽的青龍奪抓去，右掌猛揮，朝谷寒香劈空一掌。

但見時寅和張敬安出掌若電，一左一右，兩掌同時擊到，麥小明劍如蛟龍搗海，奮力一劍，猛向無名老叟右臂絞去，這五人合圍，威勢駭人至極，無名老叟縱是脅生雙翅，也無法飛去。

天香飆

那緇衣老尼突然暴喝一聲：「狂徒敢爾！」飛身一劍，直對麥小明的寶劍撞去。

同時間，那帶髮頭陀和中年男子亦齊齊發動，鏟、劍並揮，縱身朝場中撲去，鍾一豪等人早在一旁戒備，這時也揮動兵刃，分頭截向三人。

這幾人同時發動，喝叱聲中，只見鍾一豪緬鐵軟刀一揮，與緇衣老尼的長劍撞在一起，被震得悶哼一聲，「登登」連退兩步，胸上舊創劇痛難當。

「拘魄索」宋天鐸單刀軟索，與那帶髮頭陀迅捷無匹地對拆了三招，那頭陀的方便鏟雖然力猛招沉，功力雄厚，匆促之下，依然未討到絲毫便宜。

「搜魂手」巴天義截向那中年男子，卻是一掌尚未攻出，被那中年男子的青銅長劍刺到胸前，逼得閃開一步，讓出了道路。這中年男子與緇衣老尼一招得手，立時向谷寒香等人撲去，只是就這眨眼工夫，場中的勝負已分，形勢已變。

原來無名老叟一看身陷絕地，知道再不見機，性命不保，於是猛地一個旋身，雙掌交錯，同時襲向麥小明、霍元伽、時寅、張敬安四人，一面功凝後背，準備硬抗谷寒香一掌。

要知時寅的「黑煞掌」與張敬安的「血手印」，都是奇毒無比的功夫，一旦挨上，若無二人的獨門解藥，縱不當場身死，亦難保全性命，麥小明與霍元伽的一劍、一奪，和張敬安的一只金環，全都狠辣至極，著上一下，不死亦得重傷，因而無名老叟權衡輕重，寧願硬挨谷寒香一掌，話雖如此，若非是他，旁人也不能在一招之下，化解麥小明等四人的招數。

說時遲，彼時快，但見谷寒香沉聲一哼，變掌爲指，猛地向無名老叟「三焦穴」上戳去！這駢指一戳，凌厲懾人，尖銳的指風破空生嘯，彷彿一支疾勁的利矢。

無名老叟亦未料到谷寒香會變掌爲指，想那「三焦」爲昏穴之一，若讓她一指戳上，勢必被震散護身罡氣，將自己一指點倒。

間不容髮之際，無名老叟暗運神功，將背後諸大穴道，霍地橫移半寸。

這都是瞬息間的事，只見谷寒香纖纖玉指，倏地點到了無名老叟的背上，將他擊得機伶伶一個寒顫，身子猛朝霍元伽的青龍奪上仆去。

「羅浮一叟」應變之速，在群豪中數得第一，一見無名老叟身軀一頓，頓時一招「蒼龍歸海」，青龍奪竭力往前一送！

無名老叟的武功，端地已臻化境，但見他怒叱一聲，雙手一分，右掌拂在霍元伽的青龍奪上，將他連人帶兵器震出了七、八尺遠，左手扣指一彈，將麥小明襲近身前的寶劍盪開了尺許。

場中這一瞬間的變化，簡直令人目眩神馳，難信自己的眼睛，原來無名老叟雖然武功通神，谷寒香等人亦是升堂入室的高手，尤其時寅一雙肉掌，非但掌底勁力奇猛，招術變化，亦玄奧萬分，無名老叟才被谷寒香一指點上，他的手掌，已跟蹤擊到。霍地，谷寒香喝道：「且住！」只見她秀眉緊蹙，左手疾向時寅的腕寸拏去，右掌一翻，驀地截向張敬安的金環，瞧她的心意，似乎不想置老叟於死地。

谷寒香出手一擋，無名老叟疾若電掣，立時掠出了數丈之外，目光灼灼，悶聲不響，盯在她的臉上，谷寒香雙手一擺，止住群豪追擊，目射冷燄，亦向無名老叟望著。這二人的眼神，一個熊熊似火，一個寒冷如冰，兩人相互盯著，似怒非怒，似嘲非嘲，弄得四外之人，俱都莫

名其妙。

忽見那緇衣老尼插還長劍，與同來的二人交換了一瞥眼色，三人走到無名老叟身前，同時深施一禮。無名老叟目光一閃，打量三人一眼，道：「瞧你們武功家數，像是峨眉、崑崙兩派，這般勞師動眾，可是有什麼大事？」

他老氣橫秋，漫不為禮，三人卻絲毫不以為意，那緇衣老尼雙掌合十，滿面虔敬之色，道：「貧尼峨眉曼陀，另外兩位道友，乃是崑崙門下。」

那手拄方便鏟的頭陀單掌打一問訊，道：「貧倡瞿道陵，與師弟展雲翼，老前輩尊姓大名，可否見示？」

這一尼一僧都是武林中知名之士，因見無名老叟的武功神奇莫測，又與綠林人物為敵，因而料定必是一位久隱江湖，新近復出的前輩高人，是以言詞之間，恭謹有加。

無名老叟眉頭一蹙，道：「老夫的名姓久已不用，你們不問也罷，大概所謀不同，也難以攜手合作。」

瞿道陵聞言一怔！用手一指時寅，道：「此人乃『黑魔』時佛之子，不知多少正派俠士，毀在他的手內，老前輩此來，是否與他有關？」

時寅濃眉一軒，敞聲道：「姓瞿的，時大爺人在此處，你待怎樣？」

那曼陀老尼似是火氣甚大，聞言猛一轉面，厲聲道：「你張狂什麼！若不砍下你的首級，老尼絕不回轉峨眉。」

時寅勃然大怒，雙肩一晃，倏進數尺，喝道：「大爺不信，幾日工夫，你的劍法長進了多

少！」聽他言中之意，兩人似曾交手。

曼陀老尼身形一轉，抬手便拔肩後的長劍，瞿道陵伸手虛虛一攔，道：「大師息怒，既已對面，忙也不在一時。」

接著轉向無名老叟道：「老前輩與彼等有什麼過節？只要志同道合，瞿道陵願聽差遣。」

谷寒香暗暗忖道：「這頭陀倒是厲害，單他一人，已勝過武當四陽了。」

只見無名老叟將頭一搖，道：「老夫另有圖謀，不能說與人知，姓時的業已投入谷寒香旗下，依我看來，此事還是從長計議的好。」

曼陀老尼忽然冷笑一聲，道：「瞿道友，我們正事要緊，別再多費唇舌了。」

無名老叟知她對自己不滿，嘿嘿一笑，轉朝谷寒香道：「臭丫頭！你是準備獨戰八大門派了？」

谷寒香冷笑一聲，道：「人不犯我，我不犯人。」

無名老叟「呸」的一聲，撇嘴道：「口是心非！『陰手一魔』何曾惹你？」

谷寒香陰惻惻一笑，道：「冰炭不同爐，注定的仇怨，想不結怨也難如願，閒話休提，老丈等著坐收漁人之利吧。」說到此處，飄身上前，朝著曼陀老尼與瞿道陵二人道：「你們兩派之間，交誼諒必不淺，但不知今日之事，是由何人作主？或是商議行事？」

曼陀老尼目射精光，將谷寒香從頭至足，端詳一遍，口中緩緩地道：「你就是胡柏齡之妻，新盟主的『迷蹤谷』谷寒香？」

谷寒香冷冰冰地道：「你何必明知故問！我聽人講過，峨眉派靠你撐持門戶，看來你派中

天香飆

的事，你是作得主了！」

曼陀老尼雙眉怒剔，道：「老尼雖與掌門人是一師之徒，遇事也不敢妄自作主，但若鋤奸衛道，又當別論。」

谷寒香陰森森一笑，道：「那就好辦！『迷蹤谷』絕無正人君子，你不必擔心錯殺好人。」轉眼一望瞿道陵，道：「崑崙派的事，自然是由你作主了？」

瞿道陵點頭道：「谷盟主只管劃道，瞿某但憑吩咐。」

谷寒香目光一閃，掠了幾個少年男女一眼，情知都是兩派的門下，於是指了時寅一指，冷然說道：「時朋友業已加盟『迷蹤谷』內，他私人的恩恩怨怨，俱由谷寒香一肩承擔，你們要人，須向我谷寒香要。」

時寅口齒啟動，似欲講話，旋又心意一變，默然退了幾步，立至鍾一豪身側。

曼陀老尼氣得面色鐵青，袍袖一振，躍至谷寒香身前丈餘立定，怨聲道：「武當、少林對你容忍，峨眉派卻不必容忍於你，你亮出兵刃，老尼先見識見識你的本領。」

谷寒香哂然道：「你若勝了，我擔保你將人帶走，你若敗了，又當如何？」

曼陀老尼厲聲道：「老尼仆劍自刎，夠是不夠？」

谷寒香將頭一搖，冷冷地道：「你們俠義之士，多如過江之鯽，又都視死如歸，我殺你一人，無補於事。」

曼陀老尼氣得手足俱顫，恨聲道：「依你又待怎樣？」

谷寒香淡淡地道：「也沒有什麼，只要峨眉派的人，從此不再過問我們『迷蹤谷』的

事。」

曼陀老尼咬牙道：「好丫頭！你想的好主意……」

要知老尼剛剛見過谷寒香的武功，雖是五人聯手，但在老尼這等人物的眼中，依然看得出各人武功的深淺，絲毫不因以五敵一，就低估各人的功力。她既無必勝的把握，豈敢以峨眉一派行動，作自己一戰的賭注？是以徒自氣惱，既無法答應，又想不出適當的說辭。

忽見瞿道陵跨上兩步，舉手一禮，道：「勝敗兵家常事，誰也未可逆料，事關峨眉一派，曼陀大師就算自信必勝，也不便輕於嘗試。」

谷寒香冷笑道：「我早已看出，閣下智計不凡，有何高見？請講出來吧！」

瞿道陵口稱「不敢」，掠了無名老叟一眼，道：「聽說谷盟主擒了兩人，其中之一，乃是豫南范銅山之子，未知此事真是不真？」

谷寒香一指身後的大車，道：「人在車內，另一個是武當派的白陽道人，閣下有何見教？」

曼陀老尼怨聲道：「谷寒香，你倒是橫得可以！」

谷寒香睨目而視，冷然道：「范玉崑的左手已毀，兩人都被我點了『厥陰心脈』，你是立意救人，還是索性替他們報仇雪恨？」

曼陀老尼雖曾遇上武當派的青陽道長，早已得知二人受傷被擒的經過，這時聽她親口道出，依然忍不住血脈賁張，怒發如狂。

瞿道陵忽然低嘆一聲，道：「白陽道長之事，自有武當派出頭，用不著貧僧等越俎代庖，

但那范銅山與我等皆是舊識，他只此一子，這次又是爲了協助貧僧等追捕時寅，始遭谷盟主擒獲，於情於理，貧僧等俱難坐視。」

說到此處，頓了一頓，接道：「貧僧斗膽，請谷盟主釋放此子，倘蒙慨允，自今以後，崑崙派不再過問『迷蹤谷』之事。」

谷寒香縱聲一陣長笑，良久之後，始才哂然道：「出家人，你好厲害！」

瞿道陵正色道：「貧僧所講的全是肺腑之言，不知厲害在於何處？」

谷寒香獰聲道：「你是否知道，范玉崑與我有殺夫之仇？」

瞿道陵怔了一怔！嘆道：「谷盟主志切夫仇，貧僧聽人講過，但那范玉崑武功平平，縱然胡大俠死在他的劍下，其中亦定然另有關鍵，而且范銅山一條老命，也送在『落雁谷』內。」

無名老叟突然接口道：「丫頭，這頭陀講的也是正理，范玉崑無名小卒，你便將他挫骨揚灰，也算不得報了殺夫之仇。」

谷寒香玉面一轉，怒道：「你善善惡惡，究竟是什麼意思？」

無名老叟乾笑一聲，道：「老夫想殺你而不忍，想救武林蒼生而不願，你不將東西還給老夫，老夫又不能一走了之，行事顛倒，自己也不明所以？」

谷寒香冷笑道：「『陰手一魔』呢？時日無多，你守在此地何用？」

無名老叟笑聲道：「老夫覺出你是個冷酷無情的人，這種人很難守信，據老夫推斷，縱能如期將那魔崽子抓住，你也不會自動交還東西，思來想去，不如還是強索硬要的好。」

麥小明許久未曾開口，憋得實在難受，這時再也忍耐不住，嘻嘴一笑，道：「老頭兒，你

到底想要什麼東西？強索硬要，自信要得著麼？」

無名老叟面色一沉，道：「乳臭小兒，此處哪有你開口的餘地！」

麥小明點頭道：「好！你儘管臭美，下次交手，好歹要砍你一劍。」

谷寒香暗暗忖道：「老怪物牆頭之草，隨風而倒，有他在此，大礙手腳。」

略一轉念，朝著無名老叟道：「擒住了『陰手一魔』之後，我不守信，其錯在我，如今人未擒著，你不守信，其錯在你，如何自處？你自行打量便了。」

無名老叟嘿嘿一笑，沉吟半晌，道：「丫頭，我勸你得饒人處且饒人，當真弄得天怒人怨，胡柏齡泉下有知，只怕也不會諒解於你。」

谷寒香秀眉雙剔，滿眼殺氣，一字一頓地道：「你放言高論，肆無忌憚，我總叫你多言招尤，後悔終身就是。」

無名老叟冷嗤一聲，轉朝瞿道陵道：「老夫不是俠義之人，懶得捨身衛道，你們估量情勢，好自為之。」說罷身形一晃，電閃雲飄，疾投西南而去，人影杳然之後，突地逆風送來一陣語音，道：「丫頭，你敢作弄老夫，老夫管教你骨化揚灰，死無葬身之地！」餘音搖曳，彷彿來自天外，聽得眾人面面相覷，驚凜不已。

在場之人，除谷寒香自己外，誰也不知她與無名老叟之間，到底有些什麼糾葛？但見她僅憑三寸不爛之舌，竟能將老叟逐走，因而對他們言詞所稱的「東西」都紛紛暗加揣測。

谷寒香環顧全場一眼，只見自己一方的人，俱都精神疲憊，容色憔悴不堪，尤其時寅、鍾一豪、巴天義三人，身形萎頓，與人乏力欲倒之感，想起無名老叟講自己冷酷無情的話，不禁暗暗一嘆。

忽聽瞿道陵朗聲道：「谷盟主為夫報仇，志行可嘉，貧僧等原都佩服得很，只是冤家宜解不宜結，殺戮相尋，何日是了？還望谷盟主三思而行。」

谷寒香微微一哂，道：「大頭陀毋須多說，范玉崑之事，谷寒香自知處理，諸位若不願節外生枝，最好是就此請便，免管閒事。」

瞿道陵未及開口，曼陀老尼陡地聲色俱厲道：「谷寒香！你剛愎自用，老尼拚受掌門人的責罰，今日非教訓你一頓不可！」

只聽時寅夷然不屑地道：「哼！憑你那點微末之技，也不知誰教訓誰？」

曼陀老尼怒火倏熾，手指時寅，道：「老尼容你多活一時，你若不知後悔，就算你託庇在閻王殿下，老尼也要取你的性命。」說罷抬手一掠，「嗆」的一聲，抽出肩後的長劍，朝谷寒香道：「老尼向你討教幾招，只要你勝得一招半式，老尼再不管你的閒賬。」

谷寒香啞然失笑，道：「我以為你是降魔衛道，原來只是爭強好勝，鬥一口閒氣。」說話中，朝麥小明將手一伸，索取他的寶劍。

時寅忽然上前幾步，躬身道：「所謂名門正派之中，似老尼這等人物，少說點五十個總有，如果個個須夫人親手料理，還要我等何用？」

只見麥小明寶劍一揮，接聲道：「這話可對！打旗的先上，頭一場該是我的！」

谷寒香暗暗忖道：「這老尼肚皮已快氣脹，看來今天不見真章，難以散場。」

轉念之下，向著曼陀老尼道：「你定要動手，就先與我這師弟鬥上幾回合，大概勝得了他，也就有望勝我了。」

麥小明大喜過望，一躍而上，橫劍當胸，道：「老師太請！」

忽見那展雲翼緩步向前，向曼陀老尼將手一拱，道：「大師壓陣，頭一場就讓給雲翼吧。」

麥小明咧嘴一笑，道：「也行！也行！瞧你溫吞勁兒，功力雖不如老師太深厚，劍法可能還高明一點。」他外粗內細，谷寒香等知之有素，倒不覺得什麼，展雲翼聽入耳中，卻是暗暗心驚。

曼陀老尼鼻中一哼，朝展雲翼道：「小子並不真傻，展老弟多多留意。」

說罷飄身後退，立至場外。

展雲翼微微頷首，轉身拔劍，氣定神閒，道：「小英雄請！」

麥小明朗笑一聲，道：「別鬧客氣。」既無起手式，亦不亮開門戶，劍化驚天長虹，直向展雲翼刺去。

展雲翼暗暗一皺眉頭，左手劍訣一領，一招「蓮台起駕」，向麥小明右臂「內關穴」刺去，身隨劍走，巧妙絕倫地避開了麥小明的寶劍，以攻爲守，輕輕巧巧的一劍，端地乾淨俐落，無半點瑕疵。

麥小明大喝一聲：「好劍法！」回劍上挑，猛削展雲翼的腕寸。這一劍又狠又快，火辣辣凌厲驚人，與崑崙劍法的穆穆肆肆相較，又是一番氣象。

只見展雲翼龍行虎步，連換三個方位，震腕掄劍，倏地向麥小明肩肘削下，一片劍炁，帶

起了一股嘯空之聲。

麥小明精神大振，敞聲道：「試一招！」寶劍一揮，霍地向著展雲翼的劍上撞去。

展雲翼曲臂沉肘，驀地一個旋身，一招「挾山超海」，猛地橫劍削去。

麥小明本想與他拚一拚內力，見他縮劍變招，忽然想到自己的寶劍佔了便宜，不覺連叫了兩聲：「可惜！」但見他口中嚷嚷，左膝一低，曲肘豎肱，一招「起鳳騰蛟」的架式，「唰」的一聲，陡然一劍撩了過去。

片刻間，二人愈打愈快，展雲翼劍法工穩，毫無破綻，麥小明詭招迭出，極盡撩撥之能事，對拆了五十餘招，依然無勝負之分。

曼陀老尼亦是使劍名家，眼看麥小明年歲不大，劍上的功力卻雄渾非凡，進攻退守，既老且辣，簡直不像出諸少年人之手，驚詫之餘，不覺頻頻向谷寒香瞥去，想她身為師姊，身畔又不帶劍，若非另有造詣，就必是劍法更為了得。

「迷蹤谷」的群豪，都難得見著規規矩矩劍鬥，因而此時都凝神斂氣，靜觀兩柄劍上的變化，尤其谷寒香，全神貫注，目不旁瞬，心不旁騖，看得比誰都仔細。

就在眾人心神專注，留意場中的打鬥之際，岡腳下一叢亂草之內，突地鑽出一個身披黑袍，髮挽道髻，白鬍垂胸的高大之人來。

此人非是別個，正是被無名老叟追得狼狽而逃，無處安身的「陰手一魔」。

只見「陰手一魔」躡手躡足，悄無聲息地溜到那輛座車之旁，輕輕地撩開車簾，微微一晃身，進了車內。片刻間，麥小明與展雲翼搶制先機，力搏了六十餘回合。

展雲翼的崑崙劍法大開大合，果有正宗劍法的氣概，麥小明劍下狠辣詭異，專走偏鋒，雖屬旁門，但卻登峰造極，了無瑕疵，幾輪疾攻之下，展雲翼大有防不勝防，顧此失彼之勢。

麥小明見久戰展雲翼不下，不禁激起了驃悍之性，大喝一聲，功凝劍身，緩緩一劍削去。這一劍由快而慢，大異尋常，除了谷寒香外，誰也不知其玄奧所在。

但是，展雲翼的感受卻完全不同，只見這一劍斜削而下，簡直遮斷了敵我兩方，令人無懈可擊，無隙可乘，若不出劍硬架，就只有閃身後退，然而這兩條路，展雲翼都不能走，出劍硬架，他的青鋼劍定必爲麥小明的寶劍削斷，閃身後退，麥小明勢必追著又是一劍。

無奈之下，展雲翼雙足猛頓，激射而起，口中大聲道：「展某有僭，尊駕留意了！」

但聽麥小明笑聲道：「不必擔心，這樣才有意思！」說話中，兩足一丁，踏了一個子午步，寶劍向天，劍訣指地，凝目以待展雲翼的劍到。

要知崑崙派的「雲龍八式」飲譽江湖，其威力之大，已是眾所周知的事，若非過分自大的人，與崑崙門下交手，總是竭力將其纏在地下，避免其施展「雲龍八式」，令自己處於不利的地位。

說時冗長，展雲翼卻是轉眼即下，但見他掉頭下撲，長劍電疾輪轉，挽起六尺方圓一片寒光，朝麥小明當頭罩下。

麥小明雙目暴睜，大喝道：「好一招『蒼龍入海』！」

話聲中，左足一邁，腰肢驀地一扭，寶劍迎頭一揮，一個撒花蓋頂，倏地向上迎去，兩股劍炁一交，激起了一陣風雷之聲，展雲翼左掌一按，霍地昂頭而起，姿式美妙，確有「潛龍升天」的模樣。

只聽麥小明笑道：「你慢慢的使，不待你『雲龍八式』用完，我絕不取你的性命。」

谷寒香聞聽此言，不由又驚又怒，又不好出言點醒，恨極之下，只有陰森森地低笑一聲。笑聲甫出，展雲翼業已二度撲下，但見他青鋼劍伸縮如電，撒下一片光雨，寒光明滅，令人眼花撩亂。這一劍千頭萬緒，亂刺而下，實不知其敵何處？一叟、二奇等雖與麥小明素來不睦，此時也不禁暗爲他捏著一把冷汗。但聽麥小明喝道：「來得好！」足尖點地，身形倏地轉動，其勢之快，無與倫比。

展雲翼正欲虛爲實，震腕刺下，突感眼前一花，敵人僅剩一團光影，此時是箭在絃上，不得不發，匆促中，長劍一震，直對麥小明頂心處刺去！驀地，劍光之下，響起麥小明的暴喝之聲，緊跟著一聲金鐵相擊，接著「啪」的一響，想是二人對了一掌！人影倏分，只見麥小明反握寶劍，卓立原地，雖然咧嘴一笑，臉上的凝重之色，卻未褪盡。那展雲翼則翹首望空，斜刺裡飛了出去。

原來展雲翼一劍刺下，麥小明不敢用劍去削，以防敵人以斷劍順勢而下，因而他偏著劍身，千鈞一髮之際，猛向展雲翼的劍上一撩，將刺到臨頭的一劍，硬生生地擊開，左手則舉臂一揮，一掌向展雲翼拍去。這一招危險至極，如果時間有毫厘之差，或是兩柄劍的方位有一絲不對，麥小明勢非傷亡在展雲翼的劍下不可。

展雲翼與麥小明一掌接實，藉勢騰上了兩丈多高，他對這年輕的敵手，已是既驚又佩，此時深吸一口長氣，倒轉身形，徐徐向麥小明撲去。

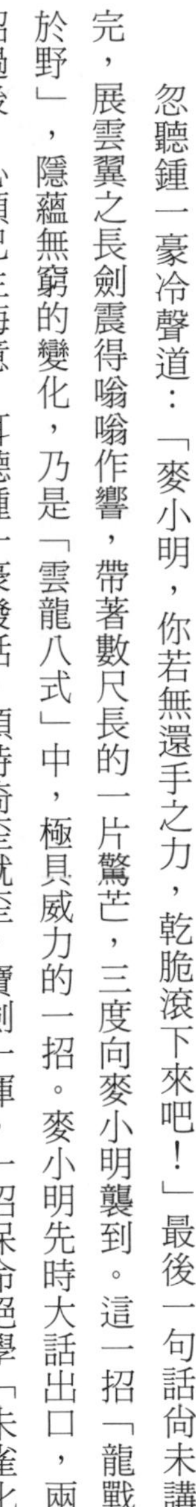

忽聽鍾一豪冷聲道：「麥小明，你若無還手之力，乾脆滾下來吧！」最後一句話尚未講完，展雲翼之長劍震得嗡嗡作響，帶著數尺長的一片驚芒，三度向麥小明襲到。這一招「龍戰於野」，隱蘊無窮的變化，乃是「雲龍八式」中，極具威力的一招。麥小明先時大話出口，兩招過後，心頭已生悔意，耳聽鍾一豪發話，頓時倚歪就歪，寶劍一揮，一招保命絕學「朱雀化鳳」，猛地迎空推出。

只聽展雲翼朗喝道：「好劍法！」喝聲中，含胸拔臂，左掌向下一按，又自騰空而起。

谷寒香暗暗忖道：「這一仗勝了也無意義，谷中尚還有事，看來還是自己出手的好。」心意一決，立即縱聲道：「小明退下！」

麥小明正欲騰身躍起，與展雲翼狠拚幾招，聞言飄身退出丈外，訝聲道：「姓展的不是我的敵手，師嫂幹什麼命我退下？」

谷寒香玉面一沉，冷冷地道：「我另有計較，你不必多問。」接著轉向飄身落地，惑然不解地向展雲翼道：「展朋友，你是否一定要打？」

展雲翼眉頭一蹙，道：「那位兄弟未露敗象，展某也毫無制勝的把握，至於是否再戰，任憑谷盟主吩咐。」

谷寒香冷然道：「你知道彼此的高下就好，谷寒香統率的是天下綠林，依我良言相勸，你們在未得掌門人承諾之前，最好是不要輕啓戰端，以免牽一髮而動全身，使崑崙一派，淪於萬劫不復之地。」

忽聽曼陀老尼道：「天下綠林，雖然多於牛毛，你怎知人人都會服你？都肯聽你調遣？」

谷寒香秀目一轉，哂然道：「你若不信，大可自己上前，何必使旁人做你的前驅？」

曼陀老尼縱身上前，冷笑道：「你不必賣狂，老尼不向你領教幾手，就是死也不能瞑目。」反手一撩，抽出了肩後的佩劍。

谷寒香將手一探，要過了麥小明的寶劍，道：「你勝了將人帶走，如果敗了，我就當著你的面前將那范玉崑殺掉，事關重大，你仔細點。」寶劍一揮，倏然刺去。

曼陀老尼恨得牙關亂挫，一面揮劍還攻，一面心念電轉，忖道：「這女人好毒，自己勝了，固然無話可說，倘若敗了，眼看那范公子因我而死，自己還有何面目見人？」轉念之下，決定只要自己一敗，立時橫劍自刎，那麼一來，或許范玉崑的性命，還能暫時保住。主意一定，心頭反而沉靜下來，當下展開峨眉劍法，緊守門戶，同時留意谷寒香劍法的門路。谷寒香所使劍法，與麥小明屬於同一門戶，老尼是使劍名手，自然一眼即知，然而門路雖同，劍招卻迥異，麥小明是狠辣詭異，谷寒香卻是凌厲玄奇，顯然的，劍法雖是創自一人之手，而前者屬於小乘，後者卻屬大乘。

曼陀老尼暗暗忖道：「瞧這女人的劍勢，尚是初窺堂奧，再過一年半載，其功力與經驗大進之後，只恐武林中無人再是她的敵手，自己年已老邁，何不以身殉道，與她拚個同歸於盡，為天下蒼生除一大患！」如此一想，頓時斂刃藏鋒，先自穩紮穩打，一面留意谷寒香的劍招之內，是否有破綻和罅隙之處。二人出手都快，片刻工夫五十回合已過。

廿六　各懷鬼胎

谷寒香與曼陀老尼拚鬥正酣，忽聽鍾一豪揚聲道：「老尼姑心懷鬼胎，夫人若是不耐煩瑣，不如下令我等，來個快刀斬亂痲吧。」

谷寒香絕頂聰明，臨敵經驗雖然不夠，卻也看得出老尼姑腹內藏有機謀，不下殺手則已，一旦下手定是石破天驚，孤注一擲。因而也凝神一志，攻則敬，守則嚴，既不貪功躁進，也不理會鍾一豪的主意。

酣鬥中，谷寒香突地劍勢一緊，向曼陀老尼連攻八劍，接著寶劍一震，撒出萬點銀星，朝老尼當胸刺去。

曼陀老尼暗暗心喜，知道谷寒香久戰無功，業已感到不耐，於是長劍微翹，反削敵腕，一面吸氣飄身，向後閃退數尺。

谷寒香陰沉沉一笑，如影隨形，欺身直上，揮手又是一劍。

曼陀老尼見她一劍狠似一劍，劍上迸發的罡力，愈來愈見強猛，凜然之下，捨命除她的心意，也更為堅決。

正當谷寒香步步進迫，曼陀老尼埋弓捕獸，節節後退之際，東南方荒野之上，倏地現出了

天覺和尚的身影，他先時越岡而去，不知怎的，竟由東南方回來。

眨眼之下，天覺大師到了場邊，他手中多了一根錫杖，腰下那個布袋，卻已不知去向。

麥小明見老和尚攏來，正欲開口喝問，鍾一豪見場中惡戰已入緊要階段，爲防谷寒香分了心神，因而使了一個眼色，暗暗將他止住，天覺大師與瞿道陵等似不相識，彼此望了一眼，重又注視場中。

驀地，谷寒香冷哼一聲，蓮足一挫，繞著曼陀老尼飛快地盤旋起來，同時劍招一變，左挑右戮，朝曼陀連刺數十餘劍，迫得老尼旋身遊走，封閉不迭。

「迷蹤谷」群豪見谷寒香展開了「摘星步」法，知道勝負之分，轉眼便見分曉，不覺同時撤出了兵刃，那張敬安更是踱踱不安，手握金環，越眾走了出來。

曼陀老尼嚴守門戶，瞥眼之下，見「迷蹤谷」群豪躍然欲動，大有一擁而前之勢，頓時輕喝一聲，長劍急震，陡然一劍刺去。

谷寒香一看來劍奇怪，回劍封架不及，逼得雙足用力，斜斜退出數尺。

霎時間，攻守易勢，曼陀老尼長劍電閃，一連刺出七劍，將谷寒香逼得穿花蝴蝶一般，在劍光叢中，飄來閃去。

瞿道陵師兄弟，及崑崙、峨眉兩派的門下，齊皆手橫兵刃，看住「迷蹤谷」群豪，虎視眈眈，緊張無比，顯然只要對方一動，彼等亦即揮戈向前。

谷寒香被曼陀連攻數劍，逼得無法還手，芳心之下，不禁大爲震怒。

她暗暗忖道：「峨眉派一個老尼，自己還勝她不過，別說今後難以服眾，大哥之仇，更是何從報起？」

思忖中，腦海內突地現出胡柏齡的影子，魁梧、昂軒、豪氣凌雲，口齒微啓，似欲對她講話。

她每一憶起亡夫，一股堅毅不屈的勇力，便油然產生出來。

但見她雙眼倏地一亮，倏然反擊一劍，口中冷聲道：「未得號令，任何人不許輕舉妄動，否則依第四戒律治罪。」

胡柏齡手訂的四大戒律，第四條是「逆不受命者，殺無赦。」「迷蹤谷」群豪聞得警告，不覺面面相覷，都不知她何以定要親自去拚命？

曼陀老尼見谷寒香明明已陷劣勢，反而嚴禁屬下插手，心頭雖然恚怒，對她這般狠勁，卻也暗暗心凜，此時見她一劍橫掃過來，頓時含胸吸腹，一招「心香一瓣」，直對她眉心刺去。

谷寒香冷笑一聲，寶劍忽展絕學，震起斗大的劍花，霍地一劍推去。

這一劍非但拆解敵招，而且罩定了曼陀老尼胸上八大死穴，只要容她劍尖觸上，老尼勢非橫屍當地不可。

曼陀老尼驚怒交迸，猛撤長劍，飄身朝後疾退。

但聽「嗆」的一聲脆響，雙劍交擊，老尼精鋼長劍的劍尖，頓時被削斷寸餘長一截。

忽聽天覺大師縱聲道：「谷寒香，你若當著老衲面前逞兇，老衲立即扭頭一走，令你遺恨終身，後悔莫及。」

谷寒香方自趁勢進逼，一輪疾攻，逼得曼陀老尼節節後退，聞言之下，忍不住怦然心動，

收劍停身，冷笑道：「如果谷寒香落敗，大概你是心安理得了？」

天覺大師莞爾一笑，壽眉一揚，抬眼向她望去。

四目交投，天覺大師突地雙眼一合，匆匆將頭俯下，舉掌一禮道：「老衲仍是苦行之人，對谷檀樾絕無惡意。」

原來谷寒香天生絕色，內功精進之後，更顯得容光煥發，美艷奪人，天覺大師雖然久在佛門，心如明鏡，也不敢對她逼視。

谷寒香似有所覺，不禁暗忖道：「大哥攜走了我的心，卻不帶走我的容貌，難道他是特為留下，備我報仇雪恨之用的麼？」

她心內忽發奇想，頓時展顏一笑，款步向天覺大師走去，一面淡淡地這：「你既不懷惡意，何以趁我正要得手之際，講出後悔莫及的話？」

只聽曼陀老尼忽然道：「倚仗寶刀的威力，有什麼自鳴得意的？」

谷寒香面龐一轉，哂然道：「你是不到黃河不死心，回頭我徒手與你走上幾招，總叫你輸得心服口服，從此不敢多管閒事。」

天覺大師忽然由懷中摸出那個布包，俯首低眉道：「谷檀樾，老衲尚還有事，你若信得過老衲的天明師兄，也該信得過老衲。」

谷寒香暗暗忖道：「那麼半截小刀，也不知是什麼寶貝？以這天覺在少林寺中的地位來說，自不會有欺人之舉。」

思忖中，不由狡黠的一笑，道：「大師譽滿江湖，公認是少林三大高僧之一，怎麼見了那

無名老叟，立時就望影而逃，難道是有什麼把柄，握在那老叟手中麼？」

天覺大師低誦一聲佛號，道：「老衲生平，從未做過半點虧心的事，豈有把柄握在旁人手上？不過……」

谷寒香道：「不過什麼？有道高僧，也有難言之隱麼？」

天覺大師道：「阿彌陀佛，谷檀樾言重了。」

谷寒香微微一哂，道：「大師言不盡意，難怪谷寒香起疑。」

天覺大師沉吟半晌，突然嘆息一聲，道：「不瞞谷檀樾講，那位施主謀奪老衲的寶物追在老衲身後，足有十年之久，老衲打他不過，自然只好見而遠避了。」

谷寒香暗想道：「那老怪謀奪自己的『問心子』，何嘗不是陰魂不散？」想著微微一笑，道：「他要奪大師的寶貝？莫非就是……」

天覺大師不待她將話講完，立即岔口道：「正是！正是！老衲左思右想，與其落到他的手內，還是用來與谷檀樾換人的好。」

谷寒香眼珠一轉，笑聲道：「看在我師父分上，就與老禪師做這一筆交易吧。」轉面朝「多爪龍」李傑道：「老四，將那范玉崑放掉。」

「多爪龍」李傑應喏一聲，奔入車內，將范玉崑抱了出來。

范銅山生前，與峨眉、崑崙兩派交情不惡，因而「多爪龍」李傑將范玉崑抱出，眾人齊皆凝目朝他望去，神情之間，俱是一片關切之色。

「多爪龍」李傑奔至天覺大師身前，一言不發，將人遞了過去，谷寒香則玉手一伸，索取

老和尚手中的布包。

天覺大師將布包交到谷寒香手內，肅容道：「谷檀樾既然放人，自當解開他的『厥陰心脈』，否則百日之後，他仍然不免一死，豈非失了老衲以寶換人的原意？」

谷寒香嘿嘿一笑，道：「我放人只放一次，下次落到我的手內，倒看老禪師以何物相換？」

接著轉向麥小明道：「將他的心脈解了。」

麥小明聞言一楞，呆了一忽，突地兩手一攤，道：「我功力不夠，點是可以，要我去解，只怕要將人弄死。」

那范玉崑左手以布裹著，卻看得出五指已斷，手掌是光禿禿的，瞧他神情萎頓，滿臉病容，雙目雖然睜著，四肢卻軟綿綿地彷彿有肉無骨一般。

曼陀老尼目眥欲裂，切齒道：「谷寒香，你豺狼成心，蛇蠍爲性，老尼若不除你……」

話未講完，「迷蹤谷」群豪已自紛紛怒喝，時寅身形一晃，首先撲了過去。

但見谷寒香冷聲道：「時兄回來，老尼姑大言不慚，你何必與她一般見識。」她微微一頓，旋即命「多爪龍」李傑與天覺大師二人，各自扶住范玉崑的一條膀臂，讓他站在地上，然後款步上前，玉手連揮，在他後心附近連擊八掌。

她每擊一掌，范玉崑的身子就顫抖一陣，八掌擊完，范玉崑吐了一口濁氣，雙目一合，疲憊不堪地將頭俯了下去。

這種陰手絕脈之法，崑崙、峨眉兩派的人，俱是初次見到，眾人除了對她手段之狠辣暗暗

心凜外，對她掌上功夫較劍法造詣遠爲高深的事，也都大感意外。

天覺大師雙手一抄，將范玉崑抱了起來，朝谷寒香手中的布包瞥了一眼，道：「此物非同小可，谷檀樾善自珍藏，最好不要落入旁人的眼內。」

谷寒香淡淡一笑，一看身外之人，齊都目光灼灼，盯在自己手上，似乎都希望自己打開布包，讓大家瞧一瞧究竟。

適在此時，范玉崑忽然雙目一睜，有氣無力地道：「谷……盟主……」

谷寒香面色一沉，冷然道：「你吞吞吐吐，要講什麼？」

范玉崑面帶苦笑，深深望她一眼，道：「有個髮挽道髻，身披黑袍的老者，潛入了谷盟主的……」

話猶未了，谷寒香那輛馬車的車簾倏地飛起，「陰手一魔」快若飄風，由車內飛身而出，落地之時，已在數丈開外。

鍾一豪挨了他的一掌，差點送了性命，睹狀之下，拔足就追，一面大喝道：「『陰手一魔』，有種的站住！」

但聽谷寒香道：「窮寇勿追，容他去吧！」

「陰手一魔」似知寡不敵眾，默然不響，飛身往岡上奔去，轉眼之下，隱入一排樹木之後。

忽聽曼陀老尼冷聲道：「范公子，你以德報怨，貧尼著實佩服得很。」

谷寒香猛一轉面，眉端聚煞，嘴角含恨，慢步朝老尼走了過去。

曼陀老尼見她滿臉泛露殺機，舉步落足，著地有聲，知她已在暗暗凝聚功力，急忙凝神一志，橫劍待敵。

張敬安似是突然之間，將曼陀老尼恨入了骨髓，只見他雙眼發赤，喉中喝喝作響，亦向老尼身前走去。

天覺大師見雙方劍拔弩張，大有火拚一場之意，情急之下，晃身攔在谷寒香身前，道：「谷檀樾身懷重寶……」

谷寒香冷笑一聲，將那布包扔了過去，道：「谷寒香不欠人情，不忘仇恨，我是睚眥必報，下次相逢，你們各自打點就是。」

曼陀老尼是薑桂之性，明知火拚起來，自己一方難免慘敗，無奈怒不可抑，手指谷寒香厲聲道：「賤婢……」

兩個字才一出口，谷寒香已是勃然大怒，玉臂一揚，向張敬安猛地一揮。

張敬安識得這個手勢，只見他低嘯一聲，金環一揮，直對曼陀老尼撲去。

曼陀老尼長劍一掄，與張敬安對拆一招，口中怒聲道：「谷寒香賤婢，你……」

谷寒香突然獰聲一笑，道：「霍兄上！」

「羅浮一叟」微微一怔！青龍奪「烏雲蔽日」，飛身朝曼陀老尼襲去。

瞿道陵亢聲道：「谷盟主，以多勝少，江湖規矩何在？」

谷寒香冷冷地道：「尊駕上去，豈不就二對二了？」

語聲中，一陣陣金鐵互擊之聲，相繼響起。

只見張敬安的金環與曼陀老尼的長劍撞在一起，震得二人各自退了一步。

霍元伽趁機欺近，青龍奪「橫掃千軍」，猛朝曼陀老尼攔腰砸去。

曼陀老尼閃避不及，迫得力貫劍身，震腕一劍迎去。

二人功力相捋，然而劍輕奪重，劍、奪一觸之下，曼陀老尼只得藉著反震之力，撤劍飄身後退。

張敬安出手如電，金環與「血手印」同時襲到，封閉了老尼的退路，霍元伽老奸巨猾，打這種有勝無敗的仗，最合他的心意，看他青龍奪隱挾雷霆萬鈞之勢，大有與張敬安爭功之意。

三、五招之下，曼陀老尼已被迫處下風，一奪一環，此起彼落，打得曼陀老尼緊守門戶，再無還擊的餘地。

瞿道陵暗暗心焦，眼看峨眉派的弟子有一擁而前之意，只得一顧展雲翼道：「師弟上去，助曼陀大師一臂之力。」

展雲翼亦知混戰起來，局面定然極慘，當下寶劍一揮，縱身躍了過去。

忽聽谷寒香陰沉沉地道：「小明上！」

麥小明就等她的令下，這時一躍而出，截住展雲翼就打，展雲翼連閃數次，終是無法將他擺脫，只得展開崑崙劍法，竭力與他拚鬥。

瞿道陵暗暗一瞥谷寒香的臉色，見她眉籠殺氣，眼露殺機，陰森森地望住曼陀與霍、張等人，瞧她那種神色，顯然立意要謀曼陀老尼的性命。

驀地，金環與長劍一撞，二人身形一滯，霍元伽蹈隙而入，青龍奪迅雷驚霆一般，猛地向曼陀老尼砸下。

霍、張二人，皆是黑道中一時之選，曼陀老尼以一敵二，實難支持。

只聽「呼」的一聲，青龍奪擦肩而下，將曼陀老尼的左肩連衣帶肉，刮下了一片。

瞿道陵再難坐視，亮銀方便鏟一掄，欺身向霍元伽背後襲去。

谷寒香嘿嘿一笑，厲聲喝道：「時兄上！」

時寅一言不發，騰身上步，揮掌便向瞿道陵後心擊去。

「黑煞掌」名動江湖，時寅的一身武功，較之谷寒香亦不稍讓，否則的話，武當、崑崙、峨眉幾派，怎會爲了兜捕他一個人，如此地勞師動眾。

瞿道陵螳螂捕蟬，黃雀在後，迫得招式一變，擰腰揮鏟，轉向時寅還擊。

時寅哪將瞿道陵放在心上？沉聲一哼，伸手便向鏟頭抓去，右足一揚，猛踢瞿道陵的手腕。

轉眼間，時寅對瞿道陵，麥小明對展雲翼，與曼陀老尼等分作了三起。

曼陀老尼本就不支，左肩一傷，頓時險象環生，陷入了生死一髮之地，張敬安與霍元伽卻愈戰愈狠，一環一奪，迴環進攻，招招如驟雨狂風，直襲曼陀老尼的要害。

天覺大師愈看愈急，才將范玉崑放落在地，崑崙、峨眉兩派的弟子，業已紛紛出手，加入了三處。

谷寒香殺機大起，舉手一揮道：「統統上！仇怨既結，毋須再留活口！」

天覺大師驚怒交集，瞋目喝道：「谷寒香，你敢濫造殺劫……」

身形電射，駢指點來。

谷寒香雙眉之間，紫紋倏現，揮手一掌，便向天覺大師襲去，對他所說的話，恍若未聞。

頃刻間，慘呼之聲便起，「拘魄索」宋天鐸舉手之間，一刀便將峨眉派的一個弟子砍翻在地。

鍾一豪突然竄到瞿道陵身旁，緬鐵軟刀劈了過去，一面沉聲道：「時兄，這頭陀讓給小弟！」

時寅會意，大喝道：「好！」身形電射，直向天覺大師縱去。

天覺大師右手提杖，左手運指如風，忽擊忽拏，想以迅雷不及掩耳之勢，將谷寒香制住，無奈谷寒香掌法、步法兩皆神奇，連攻了七、八招，依然無法得手。

適在此時，時寅凌厲無疇的掌力，已從身側湧到。

老和尚暗暗心凜，一招「飛拔撞鐘」，杖夾震耳驚風，轉向時寅砸去。

時寅輕哼一聲，身形颯然一轉，電掣般地繞著天覺大師盤旋一匝，一掌向他胸口擊去。

同時間，谷寒香纖腰一扭，突地到了天覺身後，玉掌一揮，隔空劈了過去。

這一掌虛飄飄的，毫無破空之聲，仍是「三元九靈玄功」內的精髓招數。

天覺大師一杖擊空，眼看時寅轉向右側，立即追蹤一陣盤打，杖勢未盡，忽又回杖上挑，反搠時寅丹田，三杖連環，一氣呵成，其快無匹，彷彿一招似的。

詎料，一陣如山暗勁，已然觸上了後心。

天覺大師瞿然一驚！暗忖道：「好陰柔的掌力。」

伏身一竄，斜斜射出丈餘，身未立定，慘呼之聲，重又傳入了耳際。

倏地，范玉崑踉踉蹌蹌，奔了數步，拾起一柄長劍，將劍在頸下一橫，嘶聲喝道：「統統住手，瞧我的！」

敵我兩方的人，見他忽然要橫劍自刎，不禁大感意外，手中同時一慢。

天覺大師橫掃一杖，將谷寒香與時寅迫退一步，喝道：「谷寒香！趕快命你手下的人住手。」

谷寒香亦是滿腹疑雲，飄身後退，揚聲道：「一齊與我退！」

所謂冰凍三尺，非一日之寒，谷寒香自主「迷蹤谷」以來，其威嚴日漸建立，殆已深植群豪心內，此時一聲令下，群豪不約而同地撤招後退，眨眼工夫，俱都環伺在她的身後。

只聽曼陀老尼訝然道：「范公子，你這是爲了什麼？」

這老尼剛硬異常，此刻血流未住，喘息未定，神情語言之內，依然是滿帶火氣。

范玉崑慘然一笑，道：「老師太與瞿、展二位前輩愛護晚輩之情，晚輩終生感激不盡。」

曼陀老尼怒聲道：「劍扔下，講這些廢話做甚？」

范玉崑微一搖首，堅決地道：「如果爲了晚輩一人，令峨眉、崑崙兩派……」

曼陀老尼截口道：「胡說！老尼是鋤奸除惡，與你有何干連？崑崙諸道友盡可撤走，峨眉派的進退，卻由老尼作主。」

谷寒香聽曼陀言語不遜，正欲發話，范玉崑已自淒然道：「老人家有賬，改日與谷盟主再算，否則晚輩立時自刎在此地。」

天覺大師朝地上望了一眼，原來就只一會兒工夫，已有一人重傷斃命，一人滿身浴血，被峨眉派的一個弟子抱在臂中，於是轉向曼陀老尼道：「依老衲相勸，今日之事，到此為止，武當白陽道長，尚在谷檀樾手內，紫陽真人勢必有『迷蹤谷』之行，大師如果有興，何不屆時與紫陽真人同行？將今日這點過節，一併解決。」

曼陀老尼亦知敵人勢盛，硬拚下去，峨眉、崑崙兩派的小輩門人，首先承受不住，忍了又忍，終於含怒朝谷寒香盯了一眼，轉身疾奔而去。

瞿道陵朝天覺大師與谷寒香分別一禮，道聲：「後會！」亦自轉身奔去，兩派弟子抱起了傷亡的同門，隨後跟了下去，天覺大師待眾人去後，低嘆一聲，將范玉崑往脅下一夾，轉奔東南方而去。

眨眼之下，場中只剩「迷蹤谷」的九人，谷寒香想想新仇舊怨，不禁冷笑連聲，恨恨不已。

忽聽麥小明高聲道：「兩個王八羔子，快點滾出來趕路！」

等了半晌，才見兩個車夫由亂草中鑽了出來。

「多爪龍」李傑想起「陰手一魔」潛入車內之事，急忙奔到後面那輛車旁，掀開車簾瞧了一瞧，看到白陽道長尚在車內，始才將心放下。

眾人在岡前打尖用飯，小憩片刻，然後起身登程，一路無話，趕到第三日午間，始入山區之內。

才近谷口，即見余亦樂率領幾個頭目，在道旁列隊相迎。

谷寒香未待馬車停妥，飛身下地，沉聲問道：「翎兒如何？姜宏、何宗輝、劉震三人何在？」

余亦樂躬身行禮，道：「少谷主無恙，劉震領了屬下之命，守伺在酆秋身旁。」

說著目光一抬，朝張敬安與時寅掃了一眼。

谷寒香一指時寅，道：「這位是『黑魔』時前輩之後，兩位多親近。」

余亦樂抱拳道：「兄弟余亦樂，久仰時兄大名。」

時寅還了一禮，卻不講話。

余亦樂久走江湖，閱人無數，雖感他驕氣凌人，心頭倒也不以為怪，轉眼一瞥張敬安說道：「此人神情有異，可是服了夫人的藥物？」

谷寒香微微點頭，道：「此處沒有外人，你有話但講無妨。」

余亦樂頓了一頓，道：「姜、何二位，與苗、萬兩位姑娘，俱已隨護少谷主他去……」

谷寒香截然道：「好！此事處置甚當，不必細說。」

余亦樂躬身道：「屬下無能，交出了夫人的『威鳳金符』，請夫人治罪。」

谷寒香將手一擺，道：「酆秋難敵，兩害相權取其輕，能將他穩住，先生功勞不小。」

說罷之後，接過一騎健馬，當先朝谷內馳去。

入了大寨之後，余亦樂上前道：「酆秋住在左寨，這張敬安如何處置？」

谷寒香沉吟半晌，道：「先生即時去見酆秋，說我業已回谷，掌燈時與他在大寨議事，並囑張敬安在我身畔聽令，晚間再與他見面。」

余亦樂低喏一聲，轉身往左寨奔去。

谷寒香突然面色一沉，朝著一叟、二奇與鍾一豪四人道：「四位各自回寨，好好地調息養神，以備晚間應變。」

一叟、二奇與鍾一豪施了一禮，各自轉身離去。

谷寒香待四人走後，對「多爪龍」李傑道：「老四辛苦一點，守在左寨附近，如果發覺有人暗中與酆秋接觸，晚間再告訴我。」

「多爪龍」李傑道：「兄弟理會得，嫂夫人不必操心。」說罷轉身奔去。

麥小明大奇，道：「師嫂，這是幹麼？」

谷寒香面露詭笑，道：「你此時應該想想，你到底是何人的弟子？」

麥小明當真想了一想，道：「我的武功得自『萬花宮』，照說應該是佟公常的弟子。」

谷寒香淡淡一笑，道：「如果我要殺酆秋呢？」

麥小明目瞪口呆，半晌之後，問道：「為什麼？酆秋又未惹著師嫂。」

谷寒香道：「蠢材，你師兄豈非被酆秋所害？再說他來到此地，明有鳩佔鵲巢之意，怎麼說是未惹著我？」

麥小明呆了一呆，忽然笑道：「隨你吧，你要殺誰就殺誰，只要不殺我就成。」

谷寒香莞爾一笑，轉身往後寨走去，道：「你們三人，暫時隨在我的身旁。」

時寅站著不走，道：「夫人……」

谷寒香轉身道：「你是否覺得我這人陰辣險狠，難以共事？」

時寅點了點頭，表示承認確有這等感覺。

忽然，他又將頭一搖，道：「孤零女子，側身綠林，又有血海冤仇待報，陰辣險狠，也是不得已的事。」

谷寒香看他講話之時，神情漠然，毫無同情之意，知道愈是這樣，其言語愈為真實，不禁燦然一笑，道：「你叫住我，有什麼話講？」

時寅看她一眼，淡淡地道：「夫人麾下魚龍混雜，時寅是甘心效命，可不願明珠暗投，被視做廝僕之流。」

谷寒香突然冷笑一聲，道：「我倒無意將你看做廝僕，不過你若夜郎自大，也休想取得我的解藥。」

時寅雙目一睜，靜靜地望她半晌，陡地乾笑一聲，道：「時寅雖然不容於世，卻非貪生惜命的小人，如果夫人所贈的那粒藥丸真是陰毒之物，時寅縱然萬死，也不會向夫人低頭。」

麥小明如墜五里霧中，訝聲道：「師嫂，你到底弄什麼鬼？莫非你讓她吃的不是毒藥，而是救命靈丹麼？」

谷寒香隨口道：「當然是毒藥。」說罷舉步往後寨走去。

麥小明原來住在左寨，酆秋師徒到此後，余亦樂鑑於彼等與麥小明有舊，因而將他們安頓在那邊，谷寒香為防麥小明與酆秋見面，洩漏了谷中的機密，因而將他帶在身旁，不讓他離

去，麥小明也無所謂，一見谷寒香回寨，笑嘻嘻地跟著就走，張敬安更是亦步亦趨，瞧那樣子，谷寒香縱然轟他，也無法將他趕走。

時寅見三人俱都離去，猶豫半晌，終於大步追了上去。

回至後寨，谷寒香命使女安頓三人，在寨門附近的一座小屋住了，道：「有勞時兄，如果酆秋迫不及待，闖來見我，你就將他截住。」

時寅雙眉一揚，道：「原來是爲這個，夫人放心，姓酆的縱有三頭六臂，諒他也難越雷池一步。」

谷寒香微微一哂，轉身自回居處。

她回房之後，任何事情不做，先躲入密室，盤膝打坐，閉目練功，直練到天將向晚，始才走出密室，梳洗更衣。

今日晚間，她似是刻意修飾自己，描眉敷粉，選衣、選裙，並還揀了一串明珠，掛在頸下，這是從來未有的事，直將兩個貼身侍婢，也弄得驚疑不已。

打扮就緒，她重又走入密室，出來之時，掌中托著兩包藥粉，她將紙包打開，原來一包藥粉是黑色，一包則是白色。

只見她先將那包黑色的藥粉服下，然後將白色的重新包好，交與身畔的婢女，道：「待得酒酣耳熱之際，我命你們上酒，你們便將這藥粉下於我的酒壺之內，記著千萬不能露出馬腳，酒也只能讓我一人飲用。」

她這兩個貼身侍婢，一個名叫菁如，一個名叫苑姑，俱是「萬花宮」的舊人，那菁如收好藥粉，惑然道：「既然酒是夫人獨自飲用，卻又下藥幹麼？」

谷寒香道：「你們依計而行，我自有道理。」

頓了一頓，忽然輕嘆一聲，道：「非是我不將你二人引為心腹，實因事關重大，你們知道多了，反而容易壞事。」

菁如點頭道：「婢子懂啦！知道多了，不免關心過甚，心情緊張，臉上容易洩露出來。」

谷寒香微微一笑，領著二人向外走去，時寅與麥小明、張敬安三人，早在寨門下相候。

大寨之內，燈火輝煌，酒席筵上，已有多人在座，有的閉目枯坐，有的在低語交談，原來余亦樂得了谷寒香之命，將酒筵做家宴布置，一張圓桌，置於大廳中央，谷中群豪，都與酆秋共坐一桌。

此時一叟、二奇、「多爪龍」李傑、「噴火龍」劉震、鍾一豪、余亦樂全都坐在席前，最奇怪的是既為長輩，又為貴賓的酆秋，竟也坐入了席中。

谷寒香環珮叮咚，姍姍而來，才至廳門之外，大廳內業已響起酆秋震耳欲聾的笑聲。但聽他笑聲一歇，道：「客等主人，香兒你好大的架子！」說罷之後，又是一串哈哈。

谷寒香細辨笑聲，心中暗暗忖道：「緩吐深納，聲震屋瓦，這酆秋內功之深，似不在那無名叟之下，只不知他的武學造詣，究竟到了何等境界？」

轉念中，蓮步款款，進入大廳之內，秀目凝光，朝笑聲來處望去。

只見上首席上，高坐一人，道裝白鬍，面如滿月，臉色白中透紅，有如童顏。幾人才入廳內，正在端坐的酆秋，忽然站了起來，目注張敬安大聲喝道：「敬安！你怎麼了？」

群豪見他聲色俱厲，都恐事情要糟，不覺紛紛離座而去，往谷寒香兩側移動。

谷寒香卻是漫不經意，回顧身後的張敬安一眼，見他神情木然，彷彿與酆秋素不相識，不覺嫣然一笑，向酆秋道：「他言語鹵莽，衝撞了我，是我將奪自『陰手一魔』的『向心露』，順手讓他服了一點。」

酆秋雙眉怒剔，兩眼暴射神光，盯住谷寒香一瞬不瞬，瞧他鬚髮皆顫，似是憤怒至極。

谷寒香突然展顏一笑，轉朝余亦樂道：「先生代我陪客，若無重要事故，今日不可再打擾我。」

說罷纖腰一扭，轉身向廳外走去。

酆秋怒發如狂，手按桌面，即待飛身撲出，突地心意一變，壓抑嗓音，道：「丫頭，你站住！」

谷寒香轉面道：「怎麼？老前輩可是要露一手功夫，給谷寒香瞧瞧。」

酆秋啞然失笑，道：「我一看這谷中的情形，就知你強梁霸道，與柏齡大不相同，豈料你非但強勢，而且橫得六親不認……」

谷寒香冷笑一聲，道：「老前輩可是在教訓我？」

酆秋目光灼灼，在她臉上掃來掃去，忽然面色一弛，手拍身畔的座椅，道：「你坐下，愚叔千里遠來，尙有重要的事情與你商量。」

谷寒香淡淡一笑，款步上前，欠身一禮，默然入席。她本是天生絕色，宜嗔宜喜，一顰一笑，俱足以顛倒眾生，今晚一反常態，非但盛裝入席，而且收起了慣常的冷漠神情，輕顰淺笑，撫媚橫生，群豪雖與她相處甚久，此時也如對醇酒，不飲自醉。

酆秋目中奇光流轉，眼望著谷寒香入席坐定，呵呵一笑，轉朝麥小明道：「明兒，你見了爲師怎不行禮？莫非也是你師嫂教的？」

麥小明微微一笑，作了個揖，道：「師父，弟子給你見禮。」

酆秋拂髯一笑，道：「很好，很好，你也成人了。」說罷坐了下去，眉花眼笑，朝谷寒香道：「香兒快命他們坐下，爲叔的枯等數日，心頭早已不耐，你再要違逆師叔，爲叔的可要拂袖而去了。」

谷寒香暗暗一哼，將手朝群豪一擺，示意眾人坐下。

群豪入座之後，余亦樂向幾名侍酒的小婢做了一個手勢，幾個小婢立即開始斟酒，那菁如和苑姑侍立在谷寒香身後，菁如端起酒壺，替谷寒香將酒杯斟滿，然後將酒壺往懷中一抱，亦不理會他人。

酒席筵上，酆秋高踞上座，谷寒香和余亦樂二人分坐他的左右，麥小明則緊傍在谷寒香的身畔，群豪皆不知這頓酒的結果如何，因而都顯得頗爲拘謹。

谷寒香端起桌上酒杯，朝酆秋道：「酆師叔先滿盡一杯，算是寒香略表一番敬意，以後的事，咱們走到哪裡，說到哪裡。」

酆秋呵呵大笑一陣，道：「香兒，聽你言中之意，似對師叔有所不滿？難道就是為了你敬安師弟的事麼？」說罷舉杯就唇，似欲一口飲盡杯中的酒，忽又浩嘆一聲，道：「自從柏齡那孩子死後，為叔的也曾多方打聽你的下落，唉！你一個孤身女子，長此流落江湖，也不是一個了局，待我替你報完大仇後，再替你找個安身立命之處。」

他微一停頓之後，又道：「你放心好了，除了為叔之外，你也沒有什麼親人，為叔的也不會虧待於你。」

谷寒香見他舉杯就唇之際，舌尖曾在酒內沾了一沾，這時口若懸河，滔滔不絕，卻不將酒飲下。她本是絕頂聰明之人，瞧他這等舉動，知他防著酒中有毒，因而先以舌尖嘗試，當下也不點破，反而向侍酒的眾婢將手一揮，道：「統統退下，無事不必過來。」

眾婢女急忙放下酒壺，菁如和苑姑亦隨眾退了下去。

酆秋似是試出酒中無詐，喝過一杯酒後，目注谷寒香道：「你這孩子忒過大膽，『陰手一魔』不是等閒之輩，他未惹你，你怎麼反去惹他？」

谷寒香莞爾一笑，道：「『迷蹤谷』濟濟多士，也沒有一個等閒之輩啊！」

說著酒杯同群豪一舉，道：「此次出征與留守之人，俱都功勞不小，谷寒香盡此一杯，聊表對諸位的謝意。」

眾豪紛紛舉杯稱謝，「羅浮一叟」霍元伽道：「夫人身先士卒，屬下等敢不賣命。」

谷中群豪，原都是大塊吃肉，大碗喝酒之輩，開始時因有酆秋在座，都感到有點彆扭，幾杯落肚之後，眼看谷寒香對酆秋大模大樣，酆秋則始終眉飛色舞，笑不離口，一副慈藹可親的樣子，於是都逐漸地戒心消退，露出粗豪的本色來。

酒至半酣，谷寒香突然面色一冷，朝酆秋道：「師叔詐傳我的『威鳳令符』，算是什麼意思？」

酆秋見她滿面嬌嗔，彷彿一言不合，即要翻臉成仇似的，不禁呵呵大笑，雙目灼灼，在她臉上身上，亂轉一陣。她本來酒量不大，今晚又故意多飲了幾杯，以致玉頰緋紅，雙眸水汪汪的，襯上肌膚勝雪，珠光輝映，其美艷之處，著實難以言宣。

美色當前，加上酒意闌珊，谷中群豪，不覺都開懷暢飲起來，十餘道目光，卻都在她臉上打轉。

谷寒香見酆秋久不答話，冷笑一聲，道：「如今爲時不晚，師叔最好親自去將那四面金符追回，否則的話，我只好自己動身了。」

酆秋乾笑一聲，手拂銀髯道：「香兒，聽你們這位余先生講，你志在手刃少林、武當兩派爲首一輩的人，此言是否當真？」

谷寒香淡然道：「我這次出獵，回程中抓了武當派的一個道人，師叔如果有意，咱們立時將他開膛剖心，以助酒興。」

酆秋眉端微蹙，道：「想不到你這早就下手，你抓來武當派的何人？」

忽見「搜魂手」巴天義雙掌一拍，大聲道：「來酒！」

一個紅衣小婢應喏一聲，手托木盤，送上了四壺美酒，撤去空壺，轉身退了下去。酆秋與谷寒香談話，眾人俱感插不上嘴，因而除了不時向谷寒香看上一眼外，都各自捉對，自顧自地

拚酒。

谷寒香聽他問是抓的何人，不覺嬌聲一笑，道：「一個名叫白陽的道人，師叔是否見過？」

酆秋笑道：「也許上次落雁谷大戰時見過，如今記不起了，不過既屬四陽之一，武當派定不干休，看來此事不久就要鬧大……」

谷寒香暗暗忖道：「這老賊雖然露出一副色不迷人人自迷的模樣，但是自己未曾下箸的菜，他也不伸筷子，看來依然神志清醒，步步爲營，絲毫也不大意。」

一瞥谷中群豪，卻是多半已帶醉意，芳心之下，不禁焦急愈甚，尋思道：「怎生想個激動人心的法子，然後再乘機下手才對。」

忽聽酆秋敞聲一笑，道：「香兒，師叔業已柬邀『鬼老』水寒、『人魔』伍獨，和『毒火』成全等人相助，只待四月初八，天下綠林首腦聚義『迷蹤谷』後……」

谷寒香不待他將話講究，截口道：「師叔怎知天下綠林首腦，都肯來『迷蹤谷』聚義？」

酆秋凶名震世，數十年來，無人敢在他面前如此地肆無忌憚，這時被谷寒香出言頂撞，不覺爲之一怔！

谷寒香突然掩口一笑，道：「武當派要以一顆名爲『問心子』的銀珠，與我交換白陽道人。」她說到此處，故意住口不言，卻自妙目含笑，橫掃在座之人一眼。

霎時間，大半的人聳然動容，只有時寅和張敬安依然原樣，麥小明不知「問心子」是何物？但卻想不出什麼時候，武當派人與谷寒香談過交易，因而一臉迷惑之色。

酆秋突然身形微俯，湊近谷寒香面前，沉聲道：「香兒快講，武當派什麼人與你開的談判？你可曾見過東西？」

麥小明訝然道：「師嫂……」

谷寒香玉面一沉，道：「你少開口！」

麥小明楞了一楞，道：「好吧，不開口就不開口。」

酆秋嘿嘿一笑，道：「香兒好厲害，連明兒也怕了你啦！」他口中老氣橫秋，一雙眼睛，卻灼灼如火，總不離開谷寒香身上，毫無長輩的樣子。

要知谷寒香並非妖冶之流，她乃是天生絕色，姿容蓋世，嫵媚天成，是以縱然酆秋這等修爲年久，定力深厚之人，也無法抗拒她的蠱惑。

忽聽谷寒香嬌笑一聲，道：「酆師叔，那『問心子』究竟有何用處？武當派非但要我釋放白陽，並要將前仇一舉勾消，想那小小一粒銀珠，不過雕刻了一條飛龍在上，怎抵得武當四陽的姓命？」

酆秋點頭笑道：「抵是抵得，只不知東西如今在何人手內？」

谷寒香佯嗔道：「師叔這般追問東西的下落，其用意何在？」

酆秋乾笑一聲，道：「爲叔的只是意有不信，防你受了別人的蒙騙。」

他頓了一頓，環顧群豪一眼，頗爲得意地道：「老夫敢誇海口，有關『問心子』的秘辛，武林中雖是傳說紛紜，但是絕無一人，較老夫知道得更爲清楚。」

他微微一頓，轉望佘亦樂道：「我瞧你見識不錯，你先將『問心子』的出處來歷，說將出

來，有不詳盡之處，老夫再告訴你們。」

余亦樂放下酒杯，朝谷寒香抱拳一禮，道：「屬下孤陋寡聞，所知有限，聽講的也是道聽塗說，若有不實之處，夫人萬勿見罪。」

只聽麥小明道：「要講就講，哪來的這多累贅？」

余亦樂微微一笑，道：「百餘年前，武林之中，出現了一個自號『三妙書生』的人物，此人出道江湖，不足三年，卻已名傾天下，其震撼武林之力，據謂史無前例。」

谷寒香道：「他自號三妙，除武功外，尚有什麼？」

余亦樂道：「他自詡三妙，係指儒、釋、道而言，至於武功、醫術等等，在他的心目之內，僅是小道而已。」他微微一頓，又道：「這『三妙書生』遊屣天下，盛名所在，自有不服的人向他挑釁，據說他僅憑一雙肉掌，打遍天下，所向無敵，此言雖有不實，不過其醫道通神，活人無數，卻是有口皆碑，無人置疑的事。」

谷寒香道：「如此也難能可貴了，其後呢？」

余亦樂道：「其後，這『三妙書生』突然隱跡起來，但是每隔十年，總要在江湖上露一次面，直到二、三十年前的一次，到了日期，卻不見他出現……」

谷寒香道：「壽屆百齡，想必是物化了。」

余亦樂道：「當時的武林人士，也是這般推想，只因從來所見，都是他獨自一人，未見他攜帶過從人或門下，因而，大家就想到了他的遺物之上。」

谷寒香笑道：「利之所在，於是天下大亂了。」

余亦樂肅容道：「江湖人士，因見『三妙書生』每次出現，總是先在江浙一帶露面，因而推斷他的隱跡之所，必在東南臨海一帶，於是紛紛出動，群往江南去碰運氣，一時之間，天下擾攘，掀起了一陣尋寶的狂潮。」

鍾一豪見他講得慢吞吞的，忍耐不住，插口道：「後來有人找到了那粒『問心子』，並且看到三妙遺言，說是遺珍之處，剖開『問心子』便知。」

谷寒香心頭一震，唯恐自己神色中露了破綻，於是拏起手邊的酒壺，往杯中斟酒，以為掩飾。

桌面上珍饈雜陳，酒壺臚列，谷寒香與酆秋都是自斟自飲，各自用手邊的一把酒壺。

這時她壺中之酒已盡，余亦樂方待傳命添酒，她已將空壺住身後一伸，漫不經意地道：「菁兒上酒。」

一雙晶瑩的美眸，兀自凝注在鍾一豪面上，傾耳聽他的下文。

只聽鍾一豪朗聲道：「豈料江湖上又有傳說，謂那『問心子』水火不侵，任何寶刀、寶劍，俱難傷它分毫，如此一來，得著『問心子』的人，就只有睹物興嘆，徒呼負負了。」

谷寒香暗暗忖道：「哪有任何寶刀、寶劍，俱無法損傷的物件？可惜自己未曾早日試試。」

思忖中，見那菁如送來一壺美酒，接去了自己手中的空壺，情知她已將藥粉下於酒中，於是自行斟滿一杯，一口飲盡，然後再將杯中注滿。

酆秋一雙奇光流轉的眼睛，始終未離谷寒香身上，這時捋鬚一笑，憐愛橫溢地道：「香

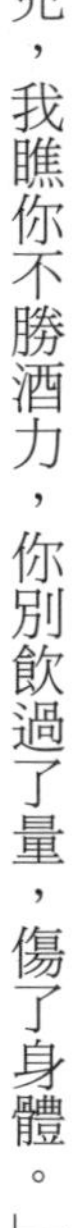

兒，我瞧你不勝酒力，你別飲過了量，傷了身體。」

谷寒香妙目一斜，瞟了酆秋一眼，道：「師叔多管閒事，這幾年來，我就未曾開懷暢飲過一次。」

她這斜眼一瞟，似嗔似喜，風情萬種，媚態橫生，非但身受的酆秋神魂一蕩，大有飄飄欲仙之感，其餘的人看在眼中，也都不禁爲之一呆。

鍾一豪暗暗忖道：「唉！只要她這樣看我一眼，我這一生，也就死而無憾了。」

他一往癡情，愈陷愈深，谷寒香卻對他愈來愈不假辭色，積威之下，又不敢稍露不滿，只有黯然神傷，默默忍受。

谷寒香見他忽然住口不言，芳心之下，若有所悟。

只見她舉杯就唇，輕輕一啜，將一杯濃醇的美酒一口飲盡，美目流盼，轉朝酆秋望去，神情之中，好似希望由他接下去講。

酆秋呵呵一笑，見她舉壺添酒，頓時擒手一伸，由她手中奪過酒壺，自斟自飲，連盡三杯，始才笑道：「『問心子』數度易手，最後落於『天池老怪』龐士沖手內，此事只有老夫與少數人知曉。」

谷寒香見他連飲三杯藥酒，芳心之內，不禁喜得怦怦亂跳，面上神色大有按捺不住之勢。

酆秋突然話聲一頓，雙目精光逼射，緊盯住她的雙目，道：「香兒，我知你心中有鬼……」

谷寒香心頭猛跳，劈手奪過酒壺，注滿一杯，仰頭一口而盡，佯怒道：「有鬼就有鬼，師

叔何不拂袖而去？」

群豪見她二人話裡藏機，全都暗暗生疑，只是各人冷眼旁觀，誰也不敢插口動問。

忽聽酆秋哈哈大笑道：「傻孩子，別說你自己有本領將『問心子』奪到手中，就是師叔的東西，身外之物，還不是可以贈送給你？為叔的只是奇怪，『問心子』明明落在龐老怪手中，何以又會轉入武當派內？」

谷寒香一聽，原來他的心眼均在三妙遺珍之上，不覺暗暗舒了一口長氣，索興嬌軀一扭，滿面薄嗔地道：「師叔別儘管打聽『問心子』的下落，只說那龐士沖是怎樣的一個人物？何以我一直未曾聽人說起？」

酆秋拂鬚一笑，道：「龐老怪素居天池，因非中土人物，故爾極少人知。」

他似是不願多提龐士沖的事，說到此處，將酒杯向谷寒香一伸，意欲她為自己斟酒。

谷寒香陡地大反常態，媚眼如絲，似笑非笑地瞟了酆秋半晌，始才端起酒壺，在他杯中注了大半杯酒，一面輕言細語地道：「那『天池老怪』龐士沖的武功如何？」

酆秋一仰脖子，喝乾了杯中的酒，道：「武功不差，『鬼老』水寒和『人魔』伍獨兩人，就是為了爭奪『問心子』折在龐老怪手內，因而一氣之下，埋首北極冰天雪地之中，精研寒陰神功……」

說著又將酒杯朝谷寒香伸去。

鍾一豪忽然離座而起，朝谷寒香略一抱拳，道：「屬下有傷在身，難耐久坐，請夫人准許屬下告辭。」

谷寒香冷笑一聲，將手一擺，道：「你退下。」

回眸對酆秋一笑，道：「師叔的武功，較之龐士沖如何？」

酆秋乾笑一聲，道：「這個麼，就很難說了？」

他面龐一轉，見那鍾一豪昂首闊步，快要走近廳門之前，心中暗罵道：「不知死活的小輩，膽敢與老夫爭風吃醋起來！」

只見他縱聲一笑，道：「香兒，你可是要看爲叔的武功？」

話聲中，舉掌一揮，向鍾一豪身後遙遙擊去。

余亦樂大聲喝道：「鍾兄留意身後！」

谷寒香坐在酆秋身畔，見他猝然出手，本待出招阻止，皓腕一抬，突然又改變心意，將手放了下來。

鍾一豪眼看谷寒香對酆秋神情曖昧，兩人眉來眼去，尊長不像尊長，晚輩不像晚輩，醋火中燒之下，早想不顧一切，找點事端，與酆秋拚上一場，這時一聽余亦樂出聲示警，頓時猛地轉身，一掌揮了出去。

但聽酆秋冷聲一哼，道：「香兒，看著。」

掌勢一頓，劃了半個圓弧，霍地往懷中一帶。

鍾一豪見酆秋與自己相隔一丈多遠，算他掌力沉雄，如此遙遠的距離，必然也是強弩之末，難以傷著自己，因而旋身一掌，全力反擊過去。

詎料，兩股掌力甫交，酆秋所發的那股潛力暗勁，陡地隨著他手掌一晃之勢，陡然一陣迴

漩，「呼」的一聲，驀地倒湧回去。

鍾一豪掌力已竭，倏感立足不穩，身子被一股碩大無朋的吸力，拖得直往酒筵上撞去，驚怒交迸之下，伸手腰際一摸，飛快地撤出了緬鐵軟刀，同時左掌猛地一划，冀圖騰身而起，越過桌面，直對酆秋撲去。

群豪見他亮出兵刃，知道事情就要鬧大，不覺吆喝一聲，紛紛推杯而起，疾快地往一旁閃去。

余亦樂與鍾一豪交誼不惡，知他心有積鬱，藉著五分酒意，妄圖一洩爲快，但想酆秋何等武功，鍾一豪勢難擋他一擊，而且谷寒香若不出手解救，此時此地也無旁人會伸出援手，焦急之下，身形閃電般地一掠，繞過酒桌，猛地伸手向他腕寸上扣去。

但聽酆秋呵呵長笑，道：「香兒，這一招叫著『仙索縛龍』。」

「龍」字甫出，人已長身而起，右臂一探，攫住了鍾一豪持刀的右腕，拍手一揮，將他掄了一圈，放在自己與谷寒香兩張座椅之間立定。

同時間，余亦樂快若疾箭，霍地倒射丈餘，神色之間，隱隱含著怒意。

原來酆秋怪他出聲示警在前，插手攔阻在後，因而藉著提起鍾一豪一揮之勢，一刀向他劈面斬去。

緬鐵軟刀雖在鍾一豪手內，但這劈面一刀，猛惡無倫，刀光一閃，余亦樂額上已被刀風割得火辣生痛，若非他應變機警，身法快捷，勢非傷在刀下不可。

大廳之內，一亂而靜，群豪環立四周，一雙雙銳利如箭的目光，齊皆投注在谷寒香臉上，有的焦急、有的惶惑，也有人幸災樂禍，暗暗心喜。

酆秋右手扣住鍾一豪的腕脈，左手端起酒杯，笑道：「香兒，此人桀敖不馴，武功又差，留下亦無大用，要不我順手將他斃了？」

谷寒香端坐椅上，聞言一笑，心頭卻閃電般地轉念道：「那藥力眼看就要發作，如果我立即動手，只怕他激怒傷人，若待他藥性發作之後，又恐他有了警兆，見機遁走。」

酆秋見她沉吟不語，不覺面露詭笑，語帶雙關地道：「師叔知道，這小輩隨你甚久，你有點故舊情重，下不了狠心。」

谷寒香飽歷風霜，豈有不懂他絃外之音的道理？只見她臉上閃過一抹殺機，冷冷地道：「此人雖然隨我甚久，卻也說不上故舊之情，不過目前正在用人之際……」

酆秋搖頭笑道：「這種人派不了大用場，你放心，單我那幾個大弟子，已足夠你使喚了。」

谷寒香哂然一笑，道：「那要見著了人，方知真假虛實。」

她微一停頓，臉上突然露出一股堅毅之色，沉聲道：「師叔先將此人扔到門外去吧！」

鍾一豪被酆秋扣住腕脈，一身功力，點滴無存，眼睜睜地站在當地，竟絲毫動彈不得。他怒火如焚，羞愧欲死，恨不得嚼碎舌尖，一死以求解脫，然而，他心頭又發奇想，要看看斯情斯景之下，谷寒香對他是什麼態度？豈料她非但不念故舊之情，而且要酆秋將自己扔出廳外。

常言道：「士可殺不可辱！」谷寒香一言甫出，余亦樂臉上首先變了顏色，連與鍾一豪素

有嫌隙的一叟、二奇，也都瞿然一驚，興出兔死狐悲之感。

只聽鍾一豪放聲一笑，道：「谷……」

酆秋鼻中一哼，指尖微使真力，鍾一豪「嗯」了半聲，頓時將未講的話嚥了回去。他指上的力道使得極巧，直到此時，鍾一豪掌中的緬鐵軟刀才脫手墜地，額上也汗出如漿，簌簌下落。

谷寒香心念一轉，知道酆秋故意拖延時間，折磨鍾一豪和其餘的人，一則立威，一則洩忿，於是冷哼一聲，拂袖而起，似欲轉身離去。

酆秋突然哈哈大笑，道：「香兒坐下。」

舉手一揮，將鍾一豪向廳外扔去。

就在他手臂高拏，脅下門戶大開之際，谷寒香霍地纖腰一擰，一指向他「期門穴」上點了過去。

「嘶」的一聲，一股破空銳嘯，應指而起，刺耳懾心，彷佛出自一條暴起噬人的毒蛇口中。

酆秋駭然色變，封架閃躲，兩皆不及，危急中，猛提一口真氣，將「期門穴」橫移半寸。

只聽「噗」的一聲輕響，酆秋咬牙一哼，身子彈出丈外，腳步踉蹌，連竄五步！

谷寒香高聲喝道：「時兄、霍兄、鍾兄上，其餘的守住廳門！」話聲中，嬌軀電射「三元九靈玄功」，凝足十成功力，猛地一掌擊去。

酆秋悶聲不響，扭頭旋身，雙足疾蹬，直對廳門竄去，其勢之猛，宛如負箭之狼。

時寅身手最快，橫閃一步，掄掌便擊，掌挾腥風，前所未見。

只見酆秋擰腰一竄，暴射丈餘，足尖點地，轉向麥小明與張敬安之間衝去，谷寒香追蹤一掌，未曾將他擊著。

麥小明本已驚惶失措，一見酆秋向自己身旁射來，不由自主地橫躍開去。

倏地，張敬安揮手一掌，對著衝近身旁的酆秋擊去，掌風盈耳，直叩腦門。

酆秋急怒交迸，狂吼一聲，轉向右側衝去，就這開口一吼，剛剛聚攏的一股真氣，重又四散奔騰開去。

轉眼間，「羅浮一叟」揮動青龍奪，與谷寒香同時向酆秋身後撲去，時寅在左，張敬安在右，齊齊向酆秋身前截來。

鍾一豪跌落在大廳門旁，也不調息運氣，縱身拾起軟刀，一掄右臂，揮刀向酆秋便砍。

忽聽谷寒香厲聲道：「火速下手，若讓酆秋功力還原，『迷蹤谷』死無噍類！」

話聲中，掌飆澎湃，縱橫交織，逼得酆秋如網底之魚，往復亂竄。

驀地，麥小明扭頭向門外奔去，眨眼之下，消失了蹤影。

忽聽余亦樂沉聲道：「巴兄、宋兄，請守左邊，李兄、劉兄，請守右邊。」

說罷身形一晃，躍出了廳門之外。

四人回顧身後一眼，原來這會兒工夫，廳外業已布滿一隊弓箭手，百餘張強弓硬弩，齊齊扣矢待發，指定了大廳的門戶，「搜魂手」巴天義首先縱身一躍，退出廳門之外，宋天鐸等相繼躍出，各守兩側，讓開了弩箭的射程。

只聽「嘩啦」一聲，酒桌被谷寒香一掌震碎，斷肢殘骸，連著杯盤碗盞，撒落一地。

鄷秋形同凍蠅鑽窗，在兵刃、掌力之下東逃西竄，片刻工夫，已是汗流浹背，氣喘如牛。

谷寒香暗暗忖道：「鄷秋已被自己一指點上，震散了體內的真氣，如果合五人之力，尚不能將他制住，『迷蹤谷』也只好由此解散了。」

她怒氣暗生，掌上奇招迭出，迴環劈擊，朝鄷秋連攻五招。

一直往後逃竄的鄷秋，突然低嘯一聲，道：「賤婢，你好毒的心腸，好辣的手段！」聲出招出，倏地連連反擊。

谷寒香眉宇之間，殺氣隱隱，一口氣連攻八掌，始才冷然說道：「你最好言語謹慎些！逃得出『迷蹤谷』外，你盡可設法報仇，若是出言不遜，不落我的手中則已，落入了我的手內，管教你此生此世，生不如死。」

鄷秋雖然縱橫綠林，不可一世，此時此地，處身五大高手環攻之下，眼看徒兒張敬安這種神志全滅，六親不辨的情況，也只得隱恨在心，不敢洩諸口舌了。

這一場惡鬥，慘烈異常，谷寒香唯恐縱虎歸山，遺下無窮的禍患，鍾一豪對適才被鄷秋制住的事，引爲生平的奇恥大辱，時寅好強成性，聯手攻敵，在他已是萬分委屈的事，再若不勝，他更是忍受不住，張敬安的情緒受谷寒香感染，谷寒香打得拚命，他也隨著拚命，霍元伽雖然貪生惜命，但他知道自己力弱，愈求自保，愈易爲敵人所乘，因而五人手下，俱是狠辣至極。

鄷秋竭盡平生所學，勉強支持了八、九十回合，情知再打下去，定然不幸，於是招式一變，嚴守門戶，急思脫身之策。

驀地！他腦中如遭錐擊，痛得他手腳一顫，脫口大叫一聲！

高手相搏，失誤不得毫厘，但見時寅掌如電掣，「砰」的一聲，陡然擊上了酆秋的左肩！

酆秋一聲未歇，又是大叫一聲，身軀翻騰，直向霍元伽與張敬安之間摔去。

「羅浮一叟」最會揀便宜，青龍奪如驚霆迅雷，猛地攔腰砸下。

酆秋端的厲害，身形凌空一滾，霍地射出了青龍奪下，眼看張敬安一招「鬼王搧扇」迎面劈來，立時反手一撩，逕向他的手腕抓去。

張敬安的武功，乃是酆秋親手所傳，這招「鬼王搧扇」，酆秋教得尤爲詳盡，此時眼看他用來襲擊自己，不禁怒火狂熾，目眥俱裂。

只聽酆秋怒吼一聲，反手一撈，抓住了張敬安的右腕，谷寒香與時寅倏然撲近，雙掌同時擊到。

鍾一豪突地大喝一聲，緬鐵軟刀「探海屠龍」，灑出重重寒光，直向酆秋左脅砍到。

酆秋左肩捱了時寅一掌，手臂下垂，形同廢物，危急之下，脫口一聲厲嘯，右手一帶，將張敬安當做盾牌，直向鍾一豪的軟刀撞去，就勢一掌，猛劈右側的霍元伽，人也激射而起，朝廳門外竄去。

鍾一豪一招「探海屠龍」，竭盡了全力，估料酆秋絕逃不出刀下，豈料他竟將張敬安塞來，鍾一豪啣恨出手，招式用老，雖然有意撤刀，也感到力不從心，爲時不及。

眼看張敬安性命難保，谷寒香陡地雙手一分，一掌拂在鍾一豪的刀背之上，一掌將張敬安震開數尺。

同時間，時寅手起一掌，正正擊在酆秋的後心之上，將他打出丈外，摜落地面。

但見那酆秋一仆而起，淒厲長嘯，直向廳門外衝去。

群豪俱是目光如炬之人，眼見他連中兩記黑煞掌後，依然有能力突圍，各人心中無不駭然。

忽聽門外梆子一響，勁矢破空之聲，傳於耳際。

「啪」的一聲，酆秋摜落門前，連滾帶爬，躲入了廳內，一陣密如驟雨的流矢，隨在他的身後射入。

谷寒香暗暗忖道：「那藥力早該發作，怎地這廝兀自不倒？難道時日過久，藥性失效不成？」

原來那一黑一白兩包藥粉，乃是獨眼怪人佟公常所煉，黑色的是解藥，白色的下於酒內，無色無味，服上少許，半個時辰之後，必然醉倒。

思忖中，忽見酆秋沉聲咆哮，擁身撲了過來，雙眼血紅，勢如瘋虎。

張敬安見不得人襲擊谷寒香，一見之下，必然熱血沸騰，按捺不住，這時橫身一躍，揮掌便向酆秋攔擊。

時寅見酆秋連中自己兩掌，非但不倒，亦無毒發之象，不禁激發了乖戾之性，欺身直上，迸力一掌揮去。

酆秋身子一側，避過張敬安一擊，舉手一揮，便接時寅一掌。

只聽「砰」的一聲，時寅雙腿移動，連退四步。

鄷秋身子一陣搖晃，似欲倒下，忽覺鍾一豪與霍元伽一刀一奪，齊自身後襲至。他猛一擰腰，右掌一揚，即待向二人劈空擊去，忽感腦中一陣劇痛，雙眼倏地一黑，揚起的右掌猛地一顫。

鍾一豪與霍元伽齊聲一喝，刀光霍霍，奪挾驚風，同時加疾擊去。

谷寒香實有生擒鄷秋之意，睹狀之下，暗叫可惜，欲待出聲阻止，又恐鄷秋垂死掙扎，反而傷人。

忽見鄷秋大叫一聲，一個筋斗，翻出了八尺之外，右手抱頭，在地上倒立亂轉。

谷寒香厲喝道：「擒活的！」欺身上步，駢指點去。

鄷秋腦中如遭斧劈，痛得他立身不住，詎料谷寒香一指點來，依然被他就地一滾，躲了開去。

轉瞬之間，漫天指風，由四面八方襲到，縱橫交錯，全都指向鄷秋身上，鍾一豪與霍元伽也都扔了兵刃，隨同眾人動手。

這是一場怵目驚心、慘不忍睹的搏鬥，五大高手，圍著滿地亂滾的鄷秋，此進彼退，猛襲不止。

須知鄷秋武功非凡，這時神志漸失，垂死掙扎，發揮了全部潛在的功力，誰若被他的手足碰上，勢必非死即傷。

霍地，鄷秋又是一聲大叫，谷寒香快如電光石火，應聲一指點到。

這一指又快又準，群豪俱未看清，谷寒香乍進即退，沉聲喝道：「住手！」
漫天指風，霎時收斂不見，凝目望去，只見酆秋身子一挺，旋即癱倒在地。
大廳之上，寂靜如死，人人滿頭大汗，人人心有餘悸，誰也沒有心情開口，誰也沒有勝利的感覺。
良久之後，始聽谷寒香道：「有勞時兄，先將酆秋的掌毒解掉。」
時寅一言不發，走到酆秋身畔，塞了兩粒黑色的藥丸在他口內，然後垂手退開。
適在此時，余亦樂、巴天義、宋天鐸，以及李傑、劉震等，相繼走入了廳內。
谷寒香緩緩掃視群豪一眼，忽向余亦樂問道：「麥小明呢？」
余亦樂躬身道：「瞧他奔去的方向，想是回轉本寨去了，夫人是否傳他？」
谷寒香搖了搖頭，道：「先生回頭先開導他一番，明日辰正，命他至後寨見我。」
頓了一頓，又道：「先生暫時替時兄安排一個居處，明日興工，再立幾座柵寨。」
余亦樂恭身一禮，道：「屬下遵命。」
谷寒香秀目凝光，轉向一叟、二奇與鍾一豪等望了一眼，有意慰勉幾句，忽感到疲倦不堪，似欲病倒，只得將手一擺，道：「諸位連日勞累，今晚早早歇息吧！」
經此一戰，群豪對她的霹靂手段，認識得更爲清楚，一見她有意離去，不覺齊齊躬身行禮，誠正之色，表露無遺。
谷寒香朝那苑姑望了一眼，一指癱倒地上的酆秋，然後往門外走去，苑姑急忙提起酆秋，隨在她的身後，群豪一直將她送出中寨，始才各自散去。

回至後寨，谷寒香轉身一望，果然見張敬安蹋手躡足，尾隨在菁、苑二婢之後。她暗暗一嘆，手指寨門右側的一座屋子，說道：「你就住在此處，不要老跟著我了。」

張敬安似懂非懂，楞了半晌，當真立在那裡不走。

谷寒香轉身回到居處，命苑姑將酆秋放到密室之內，說道：「準備一碗酒，一杯涼水，然後依照酆秋的身材，縫製一襲黑色的寬袍，一個黑色的頭罩，手、眼露在外面，其餘的皆以袍服裹住。」

菁姑和苑姑點頭應諾，一人估料酆秋的身材，一人去倒來一碗醇酒和一杯清水，然後雙雙退出了室外。

谷寒香閉上密室的門戶，凝神傾聽半晌，確定四外沒有動靜之後，始才解下衣帶，敞開羅袖，露出了雪白的胸膛。

原來她的胸上，貼肉掛著一個小小的絲囊，只見她緩緩地拆開絲囊，由其中取出一粒龍眼大小，銀光燦爛的圓球。

這圓圓的銀球之上，雕刻著一條張牙舞爪的飛龍，栩栩如生，似欲離球飛起。

她喃喃自語道：「『問心子』……『問心子』秘密在球心之內，那是再無疑義的了……」

倏地，兩行清淚，順著她美麗的面頰淌了下來。

這粒「問心子」乃是她由胡柏齡的遺體上取到，在她的心目中，這是胡柏齡的遺物，也是胡柏齡遺留給她唯一的東西，睹物思人，不覺淚下沾襟。

她暗暗忖道：「這麼一粒銀珠，豈有寶刀、寶劍無法剖開之理？何況這條飛龍，明明是人工雕刻的……」轉念之下，不禁暗將功力凝注指端，以指甲向銀球上劃去，直至手指生痛，那銀珠依然絲毫無損。

要知她指上的功力豈同小可，較之寶刀、寶劍，亦所差無幾，這「問心子」縱是純鋼所鑄，她的指甲劃上，也能刻下一道深痕，但這銀珠卻一絲無損，其堅硬的程度，自非鋼鐵可比，更非什麼銀質可及了。

她再無疑義，閃身到兵器架前，抽出一口寶劍，將那「問心子」置於架上，手起劍落，一劍向「問心子」劈下。但聽「鏘」的一聲脆響，寶劍反彈而起，「問心子」也跳起一尺來高。

她毋須察看，即知「問心子」無恙，寶劍則已受傷。

原來這口寶劍，乃是豫南范家之物，斬金削玉，吹毛立斷，范銅山仗以行道，搏了個神劍之號，身死之後，寶劍轉入范玉崑手內；「牧虎岡」一戰，范玉崑和白陽道長同時受傷遭擒，兩人的寶劍，俱被「拘魄索」宋天鐸拾到手中，後來范玉崑雖然獲釋，宋天鐸既不交出，范玉崑也無顏索取，因而被帶回了「迷蹤谷」內。

谷寒香秀目一抬，朝白陽那柄寶劍望了一眼，情知多試無益，廢然一嘆，將那「問心子」收入絲囊，整好衣衫，轉向臥倒地面，人事不省的酆秋走去。

她暗暗忖道：「常言道：以子之矛，攻子之盾。那『三妙書生』既能製出『問心子』這種東西，就一定遺有剖開『問心子』的物件，何況他在其上刻了一條飛龍，豈非昭告世人『問心子』雖硬，必受一物所剋，只是須得雙寶合璧，始能取到他的遺珍罷了。」

突地，她芳心一震，暗暗叫道：「天覺和尚以寶換人，宣稱那半截牛角小刀無堅不摧，嘿嘿！這兩件東西必有關連，老禿驢必是有心人，知道『問心子』在我身上！」

轉念畢，捏開酆秋的牙關，將一包解藥灌入他的口內，接著掏出那個緊口玉瓶，傾出一粒「向心露」的藥丸，投入酒碗之內。

良久之後，酆秋嘴角一陣抽動，逐漸悠悠醒轉。

谷寒香暗忖道：「酆秋總有一甲子的功力，萬一自己的點穴手法出了毛病，那可是大不合算。」轉念之下，玉手連揮，又點了他四肢麻穴，然後讓他坐於地上，自己也坐到蒲團之上。

半晌之後，酆秋雙目一睜，凝望谷寒香一眼，接著雙睛轉動，瞥視周圍的景況。

谷寒香見他連受重創之餘，雙眼開合之間，仍然是精光逼射，熠熠奪人，芳心之內，也不禁暗暗震動。寂靜了片刻，谷寒香忽然冷冷地道：「酆秋，你積惡如山，我谷寒香也算得凶殘成性，如今我與你約法三章，你仔細聽著。」

酆秋雙眼一睜，冷削如刀，默然朝她望來。

谷寒香漠然道：「第一，我谷寒香自己不怕死，以己喻人，世間不怕死的諒必不少，因而我不會輕於殺你。」

酆秋目光一閃，似欲講話，旋又忍了下去。

谷寒香道：「你須謹記，不可以言語傷我，否則我令你求生不得，求死不能。」

她頓了一頓，接道：「其次，你須有問必答，能講實話，對你只有好處！最後一點，我大哥因你而死，但非死在你的手內，我不殺你，但須假你之手報仇，何日大功告成，我谷寒香何日離開人世，到時候也還你本來面目。」

這一段話，她講得平靜異常，但是言語之間，冷酷嚴峻，句句如刀似箭，直入酆秋心內。

酆秋雙肩一聳，一瞥她身畔的酒碗，看那碗中的液體色黑如墨，閉目想了一想，旋即睜眼問道：「那碗中的藥物，是否『陰手一魔』所煉的『向心露』？」

谷寒香將頭一點，淡然道：「那是爲你準備的，諒你也猜想得到，其實人生在世，苦多於樂，能過一段迷失本性，無憂無慮的日子，也未嘗不是賞心樂事。」

她傷心人別有懷抱，這種說法，本是由衷之言，酆秋與她非是一人，這種話如何聽得入耳?忍了又忍，終於開口道：「無論如何，老夫終是你的長輩，你用這種手段對付老夫，只恐柏齡九泉之下不安。」

谷寒香陰沉沉一笑，道：「我大哥的心意，你不會較我更爲清楚。」

她沉思半晌，接道：「你想想看，你怎會落入我的手內?」

酆秋雙目凝光，在她臉上癡癡地望了片刻，喟然道：「怪老夫貪慕你的美色，失了機心，以致落入你的圈套。」他浩嘆一聲，接著道：「你若賜老夫一死，老夫倒是感激不盡。」

谷寒香搖了搖頭，道：「世人爭名逐利，貪色縱慾，惟其本是禽獸，才想成佛、成仙，或成聖賢，長幼的話，你再也休提，是生是死，我自有計較。」

酆秋怔了一怔，道：「你憤世嫉俗……」

谷寒香將手一擺，冷森森地這：「多說無益，谷寒香絕非言語所能打動，我問你，『問心子』既落龐士沖手內，其後如何?」

鄷秋也知求告無益，卻也不敢以言語洩忿，沉吟俄頃，道：「龐士沖雖然少在中原走動，但其武功之高，中土實少其敵，他奪得『問心子』後，立即遁回長白，既然幾個名震當世的人物，都敗在他手內，餘者碌碌，自然更不敢找他，何況誰都知道，縱能將『問心子』奪到手中，也無法將其剖開，獲知其中的隱秘。」

他微一停頓，接道：「『三妙書生』武功、醫道久享盛譽，何況他壽長百齡，臨死還是中年模樣，因而人人都稱，他定有拳經、劍譜，和什麼靈丹妙藥之類的東西遺下，人們奪不到『問心子』，乾脆直接去找他遺留的東西。」

谷寒香哂然道：「這也是個辦法，天下無難事，只怕有心人，可有誰找到了什麼？」

鄷秋道：「約莫十餘年前，這尋寶之熱，已是漸趨消沉，突然江湖之上，又有傳言，說是有人在中孚山內，找到了一柄『寒犀刀』……」

谷寒香秀眉一軒，插口問道：「『寒犀刀』？名稱因何而來？」

鄷秋道：「人云亦云，不知誰見過這東西？也無人道得出名稱的由來，據說此刀長約五寸，通體烏黑，非金非石，任何寶刀、寶劍觸上就折，因此之故，人們便將『寒犀刀』與『問心子』聯想在一起，但是天池老怪已不在長白，那獲得『寒犀刀』的人，也不知落在何處？」

谷寒香笑道：「這倒是有點意思，得到『問心子』的人，勢必要追尋『寒犀刀』的下落，『寒犀刀』的得主，也就奇貨可居了。」

鄷秋以乎忘了自身處境，藉口一笑，道：「你究竟是得到了『問心子』，還是獲得了『寒犀刀』？如果兩者兼得，就不必為報仇的事發愁，若是僅得其一，可要留心自己的性命。」

谷寒香冷冷一哼，問道：「龐士沖的模樣和武功，你是否講得出來？天池老怪，想必是他的外號了。」

酆秋見她聲色突冷，不由自主的心下一寒，道：「『天池老怪』四字，是恨他的人隨口呼喚的，這人容貌武功，都難找出特徵，不過從來不用兵刃，人也正邪難辨，行事難測。」

谷寒香暗暗忖道：「如此說來，那無名老叟就是龐士沖了，然而『問心子』怎會轉入大哥手內？天覺和尚所持的若是『寒犀刀』的話，怎麼只剩下半截，另外一半又在何人手中呢？」

她疑念重重，但知要想明白其中的真相，非得當面詢問兩人不可，沉思半刻，端起那碗「向心露」立身起來，朝酆秋走去。

剎那間，酆秋面色如土，嘴角抽搐不已，憤怒、恐懼、怨毒、祈憐，混雜不清，卻又極力壓抑，不敢表露出來，致將一張面孔扭曲得難看至極。

谷寒香漠然無動，走到他的身前，冷冰冰地道：「你放心，只要谷寒香不遭意外，絕不令你先喪性命，你能一靈不昧，勇往直前，也可早日挽回前愆。」說罷左手倏伸，捏開他的牙關，右手一頓，將「向心露」灌了下去。

這「向心露」端地駭人，酆秋連挨兩記「黑煞掌」也能挺住，半碗藥酒下肚，眼皮頓時垂落，轉瞬之間，面泛青紫，人事不知。

谷寒香讓他臥倒地上，玉掌連揮，解了他的各處穴道，猶豫片刻，忽然翻開自己的衣囊，將手伸了進去。

原來獨眼怪人佟公常的武功路子，是修練與藥物並進，谷寒香將他刺殺後，把他的兩冊秘

笈，連同各種已煉成的藥物，全部取到了手中，她鑑於佟公常身受之慘，只揀秘笈所載的正途方式練武，卻不服用任何藥物。

這次離開「萬花宮」時，她將可能用到的藥物，俱都帶了少許，其中有起死回生的靈丹，也有殺人害命的妙藥，她救鍾一豪、巴天義和時寅三人，用的乃是不同的藥丸，其中效用有別，外表看來，卻是極難找出差異。此時，她伸手囊中摸來摸去，最後取出一個小小的火紅葫蘆，傾出一粒金黃色的藥丸，塞入了酆秋口內，然後坐上蒲團，閉目練起功來。約莫一個時辰之後，酆秋突地悶聲一嘯，由地上挺身而起，驚惶四顧，似欲奪門逃遁。

谷寒香已有對付張敬安的經驗，這時妙目一睜，大袖一拂，將身旁的一個蒲團斜斜推出數尺，口中峻聲道：「坐下！」

酆秋聞得喝聲，渾身一震，轉眼望住谷寒香，神色之間，張惶失措，茫然若失。

谷寒香目光如雷，緊盯住他的雙眼，僵持了一盞茶的時光，酆秋撩亂的眼神逐漸聚攏，露出一股柔和依慕的情意，彷彿認出她是自己唯一的親人似的。又待了一刻，谷寒香一指蒲團，道：「坐下。」

酆秋愣了一愣，終於依言坐下，谷寒香不再理他，雙目一垂，重又練起功來，酆秋望了半晌，也將雙目一閉。凌晨之際，谷寒香起身走出密室，酆秋也跟了出去，谷寒香知道，要使他熟悉自己的命令和心意，必須一點一滴的訓練，因而捺著性子，口講指劃，對他慢慢地指使。

菁如與苑姑二人，業已連夜趕工，縫製了一襲黑色錦緞的寬袍，和一個頗為精巧的頭罩，

命酆秋更衣倒還容易，命他戴上頭罩而不取下，那可是費盡了心力，谷寒香親自爲他戴上，使盡威風，才令他不再取下。

梳洗用飯之後，谷寒香命人將麥小明傳了進來，交了幾頁劍譜與他，命他暗自勤習，並叫他將張敬安帶在身旁，兩人住在一起，一夜工夫，麥小明對於酆秋之事，也不再放在心上，只是對她將要帶著酆秋單獨出門的事，有點不大高興。

麥小明走後，谷寒香又將余亦樂傳入後寨，問明了苗素蘭與翎兒等的去處，吩咐完應辦的事宜，然後命他傳命谷中群豪，晌午時集合中寨待宴。

宴後，谷寒香登上了一部特爲她製備的長程馬車，由一個谷中弟子執轡，渾身是黑，僅露手眼在外的酆秋，高踞在車座之上。

群豪直送至谷口，沒有人確知她此行的目的，但都隱隱猜到，她這次出門，多半與「三妙書生」的遺珍有關。

車行轆轆，一路無話，這日黃昏時分，谷寒香入了裕州城內。投店之後，谷寒香吩附那趕車的道：「你去踩探一下，看看范玉崑家住何處？豫南范銅山的名氣頗大，知道他家的人定然不少，注意不可洩露了行藏，不可引鬼上門。」

這趕車的名叫「三眼鵰」章恩，原是鍾一豪的舊屬，爲人精明幹練，辦事極爲得力，余亦樂特爲選拔出來，令他隨轅聽差。「三眼鵰」章恩領命出門，約莫過了一個時辰轉回店內，向谷寒香稟報道：「范家莊在城南偏西五、六里處，小人在莊外守了一會兒，發覺莊內戒備森

嚴，如臨大敵，莊內出來了兩個佩劍的道人，繞城而過，似欲北上。」

谷寒香暗暗忖道：「裕州離武當山已近，那青陽回山報信之後，武當派定然有人下來，計算日程，早該到了此地。」

轉念之下，朝「三眼鵰」章恩道：「你吃過飯後，再到他們莊外去守望，不可逼得太近，三更之際，我自會找去。」

「三眼鵰」章恩恭諾一聲，行禮告退，谷寒香瞥了呆坐門邊的酆秋一眼，吹滅油燈靜坐用功。二更過後，谷寒香起身下床，酆秋似是知道她有事出門，也由椅中站起，谷寒香任他跟著，逕自走到庭院之內，縱身上屋，直往南門奔去。

出城之後，向西南奔了五、六里路，發覺前面極大一片莊院，眺台高聳，護莊河寬達兩丈，氣勢雄偉異常。

「三眼鵰」章恩忽由路旁一叢矮樹後奔了出來，朝谷寒香悄聲道：「啓稟夫人，剛剛有一人潛入了莊內，瞧那身法之快，實爲小人……」他本想說爲自己生平未觀，忽覺這種說法不妥，頓了一頓，改口道：「那人在此處停了一瞬，晃得一晃，眨眼入了莊內。」

谷寒香暗暗忖道：「此處離護莊河尙有一、兩百丈距離，什麼人恁快的身法，能夠一晃而入？」思忖中，忽見酆秋猛一轉面，目射精芒，往裕州方向望去。

谷寒香暗想道：「莫非是有人來了？」將手一揮，當先隱入了一叢灌木之後。

三人才將身形隱住，一陣輕微的步履之聲，傳入了耳際，接著衣襟風響，五條人影先後馳

到了當地。

谷寒香秀眉一蹙，暗暗忖道：「這兩個老魔怎會在一起？」

原來當先馳到之人，是個醜怪無比的老者，此人一張臉一半紅，一半白，紅的鮮麗奪目，白的毫無血色，谷寒香目光銳利，雖在黑夜之中，也看得清清楚楚。

原來此人乃是「毒火」成全，他天生異相，谷寒香聽人講過，因而入眼便能憶起。

隨在「毒火」成全之後的是「陰手一魔」，他鬚髮散亂，一隻袍袖被齊肘撕脫，狠狽之狀，令人發笑，這兩人身後，隨著三個中年大漢，身法快捷，一望而知，都是一流身手。

這五人到後不久，裕州方向，又起沓雜的步履聲響，轉眼工夫，陡見人影幢幢，擁到了五、六十人。這批人到達之後，俱都悄然立定，似是等候「毒火」成全的命下。

忽見一個年約五旬，打扮得非僧非道的男子越眾向前，朝「毒火」成全微一拱手道：「晚輩已將豫南道上的綠林兄弟全部調集到此，只等老前輩下令，即可動手行事。」

「毒火」成全低聲一笑道：「想不到那丫頭的字號如此響亮，一塊令符即能號令江北。」

他微微一頓，轉眼望著「陰手一魔」笑道：「道兄見過那個丫頭，兄弟有點不信，她就真如傳言的那般美艷？」

「陰手一魔」冷冷地道：「美艷倒在其次，心狠手辣，卻是勝過傳言十倍，如果成兄遇上了她，最好是多加小心，尤其口頭上須得謹慎。」

「毒火」成全拂鬚一笑，道：「道兄真是一遭經蛇咬，十年怕井繩。」

廿七　重返天台

「毒火」成全與「陰手一魔」正談論著谷寒香，那打扮得非僧非道的男子，忽向「陰手一魔」道：「老前輩！『寒犀刀』當真是在天覺禿驢手中麼？」

「陰手一魔」似乎心情欠佳，聞言冷笑一聲，道：「我親眼見他與谷寒香遞來遞去，難道老夫時乖命蹇，連老眼也昏花了不成？」說到此處，轉向「毒火」成全道：「倘若成兄今夜仍是虎頭蛇尾，兄弟可不再奉陪了。」

「毒火」成全淡然一笑，向那非僧非道的男子道：「我與你師父是生死之交，你只管放心，奪得『寒犀刀』後，我不會據爲己有。」

那非僧非道的男子一無表情，拱了拱手，退到了後來的那批人中。

「毒火」成全與「陰手一魔」相視一眼，忽然沉聲喝道：「走！」

身形電掣，當先朝莊內處閃去，霎時間，寒光耀眼，後到的人紛紛撤出了兵刃，朝護莊河邊一擁衝去。

忽聽莊門之後，一聲鑼響，接著火光閃耀，莊寨之上，現出一排手橫兵刃，高舉火把的壯漢，跟著莊門大開，閃出了十餘人影。

谷寒香隱身在灌木叢後，暗暗一陣冷笑，目光到處，只見兩方已在護莊河邊列陣相峙，劍拔弩張，彷彿兩軍對壘。

莊內迎出的人，以范玉崑爲首，他的左臂掛在胸前，看樣子傷勢尚未痊癒，少林天覺、峨眉曼陀，及崑崙派的瞿道陵、展雲翼等俱在身側，另外尚有一個廣顙豐頤，五綹青鬚的道人，四個少年道童，分立於他的左右。

忽見天覺大師跨步向前，朝「毒火」成全慍然道：「施主也是成名英雄，如此一再相犯，擾得人家宅不安，豈不怕江湖朋友見笑？」

「毒火」成全低沉地冷笑一聲，轉眼一掃那道人，道：「在場的全是舊識，這位道長卻是面生得很。」

那道人神情肅然，緩緩地道：「貧道武當金陽。」

轉向天覺大師稽首一禮，道：「老禪師，何不將龐施主請出，把『寒犀刀』的事做一根本了斷？」

天覺大師沉吟半晌，突然轉向莊門之內縱聲道：「龐施主，此處來了江湖朋友，公然要奪老衲的『寒犀寶刀』，你再不現身，只恐悔之晚矣！」

只聽莊內響起一陣震耳的長笑，一個灰袍老叟，飛身躍出，坐於莊門之旁的眺台頂上，哈哈大笑道：「賊和尚，你若丟了老夫的寶物，看老夫放一把火，燒光你少林寺的家當！」

谷寒香注目一望，看出現身的正是那無名老叟，心頭暗暗忖道：「果然此人是『天池』龐士沖，如此看來，他說『問心子』屬他所有，倒是有幾分根據。」轉念之下，忽然感到身畔人

手不足，後悔未將谷中群豪帶來。

天覺大師見龐士沖坐在半空不肯下來，怔了一怔！轉向「毒火」成全道：「成施主，你意下如何？」

「毒火」成全一瞥身旁的「陰手一魔」，瞧他一見龐士沖出現，頓時露出惴惴不安的神色，不禁向眺台頂上多望了一眼。

他羞刀難以入鞘，嘿嘿乾笑一聲，道：「還是老話，大和尚勝得了成某，成某人拍腿就走，否則就請大和尚交出寶物，打發姓成的走路。」

忽聽那金陽道長道：「龐施主，尊意如何？」

龐士沖呵呵笑道：「東西在誰手上，老夫找誰的晦氣，你們要打只管打，老夫袖手旁觀便了。」

金陽道長目中神光一閃，向天覺大師單掌一禮，道：「這位成施主就交給貧道吧。」

天覺大師合十道：「如此有勞了。」

金陽道長神情肅穆，既無驕矜之色，亦無天覺大師那種沖謙恬淡的氣概，但見他緩步向前，道：「尊駕但請動手，勝得了貧道，老禪師自會將『寒犀刀』奉贈。」

「毒火」成全勉強把一腔怒火，按捺下去，冷冷說道：「武當派以劍法名世，道長何不拔劍？」

金陽道長肅然道：「尊駕乃是綠林道上，第一位暗器高手，貧道不敢托大，須用劍時，自會及時拔劍。」

「毒火」成全暗暗忖道：「武當四陽，唯獨這金陽的深淺，不為世人所知，他既敢代替天覺出頭，武功造詣，必有過人之處。」

轉念之下，欺身上步，一掌「天魔叩紫府」緩緩拍去。

金陽道長長眉略一聳動，腳下凝步如樁，綿掌迎勢拍出，正迎在「毒火」成全推過來的強猛掌力之上。

一股綿綿的陰柔之力，和那強勁的罡力一接，兩人身子微微向後一仰，鬚髮袍帶，波浪飄拂不已。

但聽「毒火」成全笑聲道：「原來武當派內，尚還隱著高人！」

左手一揮，罩定金陽道長胸前五大死穴，右臂一舒，倏地一指點了過去。

這一指藏在左掌之後發出，詭異萬端，令人防不勝防，指風銳嘯一起，業已攻到金陽道長胸上。

只見金陽道長沉聲一哼，袍袖一拂，迅快絕倫地閃退三尺，讓開了這突如其來的一擊，身形未住，倏地左手一招「懶紮衣」反扣敵腕，右手食指微伸，霍地向「毒火」成全左頰點去。

在武當四陽中，顯然以這金陽的武功最高，想那「懶紮衣」不過是三十二式長拳的起手式，被他隨意揮來，居然威力無窮，而且用於此地，竟是恰到好處，這種化腐朽為神奇的武學造詣，在場中一干高手眼內，其地位遠過於奇奧的絕學，或是深厚的功力。

「毒火」成全看他舉手之間，指尖已快觸上自己的腕脈，瞿然之下，急忙撤招收勢，斜斜飄出數尺。

二人乍分又合，轉眼工夫，各人以迅捷手法搶攻了八、九招之多，攻拒之間，險象環生，瞧得觀戰群雄眼花撩亂，目不暇接。

金陽道長手法玄奧，武當絕學層出不窮，出招收勢，綿密異常，兼以功力精湛，掌指上的威力，蘊含不吐，端的爐火純青，達到了內家拳術的極致；「毒火」成全雖以暗器馳名天下，除了功力深厚外，手法竟也是博雜奇奧，兼而有之。

兩人一輪疾攻之後，倏地同時緩慢下來，「毒火」成全稍稍後退，與金陽道長相對峙立了俄頃，突然雙手齊施，虛實混雜，欺攻過去。

金陽道長凝立如山，直待他攻近身前，始才雙掌同揮，反擊過去，一面淡然說道：「成施主若不使出看家絕藝，今夜之戰又是枉費心力了。」

「毒火」成全連攻七招，未能得手，倏然暴退兩丈，冷冷地道：「既然如此，我就讓你嚐嚐毒火焚身的味道！」

話聲中，雙手齊揚，兩袖之中，飛出兩道長達五尺的藍焰。

這護莊河外，是一片頗爲寬廣的平地，雙方觀戰的人，環列於南、北二面，那「天池」龐士沖高踞在眺台頂上，谷寒香則率領酆秋和「三眼鵰」章恩，隱身在一、兩百丈外的矮樹叢後。

但見那兩道藍焰離袖而出，直奔金陽道長的身後，燐光閃耀，映得金陽道長鬚眉皆碧，毫髮畢呈。

成全這暗器固然奇特，他無的放矢，捨金陽道長而射向地上，更是令人驚疑不已。

金陽道長知道成全遍身都是毒辣的火器，任其施展，委實太過危險，當下雙袖拂動，擊出兩股強疾的勁風，直對成全劈去，同時不退反進，晃身迫了過去。

只聽「蓬」的一響，「毒火」成全袖內射出的兩道藍焰，倏地凌空互撞，熊熊燃燒起來，化成一片碧綠火光，方圓盈丈，威勢駭人。

同時間，「毒火」成全以掌一豎，迎著金陽道長擊來的強勁風猛地推去，雙袖一張，又是兩股藍焰射出。

這兩股藍焰離袖即撞在一起，眨眼之下，火勢大張，隨同他雙掌所發的內家真力，疾湧過去。

金陽道長也未料到，他對火藥暗器運用得如此巧妙，眼看前後是火，急忙雙足一頓，閃電般地往一側躍去。

忽聽「毒火」成全發出一陣刺耳驚心的大笑之聲，道：「你們看看我的『白燐箭』與往日有何不同？」

說話之間，雙手齊揚，灑出一片銀芒，直對金陽道長頭頂罩落。

金陽道長見滿空火焰熊熊，一片耀眼生花的銀芒又至，立時提起一口真氣，欲從火焰與銀芒縫隙間閃將出去。

忽聽嗤嗤之聲，響自當空，那片似雨銀芒霍地縱橫交錯，凌空一陣亂撞，緊接著折而向下，紛紛疾墜。

金陽道長看那銀芒下落之勢，幾乎封閉了自己的一切退路，驚怒交迸之下，施展出自己本

來不願輕用的絕世神功，雙掌齊揚，望空托去。

他雙掌上托，「毒火」成全正中下懷，狂笑一聲，道：「螳臂擋車……」

一語未了，突見自己忍痛擊出的數十支「白燐箭」，落至金陽道長頭頂三尺之處，倏地全部停頓下來，既不下降，亦未見向上反彈的現象。

忽聽眺台頂上的龐士沖高聲叫道：「好啊！武當派有人練成了玄門『太清真氣』，實乃百年未有之事，可喜可賀。」

語聲中，那數十支「白燐箭」所幻的銀芒業已收斂，變成了一片熊熊烈火，在金陽道長頭頂三尺之上，凌空燃燒起來。

這「太清真氣」乃是玄門中至高無上的功夫，練至化境，可以隨著意念，將體內的真氣逼出體外，護身傷人，彷佛有形之物。

金陽道長閉關十年之事，同道友好幾乎全都知道，但是只知他是在潛修上乘內功，卻未想到他所練的，竟是這極難練成，絕少人願意嘗試的玄門最高絕學，這時親目所睹，人人面上，不禁俱露驚喜之色。

金陽道長雖然仗著神奇的「太清真氣」擋住了「白燐箭」，但知「毒火」成全的伎倆絕不止此，當下雙足微挫，飄身往一側閃退。

他這裡「太清真氣」一收，半空中那片熊熊烈火，頓時一瀉而下，連著先前那片藍焰所化的大火，貼地燃燒，毫無熄滅的樣子。

但聽「毒火」成全厲喝道：「金陽！我且看看你的『太清真氣』究竟有幾成火候！」

喝聲中，雙手連揮，數十團酒杯大小的銀光，夾雜著三粒金光閃耀的梭形暗器，向金陽道長鑽襲而去。

忽聽天覺大師急喝道：「『奪魂子母梭』，道兄留意！」

聲未落，劈啪之聲，已自滿空亂響，那三枚金梭突然自行爆裂，一片藍燄，罩落下來。

金陽道長實在未曾料到「毒火」成全身上的暗器如是之多，而且件件帶火，霸道絕倫，急迫之下，暗運「太清真氣」裹住全身，猛地斜斜閃出丈餘。

玄門神功，果然不同凡響，四、五滴毒火眼看即要沾到金陽道長身上，倏地自行震彈開去。

金陽道長立定身形，閃目一看，發覺滿地火焰，竟在不知不覺之間，將自己圍在了中央，忽見「毒火」成全右掌一攤，掌中現出一顆大如鵝卵，烏光閃亮的圓球，只聽他猛笑連聲，道：「天覺和尙，老夫的『兜天魔火大陣』業已布成，只要我這粒『驚天魔火彈』出手，金陽道人就得骨化飛灰，血肉無存，識時務的快將『寒犀刀』獻出，尙可挽救金陽的一條性命。」

此時場中鴉雀無聲，數十道目光，俱都凝注在「毒火」成全掌上的那粒「驚天魔火彈」上，神色之間，都是疑信參半，未知這小小一粒彈丸，到底有何等的威力?

所有的人中最難過的，還是隱身在暗處的谷寒香，她既驚於金陽道長的武功，又驚於「毒火」成全的暗器，芳心之內，突然感到爲夫報仇之路，愈來愈是漫長了。

忽聽天覺大師朗聲道：「阿彌陀佛，老衲縱然願將『寒犀刀』給你，龐施主也不會答應。」

言下之意，隱然指出龐士沖的武功，還非「毒火」成全所能敵。

龐士沖高踞眺台頂上，哈哈一笑，道：「賊和尙，你儘管放心，龐士沖最好講話，你將刀兒給他算了。」

他先前還講「寒犀刀」在誰手內，他就尋誰的晦氣，如今又是這等的說法，顛三倒四，簡直不知所云？

金陽道長突然冷笑一聲，道：「大師何必多費唇舌？區區火器，只怕還傷金陽不了。」

「毒火」成全獰笑道：「你是自恃幾成『太清真氣』，不到黃河心不死。」

說著手掌一合，握住那粒「驚天魔火彈」緩緩揚起。

這兩人口中講話，四道精芒逼射的目光，卻緊緊地盯在一起，誰也不敢稍爲旁瞬，只恐微一疏神，對方會猝然出手，或是趁機逸出了火圈。

隨著「毒火」成全上舉的手臂，場內的氣氛，愈來愈見緊張，「兜天魔火大陣」與「驚天魔火彈」，俱是「毒火」成全別出心裁，費盡畢生心血所製成，兩個名稱，也是他自己取的，在場之人，都是首次聽到，但見那遍地火焰，騰騰燃燒，非但瞧不出燃燒的究竟是何物體？而且火苗閃閃，看不出何時方能燃盡？怪異莫名，人人都是見所未見，聞所未聞，因而雖聽他將那顆「驚天魔火彈」說得厲害無比，卻不由不信其五成。

金陽道長看「毒火」成全凝重之狀，似是正將一身功力，暗中向右掌上貫注，當下亦將十年閉關，潛心練成的「太清真氣」遍佈身前，蓄勢待敵，等他的魔火彈出手。

「毒火」成全原是老謀深算之人，他雖料定自己這最具威力的火器出手，極可能將金陽道

長毀在場下，但知武當派人多勢衆，自己未與酆秋會面之前，首先與武當派結下深仇，實爲不智，而且龐士沖窺伺在側，縱然傷得金陽，也未必能夠將天覺的「寒犀刀」奪下。

情勢複雜，迫得他遲遲不願出手，然而箭在絃上，又不得不發，無奈之下，只得暗將牙關一咬，掌心真力一吐，將那「驚天魔火彈」猛地向全場打去。

但聽「轟」然一聲暴震，火光一閃，照徹了方圓百丈之地！

這驚天一震，宛如平地一個焦雷，在場之人，全都被震得眼花耳鳴，身子一顫，似覺天搖地動一般。

誰也未想到一震之威，如此之甚！人人面上，都是驚悸未退，忘了身在烈火中心的金陽。

金陽道長此時站立在西首十多丈外，面色蒼白，鬚髮俱顫，道袍之上，千瘡百孔，好幾處滲出了血跡。

原來「毒火」成全那粒「驚天魔火彈」，係以掌上的內家真力震裂，由於毋須撞擊，因而出手爆炸，時間、部位，拏捏得極爲準確。

這魔火彈的外殼，乃以極好的玄鐵與青鋼合製而成，中藏強烈的火藥，外殼一碎，頓時化做百十餘塊，夾著硫磺火燄，朝四面爆射開去，布滿十丈方圓之內。

金陽道長雖然早已全神戒備，「毒火」成全的魔火彈才一出手，他即雙足猛蹬，背貼地面的火燄，快捷無匹地激射開去，但卻依然被魔火彈激射開來的鋼屑，震破護身的「太清真氣」襲到身上，但因經過太清真氣一擋，其勢已竭，故而僅只刺破了身著的道袍，只有少數幾粒較爲強勁，傷著了皮肉。

但見「毒火」成全震聲狂笑，道：「金陽，我這『驚天魔火彈』曾經劇毒淬煉，你休看受傷微細，一個對時之後，依然要你命喪黃泉。」

金陽道長面色氣得鐵青，一步一頓，緩緩向他逼近，口中冷冷地道：「我原無取你性命之意，這般說來，我是非得殺你不可了。」

天覺大師眼看「毒火」成全滿面猙獰，右掌之內，又復握住了一粒魔火彈，立時縱聲道：「道兄請退，待天覺來領教領教。」

雙肩微晃，倏地閃身過去。

忽見峨眉曼陀老尼奮臂狂呼道：「諸位道友，索性大夥齊上，拚著損兵折將，先將這姓成的剁掉，為江湖除一大害！」

語音未落，即已青銅長劍一揮，朝「毒火」成全身側閃去。

曼陀老尼一動，崑崙派的瞿道陵與展雲翼跟踵而進，眨眼之下，五人各站一方，將「毒火」成全圍在中央。

「陰手一魔」一直神情木然，靜悄悄地立在一旁，此時忽然瞥了眺台頂上的龐士沖一眼，向身旁那個黑衣虯髯之人低聲道：「褚賢侄，欲奪寶物，此其時矣。」

這姓褚的乃是「毒火」成全的大弟子，眼看敵方五人，環立在自己師父身外，也自擔心有人捨命相撲，成兩敗俱傷之局，當下不理「陰手一魔」的挑激，冷笑一聲，道：「少林、武當自詡名門正派，原來兩派之人，也都是些言而無信，倚多為勝的小人。」

只見范玉崑身側，一個少年道童接口道：「什麼叫做言而無信？你們人數不下五十，何不一擁齊上？」

要知「毒火」成全全仗霸道絕倫的火器，始能將金陽道長與天覺大師等人鎮住，倘若兩方混戰起來，「毒火」成全投鼠忌器，火器不能發揮威力，單憑武功，勢必落於下風，因而這姓褚的雖然眼看敵方五人，困住自己的師父，也不插足上前。

金陽道長見「毒火」成全那姓褚的弟子，兩人同時口齒一動，似欲講話，忽聽一聲清冷的哼聲，傳入了耳際，不覺同時目光轉動，朝聲音來路望去。

原來谷寒香細審當前的情勢，深感自己若不出場，憑著「毒火」成全與那股綠林道的烏合之眾，絕對難以成事，因而橫定心腸，倏地現身出來。

谷寒香人隨聲到，眾人方自掉頭驚顧，她已卓然立於場內，那酆秋如影附形，同時出現在她的身旁。

忽聽龐士沖厲聲道：「谷寒香，你帶的是誰？這般打扮可是他的面目不能示人？」

「谷寒香」三字，震撼著在場之人的心絃，範家莊一面的人，固然猜測不透，何以她剛剛北返，突然又追蹤南下，「毒火」成全與「陰手一魔」等人，亦是疑雲滿腹，不知她怎會單單帶著一個渾身是黑，僅露雙眼在外的怪人趕來此處。

「三眼鵰」章恩突然疾步奔了過來，朝著那批豫南道上的綠林人物厲喝道：「盟主駕到，爾等還不上前參見。」

這批綠林人物，表面上是被「威鳳金符」調來此處，實際上卻是由於持符傳令之人，乃是酆秋的二弟子丁一魂，這時忽見谷寒香親臨此地，一則爲她的美色所驚，再則丁一魂尙無動

靜，因而一時忘神，齊皆怔在當地。

「三眼鵰」章恩厲聲甫歇，那批人不覺同時抱拳施體，有人口中，道出「參見盟主」四字，但是語聲零落，全無振奮之意。

那年約五旬，打扮得非僧非道之人，正是酆秋的二弟子丁一魂，他出道江湖甚久，在綠林之中名頭響亮，其武功人望，殊非張敬安可比，這時大邁數步，朝谷寒香抱拳一禮，道：「小兄丁一魂，與谷師妹初會，失禮之處，尙祈師妹見諒。」

說話中，目光一轉，在酆秋身上掃視一瞬。

谷寒香突然陰森森一笑，道：「我有一面金符，是否正在你的身上？」

丁一魂聽她語意不善，不覺淡然一笑，道：「小兄奉恩師之命，持符傳令，行至豫南，適遇成老前輩有事差遣，耽擱數日，尙請師妹恕罪。」

言外之意，便是令符雖在身上，卻不能繳還與她。

範家莊一面的人，俱想得知「迷蹤谷」的內情，此時瞧出他們內部矛盾頗深，不禁同是暗暗心喜，冷眼旁觀，不插一語。

「毒火」成全見谷寒香果然天生絕色，人世罕見，私心之內，亦是暗暗竊喜，深感此行不虛，美景在望，只有「陰手一魔」一人，一會兒偷瞥龐士沖一眼，一會兒看看谷寒香，一會兒又四面梭巡，打量逃遁的道路。

正當各人暗懷鬼胎，自作盤算之際，谷寒香突然轉眼朝酆秋一望，秀目之內，迸出兩道陰沉沉的殺氣，玉掌微揚，輕輕向下一斬。

酆秋一見她的眼神和手勢，略微一頓，立時低嘯一聲，猛地朝著丁一魂撲去。

丁一魂睹狀之下，既驚且怒，當即左足一橫，倏地一個「維摩步」，右掌疾揮，直對酆秋胸口擊去。

這一掌凌厲無匹，雄渾的掌力，應手而起，怒潮洶湧一般，逕往酆秋胸口撞去。

然而，他的武功，乃是酆秋親手所傳，這般對面發招，豈能傷得酆秋絲毫？

但見酆秋左手一翻，霍地抓住了丁一魂的腕寸，右掌一揮，也是一掌直擊過去。

丁一魂一見這身著黑色寬袍，頭戴黑色面罩之人，心頭即怦然跳動，大有似曾相識之感，這時見他一招扣住了自己的手腕，雖然手法普通，但卻極感眼熟，心頭大駭之際，又見他一掌當胸襲至。

這擊來的一掌，與自己擊去的一掌一模一樣，毫無二致，丁一魂未及轉念，但看那手掌來勢，已是心驚肉跳，魂不附體，百忙之中，本能地右肩一塌，左肩一送，讓過胸口要害之處。

只聽「啪」的一聲，酆秋一掌擊在丁一魂肩上，打得他慘呼一聲，張口噴出一股血箭，身子仰天便倒！

酆秋左手一帶，將丁一魂的身子霍地拖了回了，右掌一揮，猛然向他天靈蓋上擊下。

丁一魂挨了一掌，肩骨已被擊得粉碎，眼看這第二掌電閃而下，不禁雙目一閉，脫口叫出一聲「師父！」

這一來一去，不過瞬息間的事，「毒火」成全驚詫欲絕，剛剛縱身撲來，忽聽了丁一魂口喚師父，不禁心頭一怔！半途中身形頓了下來。

就在酆秋的手掌已快觸及丁一魂的頂心之際，谷寒香突然閃身上前，伸手向酆秋的腕脈上拂去，酆秋的反應靈敏至極，谷寒香手勢才起，他已明白了她的心意，左手一鬆，往一旁飄退數尺。

丁一魂身子晃了兩晃，終於站穩，雙目噴火，在酆秋與谷寒香兩人臉上，掃來掃去。只見谷寒香玉容之上，露出一個冷酷的微笑，道：「丁一魂，如今你明白了麼？」

丁一魂口中亂嚼，嘴角鮮血涔涔而下，半晌之後，猛一點頭，道：「丁某明白！」

谷寒香冷笑一聲，道：「你明白就好，我只問你，你是想死？還是想活？」

丁一魂朝酆秋望了半晌，但見他文風不動，彷彿一座漆黑的石像，一對閃閃生光的眸子，牢牢地盯在谷寒香身上，生似唯恐她會出其不意，撇下他獨自離去似的。

丁一魂血紅的雙睛一轉，重又投注在谷寒香面上，切齒道：「丁某對自己的生死，並不介意……」

谷寒香截住他的話頭，道：「這麼說來，你是想活了？」

丁一魂重又猛一點頭，沉重地道：「丁某想活！」

谷寒香嘿嘿一笑，道：「不管你想活的目的何在？只要你不願就死，在你目的未達之前，先須聽我的指令行事。」

說到此處，微微一頓，接道：「如今你先將豫南道上的人帶走，依照原訂的計劃去做，四月初八之前，務必將『鬼老』水寒和『人魔』伍獨二人，邀至『迷蹤谷』內，其餘的事，你自行酌量，結果如何，咱們各憑命運！」說罷之後，將手揮了一揮。

丁一魂頓了俄頃，倏地朝著酆秋撲身一拜，眼看他毫不理睬，形同未覺，只得牙根一咬，翻身站起，轉朝自己帶來的那批人道：「諸位請隨丁某離開此地。」

在場之人，都已明白這黑衣蒙面之人，即是黑道巨擘，威鎮綠林數十年的酆秋，而且也都隱約知道，谷寒香已經控制了他的心神，成了他絕對的主宰。

那批豫南道上的綠林人物，目覩這驚心動魄的一幕後，對於谷寒香其人，業已萌出一種敬鬼神而遠之的心情，一聽谷寒香下令自己等先行撤退，頓時躬身行禮，齊齊告退，謹肅之狀，與先時大不相同。

丁一魂誰也不打招呼，一言不發，領著那批人疾奔而去，轉眼工夫出了視線之外。

谷寒香玉容一冷，緩緩地轉向金陽道長，道：「『迷蹤谷』與武當派之爭，道長諒必知情，但不知道長有何見教？」

金陽道長與她目光一接，倏地眼瞼一垂，肅然道：「金陽意欲請教一句，不知貧道那位白陽師弟，如今是否尚在人世？」

谷寒香道：「兩、三月內，無性命之憂，道長是否有意，將這段樑子就地解決？」

金陽道長搖了搖頭，淡然道：「貧道奉掌門師兄之命，在此相待，準於三月初一，至『迷蹤谷』拜會夫人，是以此時此地，貧道不敢提敝師弟白陽之事。」

谷寒香道：「令師弟現在『迷蹤谷』內，此時論及這樁事情，確是難切實際。」

她略一停頓，接著冷聲道：「谷寒香既曾許下百日之期，就不會在期前傷害令師弟的性命，不過有一點要請道長留意，『迷蹤谷』乃是天下綠林的總寨，盜賊淵藪，最忌有人窺探，

此中關礙，道長諒必能夠體會。」

金陽道長冷冷一笑，抬眼在她面上一掠，旋又目光一垂，道：「武當派確曾派了兩名弟子北上，不過目的僅在投書，想來不致觸犯貴寨的禁忌。」

谷寒香冷冷一笑，心中暗忖道：「那書信之內，諒必不出定期拜山之意，自己在三月初一之前趕回谷內，也就是了。」

心念一轉，回眸一掃「毒火」成全，見他右掌之內，尚自握住那粒小小的「驚天魔火彈」，不禁莞爾一笑，道：「成兄的毒火暗器，堪稱前無古人，後無來者，見面勝似聞名，實在令人欽佩。」

「毒火」成全見她剛剛還是冷若冰霜，殺氣盈面，一與自己講話，頓時聲如銀鈴，顏如春花，令人如沐春風，身心坦蕩，飄飄然似欲飛起，不禁樂得哈哈一笑，拱手齊額，道：「谷盟主謬讚，成全惶愧之至，惶愧之至。」

要知谷寒香名聲遠播，可只是美艷之名與狠辣之名，卻非淫蕩之名，似「毒火」成全這等人物，大江大海，全都已經闖過，閱人之多，亦可謂之無其數矣，倘若谷寒香是冶蕩之人，縱然投懷送抱，「毒火」成全也不會覺得可貴，正因爲她矢志夫仇，持身嚴謹的事，已與她的美名連結一起，因而她只略爲假以顏色，即能令「毒火」成全受寵若驚，忘其所以。

忽聽眺台頂上，龐士沖縱聲道：「丫頭！你花言巧語，莫非要想讓這玩火的老兒，嚐嚐『向心露』的滋味麼？」

天覺大師與金陽道長等人，聽得「向心露」三字，心中若有所悟，不由齊齊向黑衣蒙面的

酆秋望了一眼。

「毒火」成全本來業已想到，酆秋必是受了谷寒香的暗算，飲下了「陰手一魔」所煉的「向心露」，這時聽龐士沖一嚷，不禁機伶伶地打了一個寒顫，不由自主地後退了一步。

谷寒香勃然大怒，面龐一轉，恨恨地道：「龐士沖，谷寒香若不令你空勞神思，懷恨以歿，我的亡夫之仇也不報了。」

龐士沖內功精湛，眼神似電，他與谷寒香相隔雖遠，但是藉著地面閃亮的火光，對她臉上的表情，依然看得巨細不遺，絲毫不漏。

眼見她眉籠殺氣，目含怨毒，雙眼之上，三道纖細的紫紋閃閃跳動，令人望過一眼之後，心驚膽寒，畢生難以忘懷。

龐士沖心頭發怔，尚未講出話來，谷寒香業已轉面望著天覺大師，道：「老禪師，谷寒香千里南下，乃是向你借『寒犀刀』一用，但不知你肯是不肯？」

此言一出，在場之人，齊齊爲之一驚！數十道目光，俱在天覺大師和她的臉上掃來掃去，顯然是對她借寶的目的有所懷疑？同時亦不知天覺大師將要如何作答？

忽聽龐士沖狂笑一聲道：「丫頭，你好大膽！」

語音未落，人已橫空飛瀉，立身到了天覺大師與谷寒香之間。

谷寒香冷然望他一眼，道：「我悔不該一念仁慈，在『牧虎岡』前，饒了你一條性命。」

她陰沉沉一笑，道：「世事難料，也許你還有落於我手中的一天，那時不是你死，就是我亡了。」

龐士沖雙目一閃，疾快地在酆秋身上掠了一眼，道：「老夫也悔不當初，不該養癰遺患，因循苟且，眼看你勢力坐大，羽翼長成。」

他說到此地，亦是微微一頓，按著道：「嘿嘿，你當真不知進退，難道老夫就不能玉石俱焚麼？」

這二人話裡藏機，卻又針鋒相對，除了天覺大師一人外，其餘的人，俱都是疑神疑鬼，暗暗猜測不已。

忽聽「毒火」成全道：「谷盟主，請恕成全愚魯，難解你們兩位所打的啞謎……」

龐士沖冷笑一聲，道：「事不關己，最好是少惹麻煩。」

「毒火」成全冷然一哼，道：「此處乃中原之地，非關外可比，閣下若不自知斂束，誠恐暴骨異域，做了孤魂野鬼，那可是太不值了。」

龐士沖聞言大怒，厲聲道：「老夫就跳跳火坑，試試你的破銅爛鐵看看！」說罷欺身直進，掄手一掌擊去。

「毒火」成全見他身形一晃，倏地欺近了自己面前，迫得手腕一震，將那粒「驚天魔火彈」收回袖內，旋身發掌，還擊過去。

二人才只拆了一招，谷寒香突然暗向酆秋做了一個手勢，酆秋頓時領悟，僕身探臂，猛地一掌向龐士沖背心擊去。

但見他身形一閃，霍地移近了丈餘，手掌一探，恰恰夠到龐士沖身上，疾快無匹，詭異無比，功力之深，端的武林少見。

龐士沖身形未轉，即知偷襲過來的是酆秋，怒氣暗生之下，雙足一錯，施展九成功力，猛地回身一掌擊去。

龐士沖與酆秋動起手來，其情勢可是大不相同，兩人舉手投足之間，無不是殺機隱伏，每一片衣角袍帶，俱都暗藏著莫大的陷阱，只要對方沾上半點，頓時便有殺身之危，「毒火」成全在一旁夾攻，亦每每感到搭不上手。

這一場搏鬥，吸引了在場之人的目光，看到精采絕倫之處，一個個臉上，同時露出驚嘆之狀，看到危機一髮，似無挽救之處，每人都露出驚惶失措，張口欲呼的樣子，待到另一方突使一招妙著，化險爲夷之時，觀戰之人，頓時露出如釋重負，身心俱暢的神情。

正當這三人打得捨死忘生，觀戰之人也忘其所以之時，谷寒香突然嬌軀一晃，閃到了天覺大師身側。

金陽道長立在天覺大師身旁，一見谷寒香悄無聲息地閃了過來，立時開口喝道：「大師留意……」

天覺大師面龐一轉，靜靜地看了谷寒香半晌，道：「難道谷檀越要暗算老衲麼？」

谷寒香淡淡一笑，道：「暗算不敢，不過谷寒香所求之事，尙祈老禪師有個明確的答覆。」

忽聽龐士沖厲聲道：「谷寒香，倘若『寒犀刀』落於了你的手內，老夫誓死也要取你的性命。」

谷寒香冷笑道：「誰的命長，還得看老天爺的安排，你就作得主麼？」

只聽「毒火」成全大聲道：「谷盟主，你到底要借寒犀刀何用？倘蒙開誠相見，成某定然傾力相助。」

龐士沖哂然道：「你有多少力量可傾？」

左掌連揮，一口氣攻出八掌，逼得「毒火」成全左閃右避，封架不迭，但又脫不出掌勢之外。

谷寒香沉吟少頃，突然面露薄哂，揚聲道：「我奪了龐士沖的『問心子』，若能借到『寒犀刀』一用，三妙遺珍，即可唾手而得，這般說法，成兄信是不信？」

這等說法，別說「毒火」成全，其他的人，也無一個敢於全信，然而，許多跡象，又顯示她的話大有可信之處，否則何以龐士沖那等擔心「寒犀刀」落於谷寒香手內，加以谷寒香講完話後，龐士沖又不予以反駁，因而眾人更加相信幾成。

「毒火」成全突然精神大振，喝叱連聲，招式連變，雙掌翻飛，反擊不已，彷彿忽然與龐士沖結下了什麼深仇大怨，立意要將他毀在當地。

谷寒香凝目看了數招，倏地轉面向天覺大師望去，不言而喻，是打天覺大師「寒犀刀」的主意。

天覺大師猶豫半晌，慈容之上，忽然露出一片堅毅之色，伸手向懷中摸去。

金陽道長睹狀一驚，道：「老禪師似宜多加考慮，三妙遺珍，自是武學絕藝，若被人以之濟惡，造劫江湖，老禪師豈非分任其過？」

谷寒香眼看寶物將要到手，金陽道長突然出言勸阻，不禁怒氣山湧，冷聲說道：「谷寒香

如能學得絕藝，第一件事，便是殲滅武當四陽。」

金陽道長勃然大怒，雙目暴睜，即待越過天覺大師，揮掌向谷寒香擊去。

天覺大師忽然綻顏一笑，雙手向二人一攔，旋即嘴皮微動，以練氣成絲，傳音入密的功夫向金陽道長說道：「此中原委，極為複雜，老衲絕非輕率之人，事過之後，再與道長詳細解釋吧。」

谷寒香秀眉一蹙，道：「老禪師乃是有道高僧，難道也有不可告人之事麼？」

天覺大師莞爾一笑，道：「你借的不過是『寒犀刀』，老衲舉以相贈，這還有什麼話說？」

忽聽龐士沖大吼道：「天覺，你敢交出『寒犀刀』，老夫與你少林派誓不幹休！」

金陽道長深感天覺大師的舉措有異，忍了又忍，終於開口道：「事關武林蒼生，老禪師務必三思而行，千萬不可大意。」

谷寒香本人也感天覺大師的態度大違常情，這時反不急於索取「寒犀刀」，只將一雙美眸，緊緊地盯在天覺大師臉上，欲在他的神情之中，找出一點破綻。

龐士沖極欲擺脫酆秋和「毒火」成全二人，無奈任他雙掌之下，施展何等毒辣的招術，或是詭異的變化，依然無法將二人逼退，怒火如焚之下，一掌狠似一掌，使得戰況愈來愈見慘烈，崑崙、峨眉兩派的人，及「陰手一魔」、「毒火」成全的三名弟子等，俱都看得心驚膽顫，惕怵不已。

天覺大師忽然低嘆一聲，重以傳音入密的方式向金陽道長說道：「自北嶽綠林大會之後，

老衲的天明師兄，即已預見到今日之局，無耐天意難以挽回，始終想不出消弭這場浩劫的辦法……」

金陽道長肅然道：「以壯士斷腕之法，難道就不成麼？」

天覺大師見他大聲講話，只恐谷寒香發作，不禁轉眼朝她望去。

谷寒香知道金陽道長言中之意，淡淡一笑，道：「我也想以快刀斬亂麻的手段，一舉殲滅武當派的老少四輩，只是力有未逮，徒喚奈何而已。」

天覺大師暗暗忖道：「原來這丫頭也有一張利嘴！」

想著重又向金陽耳中道：「道兄別看這孩子獨自一人，就站在我等身旁，真想取她的性命，也是難上加難的事，倘若弄巧反拙，逼得她失卻理性，那更是無法收拾。」

他頓了一頓，繼續道：「老衲的天明師兄苦思經年，突然悟出武林前賢三妙前輩遺珍之事，其中定然大有文章，想那三妙前輩學究天人，終身以濟世活人爲務，他的遺珍，必然是巧爲安排，絕不會落入壞人手中，以之做爲造劫江湖的工具……」

金陽道長忍不住插口道：「請恕貧道愚魯，難以想通此中的道理。」

此時龐士沖與酆、成二人，業已互搏了三百餘招，依然未曾分出勝負，金陽道長與天覺大師，則在研究對付谷寒香之策。

谷寒香卻正自心頭暗忖道：「莫非老和尚故意將『寒犀刀』交給自己，以促使龐士沖和自己勢不兩立，同時其他覬覦三妙遺珍的人，也必明搶暗盜，甚或謀害自己的性命，果然如此，倒不失一條借刀殺人的妙計。」

谷寒香這面暗自猜疑，天覺大師卻繼續以傳音入密的功夫，向金陽道長道：「老衲的天明師兄，業已仔細考究過三妙前輩的生平，得知這位武林前賢，非但仁慈萬端，而且行事縝密萬分，他留下的東西，必然是有益於世之物，能夠得到他的遺珍之人，也必是生性善良之輩……」

金陽道長見天覺大師講得如此肯定，自己心頭，雖然不無疑異，但知多說無益，而且無論好壞，谷寒香終是天明大師的記名弟子，與天覺大師淵源匪淺，再來「寒犀刀」也是天覺大師之物，自己亦不便多作主張，於是點了點頭，默然不語。

天覺大師突然由懷中抽出手來，將那個破布小包塞入谷寒香掌內，低聲道：「趕快收好，匹夫無罪，懷璧其罪，謹防因寶喪生。」

谷寒香雖是疑心天覺大師使的移禍江東之計，但聽他語聲誠摯，句句如出肺腑，心頭亦感到忸怩不安，才將那小包揣入懷中，場內業已情勢大變。

只見那龐士沖雙目大張，凶神惡煞一般，掌掌凝聚真力，記記找二人硬拚。

要知酆秋與「毒火」成全二人，皆是名動江湖的人物，尤其酆秋的武功，在江湖上已是少有對手，龐士沖以一敵二，能夠支持不敗，已是震駭武林的事，要想擊退二人，那真是談何容易。

驀地，龐士沖掄手一掌，「毒火」成全避無可避，迫得舉掌一揮，硬接一記！

雙掌一交，「啪」的一聲脆響，「毒火」成全雙足移動，「登登登」連退五步，胸腹之間，痛如刀割，嘴中發甜，滿口血腥氣味。

龐士沖功力雖厚，也被震得血氣翻騰，大退一步，人未立穩，酆秋業已掌如電掣，猛地擊了過來！

他本是薑桂之性，何況此時因「問心子」與「寒犀刀」一起落入了谷寒香手內，只怕她趁機遁走，取得三妙遺珍後，再想制她，定然希望渺茫，激憤塡膺之下，凝足八成功力，回身一掌，直對酆秋的手掌擊去。

「砰」的一聲暴響，兩人腳步同移，齊齊朝後直退，每踏一步，地上便是一個深達寸許的足印。

龐士沖畢生的心力，便是花在這「問心子」與「寒犀刀」上，無奈變生肘腋，意外重重，致令他到手的寶物重又落空，長久的積忿，此時突地全部爆發開來，使得他神情大變，狀如瘋狂一般。

但見他霍然一聲暴喝，後退之勢未竭，立時擰身一縱，騰起丈餘，飛身向谷寒香頭頂撲去。

谷寒香早已審度當前形勢，情知范家莊一面的對頭雖多，但是絕無人會趁機奪取自己身上的寶物，因而對自己有危險的，除了龐士沖外，就只有「毒火」成全師徒，和「陰手一魔」等人。難得「毒火」成全與酆秋聯上了手，雙戰龐士沖一人，倘若自己一逃，這聯手之勢定必瓦解，那時全都迫在自己身後，再想彼等相互火拚，勢必難以實現。

因而，她打定了主意，暗將全身功力貫注雙掌，只要找到時機，立時傾力一擊，先將最大的強敵毀掉。

只見龐士沖身在半空，右掌一揮，向谷寒香頭頂猛然擊下。

谷寒香目射神光，凝注龐士沖的身形，心頭暗暗忖道：「我就不信，你連拚兩掌之後，功力不打折扣？」

她早已凝足功勁，心念電轉之下，玉臂雙舉，不待龐士沖的手掌臨頭，逕自反擊過去。

「蓬」的一聲悶響，兩股內家掌力一撞，狂飆頓起，迴旋激蕩，彷佛巨浪排空，海立雲垂一般。但見谷寒香雙足連移，以細碎的步法，直返八尺之外，玉面蒼白，了無血色，龐士沖則凌空一陣翻騰，瀉墜於一、兩丈外，落地之後，滿頭銀髮，尚在顫動不休。

瞬眼之間，酆秋雙眼發赤，只見他左手捏住一個訣印，右手微揚，陡地朝龐士沖身後欺近，神情獰惡，形同鬼魅似的。

龐士沖身形一轉，忽見他目光之內，充滿了森森的怨毒，不禁心頭一凜，飄然斜閃數尺，順勢往谷寒香身前逼近。

酆秋陡然張口低嘯一聲，右手一揮，霍地向龐士沖肩上拍去。

這聲低嘯，彷佛出自一頭垂死的野獸口中，眾人聽後，齊皆為之一怔！

龐士沖閃目一看，酆秋右掌齊腕之下，突然變得猩紅如血，鮮艷欲滴，怵目至極，急忙橫閃數丈，讓開這一擊，一面運氣行功，匆匆調理體內的真氣。

在場之人，多半是武學行家，目睹酆秋的「血手印」練到了這等境界，無不心頭駭然。

「毒火」成全暗暗忖道：「那妞兒講『問心子』落入了她的手內，瞧這姓龐的如此拚命，此事八成可信。」

他人海翻騰，見多識廣，眼珠一轉，心內業已有了主意，當下朝谷寒香道：「谷盟主就在一旁督戰，這姓龐的交給成某便了。」話音未落，早已雙手齊揚，「白燐箭」銀芒閃耀，脫手飛出。

龐士沖剛剛見過他暗器的威力，瞧那滿地燐火，猶未全滅，知道托大不得，於是身子一側，閃電般地貼地一掠，直往「毒火」成全身畔欺近。

「毒火」成全第二批暗器尚未出手，忽覺一陣重逾山嶽的潛力暗勁，霍地湧近身前，不禁暗暗咒罵一聲道：「這個老怪物！真他媽的……」雙足猛蹬，急往一側暴閃。

龐士沖豈肯容他緩手，舉掌一揮，口中鄙夷不屑地道：「小輩別逃，老夫這就交給你了。」說話中，陡覺身後有人襲到，旋身一顧，正是黑衣蒙面，掌紅如血的酆秋，急忙一招「烘雲托月」，還擊過去。

「毒火」成全暗暗忖道：「酆秋的武功雖在，靈智卻已迷失，那批自命俠義之士的男女，絕無臉奪小妞兒的寶物，眼下之局，只有這個龐老怪討厭，幹掉這廝，何愁不能人寶兩得？」他利慾與色慾並起，不覺雄心萬丈，血脈賁張，忘了內腑已被掌力震傷，大喝一聲，掄掌便向龐士沖襲去。

轉眼之下，龐士沖與酆秋、成全二人，重又打在一起。

忽聽曼陀老尼道：「范公子，這種分贓不均，窩裡反的事情，老尼看著就噁心，天時不早，大夥回莊去吧。」

這老尼對谷寒香印象惡劣，谷寒香也最不喜歡此人，耳聽她風言風語，不禁怒氣暗生，目挾霜刃，轉眼望了過去。

她這目光一轉，發覺范玉崑正向自己望來，四目一接，范玉崑急忙移轉目光，向著金陽道長與天覺大師二人道：「夜盡更殘，兩位老前輩請回莊歇憩吧。」

金陽道長亦感留在此地無益，瞥了惡門中的三人一眼，轉面向莊門走去。

天覺大師忽以傳音入密的功夫，遙遙向谷寒香的耳畔道：「剛極易折，兵凶戰危，謹記！謹記！」說罷扭頭自去。

谷寒香冷哼一聲，暗暗忖道：「你的移花接木之計已售，如今該沾沾自喜了。」她心中充滿了仇恨，只覺得人人都有可死之道，因而凡事皆往壞處著想。

轉眼工夫，范家莊一面的人全部撤回了莊內，兩扇莊門重又緊閉，莊寨之上的火把，頓時統統熄滅，只剩地面一層稀薄的燐火，碧光閃閃，明滅不定，照得當地像是一片森森的墳場。

谷寒香閃目一看，除了殊死惡戰的三人，只餘「三眼鵰」章恩和「毒火」成全的三名弟子，另外一個，卻是「陰手一魔」。

突然間，她的玉容之上，掠過一絲飄忽詭異的微笑，轉朝「陰手一魔」道：「你當真不想分一杯羹麼？」

「陰手一魔」微微一怔，道：「不知你指何而言？」

忽聽「毒火」成全縱聲道：「谷盟主毋須性急，諒這龐老兒逃不出酆兄與在下的手掌。」說罷招式一緊，連連搶攻。

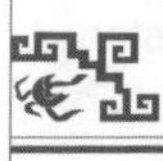

龐士沖切齒咒罵道：「無恥匹夫，老夫先斃掉你。」雙手連變，忽擊忽拏，逼得「毒火」成全迭連後退。

若非酆秋招招不離他的要害，迫得他無法緩手，「毒火」成全勢必喪命在他的掌下。

「陰手一魔」深目閃動，朝谷寒香偷眼望了半晌，欲待猝起發難，出其不意地將她制住，連人帶寶一起挾走，卻又擔心一擊不中，反惹殺身之禍，又怕成爲眾矢之的，逃不出眾人的圍攻。

谷寒香忽然面龐一轉，似笑非笑地望他一眼，道：「瞧你舉棋不定，似是萬分作難，依我相勸，你還是早早離開這是非之地，否則咱們殺了龐士沖之後，必然轉而向你下手。」

「陰手一魔」聞言一楞，明知她是在使弄狡獪，無奈目迷美色，心貪重寶，捨不得就此離去，他沉吟良久，突地把心一橫，暗忖道：「不是福，就是禍，管他恁多做甚？」心念一決，立時閃身上前，揮掌向龐士沖攻去。

只聽龐士沖怒罵道：「谷寒香賤婢！老夫不將你碎屍萬段……」一言未了，三隻手掌，業已同時襲近身前。

龐士沖怒發如狂，左掌一揮，化解「陰手一魔」襲來的一掌，右掌一招「雷動萬物」直擊酆秋，飛起一腿，猛向「毒火」成全踢去。

忽聽谷寒香冷冷說道：「龐士沖，中原武林，容你不得，你再不見機，只恐回不得天池了。」

龐士沖陡使一招絕學，身形原地一轉，將酆秋等三人同時逼退一步，口中恨聲道：「老夫

自己了。」

谷寒香冷笑一聲，道：「我原無殺你之心，怎奈你口齒傷人，我縱然有意行善，也管不住

拚著暴屍異域，也不讓你這賤婢如意。」

「陰手一魔」忽然冷冷一哼，打出一記陰風掌力，掌風凌厲，嘯聲盈耳。

這一掌乃是蓄勢所發，一股強猛絕倫的暗勁，排山倒海般直撞過來。

龐士沖眉端一聳，眼看酆秋的「血手印」如附骨之蛆，正在自己身側晃動，只得施展「金鯉倒穿波」的身法，斜斜激射而起，向後躍退了八、九尺遠，他身形剛要沾地，忽見碧光一閃，一道冷燄直向自己立身之處射來，時間、部位，拿捏得恰到好處。

只聽「蓬」地一響，那道碧藍光燄擊在地上，火光一閃，直向龐士沖下落的身子燒去。

龐士沖心神一凜，猛地一口真氣，凌空一翻，橫曳丈餘，忽見袍角業已著火，急忙隨手一撕，將袍襟扯落下來，順手向「毒火」成全扔去。

但聽「呼」的一聲，一片帶火的衣襟，竟被他擲得去勢如箭，勁力驚人。

「毒火」成全欲乘機施放看家暗器，以「驚天魔火彈」向龐士沖擊去，忽見火光撲面而來，只得雙足一挫，橫飄數尺，縱目一望，酆秋又與龐士沖鬥在一起。

他暗暗忖道：「眼下之局，多除一個高手，自己便多一分希望。」想著惡念頓生，右手一揚，即待將「驚天魔火彈」朝龐士沖打去。

龐士沖與酆秋激鬥正烈，「陰手一魔」則梭巡未進，這一粒魔火彈出手，龐士沖與酆秋二人俱都難逃性命。

驀地谷寒香雙肩一晃，快如電掣，霍地一掌向「毒火」成全脅下拍去，口中冷冷地道：「成兄，還不快上？酆秋一人，不是老怪的對手。」

「毒火」成全駭然汗下，他這魔火彈係以內家真力，逼使彈中的火藥自行爆發，此時內力業已貫於彈中，再也無法收回，危急之下，猛地將魔火彈往右旁一扔，縱身向左側躍開。

但聽轟然一響，火光閃耀，地面被炸得斑痕累累，砂土飛揚中，眾人耳鼓，嗡嗡作響。

龐士沖見狀，恨得肝膽欲裂，捨下酆秋，擰身朝成全撲去，人未到，猛惡的掌力已自湧到。

只聽谷寒香冷聲道：「龐士沖，記著我又救了你一次性命，不過你儘管放心，我不會挾惠相求，要你報答什麼？」

龐士沖漠然道：「你不過恐怕酆秋死了，失了保駕之人，哼！司馬昭之心，路人皆知，老夫豈是三歲小兒？」「呼！」的一拳「直搗黃龍」，朝「毒火」成全當胸襲去。

「毒火」成全身子一側，避過一拳，駢右手食、中二指，疾點龐士沖肋間，心頭卻自暗忖道：「這女人，當真合了美如天仙，毒若蛇蠍的俗語。」

谷寒香忽向「陰手一魔」道：「閣下鼠首兩端，到底做何打算？」

「陰手一魔」濃眉一軒，望她一眼，突然目光一黯，道：「老夫縱橫半生……」

谷寒香冷冷說道：「縱橫一世，晚景淒涼之人，你大概未曾見過。」

「陰手一魔」牙根一挫，死命盯她一眼，重又揮掌向龐士沖襲去。

谷寒香獰笑一聲，道：「這就對了，成者為王，敗者為寇，人生在世，豈能不碰碰運

氣？」

這次動手，龐士沖與「毒火」成全二人，都打得小心翼翼。

龐士沖掌指連綿，絕不容「毒火」成全有脫身的機會。

「毒火」成全則警覺出谷寒香手段之狠辣，因而不願用掌指硬封龐士沖的攻勢，更不願硬拚內力，以俾保存元氣，免得毀了龐士沖後，自己功力耗竭，遭受谷寒香的宰割。

「陰手一魔」的戒懼之心，更爲嚴謹，雖然隨眾出手，卻是步步爲營，完全是先求自保，再求傷敵的打法。

酆秋懵懵懂懂，「血手印」雖是凌厲懾人，卻使得極有分寸，進退趨避，無不恰到妙處，洞中肯綮。

但見四人的掌勢由緩而慢，二、三十招後，雙方一快全快，轉眼之下，個個搶制先機，窮極變化，又成了捨死忘生之狀。

這時，誰的手上略慢絲毫，頓時便得橫屍當地，除非四人同時歇手，否則便是一個欲罷不能之局，同時誰若最先氣餒，誰便最先送命。

但見雙方的掌指攻出即收，絕無招式用老的事，四條人影交錯盤旋，遊走不定，但卻始終將龐士沖圍在核心，片刻之後，雙方力搏已三、四百回合，澎湃震響的掌風之內，滲入了細微的呼吸之聲。

谷寒香冷眼旁觀，玉容之上，一無表情，彷彿這一場殊死惡鬥，與她毫無關連，反是「毒火」成全那三個弟子，人人面上，俱有憂色。

轉瞬之間，喘息之聲，業已清晰可聞，原來「毒火」成全與龐士沖硬拚一掌後，五臟受了嚴重的震傷，力戰一久，已自傷勢發作，內腑痛如刀絞，同時體內的真氣，也開始散亂起來。

然而，龐士沖也到了筋疲力竭，將告不支之時，要知這三人聯手圍攻，放眼當世，除他龐士沖之外，實無第二個人，能夠支持四、五百招不敗。

谷寒香暗暗忖道：「我再不出手，只怕老怪物要逃……」思忖中，冷冷地掃了「毒火」成全的三個弟子一眼，緩步向龐士沖等走近。

正當谷寒香徐徐逼近，欲待伺機出手之際，龐士沖突然覺出情勢嚴重，雙掌連揮，一口氣擊出八掌，抓住一絲空隙，倏地竄出了重圍。

谷寒香芳心大震，急喝道：「成兄火速出手。」

「毒火」成全亦未料到龐士沖武功之高，一至如此，喘息未定，猛地雙手齊揚，「白燐箭」、「奪魂子母梭」同時出手襲去。

但聽龐士沖震天一聲怒嘯，雙足頓處，疾投正北而出，口中揚聲道：「谷寒香，你若不交還『問心子』，老夫誓必叫你骨化灰揚，『迷蹤谷』土崩瓦解。」語音未落，人已馳出數百丈外，轉瞬不見。

谷寒香微一定神，突然厲喝道：「成兄、『陰手一魔』兄隨我取寶，其餘的人回谷待命。」說著頭也不回，疾奔西南而去。

鄞秋一見，縱腿便向谷寒香身後追去！

「陰手一魔」微一怔神，立即啣尾奔去，這三人何等腳程，眼皮一眨，最慢的也出了百丈

之外。

「毒火」成全恨得雙眼冒火，猛一咬牙，撇下三個弟子，跟蹤追了下去。

他那三個門下相互望了一眼，似乎都想徵求對方的意見，頓了一頓，那姓褚的忽道：「師父內傷不輕，我們應該跟下去才對。」

「三眼鵰」章恩忽道：「令師與咱們的盟主，如今業已聯手，在下看來，三位還是依照咱們盟主的指示，回至『迷蹤谷』待命的好。」

那姓褚的男子忽然冷哼一聲，道：「如今業已聯手？嘿！你說得倒是好聽？」

「三眼鵰」章恩道：「信與不信，悉聽尊便，在下只有一個腦袋，可不敢違抗盟主的命令。」說罷將手一拱，轉身朝裕州城奔去。

那姓褚的男子沉吟半晌，忽向另外二人道：「姓谷的女人太可怕！師父人單勢孤，只恐要遭她的毒手？」

另外一個勁裝中年大漢道：「大師兄說得有理，急不如快，我們趕緊追下去，替師父打個接應。」

那姓褚的男子將頭一點，率領二人，急急向眾人的去路追下，輕功腳程，竟然全都了得。

且說谷寒香在前，直對西南方縱腿疾馳，芳心之內，卻自急轉著主意。

原來她估料「三妙書生」的遺珍，多半落在東南一帶，龐士沖走往北面，她正好向東南逃遁，其實龐士沖並未去遠，他隱在暗處，一見谷寒香向南，頓時也隨在「毒火」成全那三個弟

子之後，追了下來，不過他知道自己武功縱然高強，若不出奇制勝，一時也將谷寒香無法，因而也不急於逼近。

谷寒香揀了一條奔向汝南的大路，竭盡全身之力，愈馳愈快，絲毫不停，同時留意著身後的動靜，酆秋起步稍遲，與她隔了二、三十丈的距離，一直趕了十多里路，猶未將她追上，至於「陰手一魔」雖然未曾落後，卻是一步也未能追近。

這大路之上，八個人在放腿疾奔。

谷寒香在前，風馳電掣，跑成了一條淡淡的人影，直到朝陽東昇之際，酆秋才將二、三十丈距離追上，不過離范家莊，業已百里之遙。

「陰手一魔」掉後百餘丈遠，忍了又忍，終於揚聲道：「谷盟主，你這般奔跑，是何道理？」

谷寒香冷冷道：「『毒火』成全還在後面麼？」

「陰手一魔」猛然省悟，心頭暗忖道：「這女人好毒，原來她想將成全活活拖死！」轉念之下，傾耳向身後聽去，發覺「毒火」成全果然不甘罷手，猶自追在自己身後。

他暗暗尋思道：「這主意真狠，成全久戰身疲，加以身受內傷，若不見機罷手，縱不拖死，也得累個半死，那時她只須揮手一掌，就可結束他的性命，至不濟也可將他擺脫。」

倏地，他心內一凜，暗想道：「不好，幾人之中，顯然以酆秋的內力最爲悠長，那老兒的心神已被她所制，如果少時她將手一擺，命酆秋取自己的性命，自己可無還手之力了。」

忽聽「毒火」成全在身後嘶聲喊道：「谷盟主，龐士沖亦未趕來，你何必一勁地奔……」

他聲嘶力竭，中氣不繼，最後一個「跑」字，竟然講不出了。

但聽谷寒香縱聲道：「龐老怪腳程快，咱們若不趁早將他扔掉，休想將寶物取到手內。」

「毒火」成全縱聲道：「在下內傷……」說了一半，忽然住口不言，咬住牙根疾追。

這匹人流星趕月一般，沿著大路疾馳，一、兩里之後的龐士沖突然心意一變，只恐入了城市，被谷寒香躲藏起來，於是足下加勁，迸力朝前追趕。

須臾，龐士沖趕到了「毒火」成全那三個弟子身旁，突地冷冷說道：「你們何必跟著現世，還是在此地躺一躺吧！」

這三人也是人走江湖之輩，聞言之下，知道龐士沖遷怒到了自己兄弟身上，那姓褚的首先大喝一聲，縱身往一旁跳去。

只聽龐士沖「呸」的一聲，雙手齊施，眨眼之間，點了三人腰際的「太乙」穴，身形絲毫未見停頓。

這三人落下地面時，兩腿俱已動彈不得，眼睜睜地望住龐士沖的背影，徒自咒罵而已。

「毒火」成全正在咬牙硬撐，欲待谷寒香力竭，自動停下身來，忽然覺出身後，有衣襟帶風之聲傳來。

他掉頭一顧，不禁駭得雙腿發軟，張口大叫道：「谷盟主，龐老怪……」話未了，龐士沖業已嘿嘿大笑，電掣一般地撲到。

「毒火」成全驚魂出竅，雙手連揮，將藏在衣袖中的暗器傾囊擊出。

但見龐士沖大喝一聲，雙掌猛地一揮，劈出一陣倒海狂瀾般的勁力，直對「毒火」成全擊

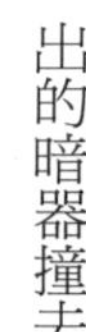

出的暗器撞去。

「毒火」成全內力已竭，暗器出手，頓時張口噴了一股紫血，接著慘叫一聲，雙手抱頭，猛地往路旁滾去。

原來「毒火」成全的暗器過於霸道，龐士沖與谷寒香二人，都對他存有幾分忌憚之心，兩人皆無制得住他的把握，因而龐士沖一掃平日那種大模大樣，竟然暗中蓄勢凝功，出其不意地猝然一擊，谷寒香雖已聽到他出聲求助，亦不急於回頭馳援。

「毒火」成全力盡筋疲，腕力已甚軟弱，龐士沖傾力一掌，頓時將他打出的「白燐箭」和「奪魂子母梭」悉數反震回來，銀芒藍焰爆閃中，一支「白燐箭」首先擦過右頰，將耳朵劃下了老大的一片，血肉模糊，痛徹心肺。

龐士沖存了先聲奪人，殺雞儆猴之心，不待「毒火」成全翻身站起，晃身向前，掄手又是一掌，直向「毒火」成全右肩擊下。

只聽「毒火」成全慘哼一聲，身子被擊落在地，噴了一口黑血，再也無力爬起。

龐士沖一掌擊過，掉頭又向「陰手一魔」追去，「陰手一魔」早成了驚弓之鳥，眼見龐士沖襲擊「毒火」成全，非但不轉身向後，反而加疾朝谷寒香奔去。

谷寒香早知要擺脫龐士沖絕非易事，這刻回身立定，靜待他追上前去，酆秋似是對龐士沖起了一種特別的憎恨，兩眼滿含怨毒，盯住龐士沖一瞬不瞬，陰沉之狀，較谷寒香更爲可怕。

「陰手一魔」連縱數步，跳近谷寒香身旁，掉首一顧，龐士沖亦已跟蹤追到，立在兩、三丈處。

他目凝神光，遙遙向仆地未起的「毒火」成全望了一眼，心中既驚又喜，說不出一股滋味，卻又恍惚感到自己掉進了一個泥淖，身子正在逐漸下沉。

忽聽谷寒香冷冷說道：「龐士沖，你還不動手，想要等待什麼？」

龐士沖雙眉一剔，道：「老夫想等你良知覺醒，自行悔悟，交還老夫的寶物。」

谷寒香冷笑道：「你口口聲聲咬定『問心子』係你所有，空口無憑，叫我如何相信？」

只見龐士沖的臉色，在瞬息之間，連連轉變，恨怒交閃，陰森至極。

半晌之後，他忽然沉聲一嘆，軟弱無力地道：「老夫連敗中原武林十餘高手，將『問心子』奪到手中，那是中原武林人盡皆知的事……」

谷寒香淡淡地道：「我只知『問心子』是我大哥的遺物，那也是千真萬確的事，想我谷寒香雖然不講情理，我大哥卻是頂天立地的英雄，他絕不會做出於心有愧的事。」

龐士沖仰首望天，默然片刻之後，突然嘆道：「這是老夫終生抱憾之事，唉！如果你當真不知『問心子』怎會落於胡柏齡手內，待到老夫臨死之時，再將其中的原委告訴於你。」

他語音一頓，重又目光一抬，望了望東方昇起的朝陽，悠悠地道：「也罷，老夫將那狗屁書生的遺珍，全部相贈給你，不過老夫要與你同道取寶……」

谷寒香秀眉微蹙，訝然道：「這又是為了什麼？」

龐士沖冷冷地道：「老夫為了那狗屁遺珍，浪費了半生時光，若不看它一眼，實是死難瞑目。」

忽聽「陰手一魔」道：「話是不錯，不過你的武功高出在場之人，倘若到時候出手掠奪，擇肥而噬，何人是你的對手？」

龐士沖冷眼望他一會兒，突然大喝道：「無恥小輩，你也妄想染指。」

縱身一躍，陡地一掌擊去。

一陣猛惡的掌風，排空生嘯，朝「陰手一魔」罩下。

谷寒香瞧這一掌，明明是蓄勢已久，始才發出，不禁芳心震怒，玉掌疾揚，直對龐士沖腰際遙遙推去。

酆秋似已漸與她的心意相通，她這面掌力未發出，酆秋業已劈空一掌，搶先擊了出去。

龐士沖身在半空，一瞧兩股凌厲的掌力向自己疾湧過來，凌空一挪身形，飄落於丈餘之外。只聽「蓬」的一聲，地面被龐士沖強猛絕倫的掌力，擊了一個半尺深的土坑，塵土飛揚沖天而起。

「陰手一魔」竄出了一丈開外，馬臉之上，一片驚悸，雙目之內，怒火熊熊。

谷寒香突然冷冷一陣長笑，道：「說來說去，原來你心存毒計，想將咱們逐個擊斃……」

龐士沖不待她將話講完，截口道：「咄！你也將自己瞧得太大了，憑你們這三塊料，老夫何用多費心機，逐個擊斃？哼哼！真是不知天高地厚。」

他微微一頓，突然又露出疲憊之色，道：「依你所料，那個名喚『三妙書生』的東西，可能遺下一些什麼？」

谷寒香暗暗忖道：「這老怪物怎麼弄的？瞧他時陰時晴，神思不寧，哪裡像一個身負絕世武功之人？」轉念之際，微微一哂，反口問道：「如果『三妙書生』遺下了畢生的武學結晶，

你將如何？」

龐士沖嘴唇一撇，夷然不屑地道：「武功練到老夫這等境界，當世之內，業已罕有敵手了，再練下去，又有什麼意思？而且老夫行將就木，豈會留下話柄，再學旁人的武功？」

谷寒香先是一怔！繼而恍然笑道：「這點我倒未曾想到，學了旁人的武功，便算別人門下的弟子，對你來說，那確是大不合算的事。」

她秀眉一軒，突然怒聲問道：「你笑什麼？」

龐士沖皺了皺眉，道：「老夫笑你原是天仙似的女子，可惜仇火蒙心，變得醜怪無比。」

他將手一擺，止住谷寒香發作，繼續道：「你只管放心，天下的英雄，絕不止胡柏齡一個，老夫說話算話，任何武學秘笈之類的東西，全部歸你所有。」

谷寒香狡黠的一笑，道：「若有什麼駐顏不老，袪病延年的靈丹妙藥……」

龐士沖連連擺手，道：「老夫活夠了，只想早日了卻一點恩怨，離開這混濁的塵世，便是吃了長生不老的仙丹，老夫也點滴不取。」

谷寒香聞言一楞！忽然轉面朝「陰手一魔」道：「我是半死之人，無時不急思解脫，真有什麼靈丹妙藥，統統都讓給你吧。」

說著探手懷中，摸出一個白玉小瓶，拔開瓶塞，傾出了一粒紅色的丹丸。

近日來，「陰手一魔」連遭困惱，武功機智，均爲谷寒香與龐士沖二人所制，磨得他雄心大減，銳氣全消，完全失了昔日沉穩凝重的氣概，這時一見谷寒香傾出一粒朱紅丹丸，玉容之上掛著幾絲詭譎的微笑，不禁退後一步，惑然問道：「谷盟主，這丹丸可是療傷袪毒用的？」

谷寒香目光陰冷，靜靜地望他片刻，道：「與虎爲伴，我實在放心不下，你若想我信任於你，須得立即將這丹丸吞下。」

「陰手一魔」連退兩步，道：「在下之心，可表天日，谷盟主何須相疑？」

谷寒香冷笑道：「人無害虎心，虎有傷人意，你久闖江湖，何必多說廢話，落人笑柄？」

「陰手一魔」目光一轉，掠了龐士沖一眼，道：「憑谷盟主與酆秋二人之力，似非龐士沖之敵，瞧眼下的形勢，合則兩利，分則彼此無益。」

谷寒香突然玉面一沉，雙目之內，殺機迸射，揮手道：「顧惜性命，何必貪心，你趕緊離開，下次在我眼前出現，我必傾全力取你的性命。」

「陰手一魔」見她講得斬釘截鐵，知道若不立即走開，難免招致殺身之禍，當下暗暗咒罵一聲，一言不發，扭頭如飛而去。

只見龐士沖嘿嘿笑道：「翻臉成仇，的確有趣得很。」

谷寒香漠然道：「你是否有點心寒？」

龐士沖哼了一聲，道：「老夫心寒什麼？不取你的性命，已經是天大的異數。」

谷寒香冷然一笑，道：「這粒丹丸，毒絕天下，服下之後，若不沾染血腥，可保百日的性命，不過一沾血腥，頓時便得毒發身死。」

龐士沖仰天一笑，道：「好東西，你快服下，老夫是絕對不敢領教的。」

谷寒香注目望他一眼，忽以指甲在丹丸上一劃，將丹丸割爲兩半，然後自行吞下一半，將另一半朝龐士沖擲了過去。

龐士沖接住半粒丹丸，不勝詫異地道：「你這丫頭，可算是天下最爲狡詐之人……」

谷寒香將手一擺，道：「依你之見，武當派的金陽老道武功如何？」

龐士沖雙眉一蹙，道：「那牛鼻子的『玄門太清真氣』已有二成火候，單打獨鬥，『迷蹤谷』內沒有他的敵手。」

谷寒香道：「群打合毆呢？」

龐士沖雙目一翻，道：「哼！『五行劍陣』豈是說著玩的。」

谷寒香慘然一笑，道：「既然如此，三妙遺珍，我是勢在必得了。」

說著目光一轉，朝遠處的「毒火」成全望了一眼，見他業已悄然躍起，往回路疾步奔去。

她冷冰冰地笑了一笑，收回目光，道：「我也不管你與我大哥之間，究竟有點什麼糾葛，你要動手，只管請便，要想同取三妙遺物，少不了先將這半粒藥丸吞下。」

龐士沖冷笑道：「解藥在你身上，這般一人吞下一半，豈不是可笑得很？」

谷寒香搖了搖頭，淡淡地道：「這丹丸原是佟公常所煉，只有單方，沒有解藥，我帶在身畔，本是準備自絕用的。」

龐士沖皺眉道：「你的詭計真多，倘若老夫吞下這半粒藥丸，你卻命這蠢材與老夫動手……」

谷寒香瞥了鄷秋一眼，哂然道：「其實此人並不愚蠢，他不過爲……」

她本想說爲自己的美色所迷，因而中計，忽然感到不妥，改口道：「碌碌眾生，敗在一個『貪』字的何計其數！你無貪念，我又何必害你？」

龐士沖聞言，目中微射精光，深深看了谷寒香幾眼，點頭說道：「你也並不愚蠢，可惜仇火蔽了靈智，因而失了是非善惡的觀念，倘若你將來身敗名裂，必然是敗在這不論敵友，不分親疏，不知好歹的缺點上面。」

谷寒香怒道：「人情鬼域，你且說說，你究竟是敵？抑或是友？」

龐士沖沉聲一哼，道：「不可理喻！」

說罷，將那半粒朱紅丹丸投入口內，吞了下去。

谷寒香目凝神光，盯在他的臉上，看出他確實已將藥丸吞下，方始含笑說道：「自今以後，你須以陰手傷人，別令血腥沾到身上，取到三妙遺物後，我立即將解毒單方告訴你。」

她語音一頓，探手入懷，取出貼肉佩在胸前絲囊，一面神情漠然地道：「除了武功圖籍在外，我一概不要，而且看過的拳經、劍訣，俱都交還給你。」

龐士沖對她的話豈能相信？冷笑一聲，語含譏誚地道：「原來你的心腸並不太壞，老夫倒是看錯你了？」

谷寒香秀目一張，幽幽地望他半晌，倏地螓首微搖，自言自語地道：「此中關鍵，你不知道，不過此時言講，也是於事無補。」

龐士沖或明或暗，窺伺在她身畔已近一年，自來所見，都是一個心腸剛硬，手腕似鐵，充滿了仇恨之念的女人，從未見過她像此時這般，愁緒隱隱，憂懷難釋的模樣，怔了一怔！不禁訝然問道：「老夫心內，也有一點討厭的關鍵，不能對你明講，你有何事求告老夫，何不一吐爲快，先說與老夫得知？」

谷寒香緩緩地拆開絲囊，取出那粒銀光燦爛，上面刻著一條八爪飛龍的「問心子」，仔細地反覆審視，口中緩緩地道：「我有一個養子，乃是我與大哥唯一的親人，我大哥在世之時，對他萬分的鍾愛……」

龐士沖自她取出「問心子」後，即已雙目精光迸射，朝四周環顧不已，聽到此處，陡地身子微微一顫，轉眼望住她道：「你說的可是翎兒？」

谷寒香突然心神一凜，冷聲道：「我身邊的事情，你好似頗為清楚？」

龐士沖見她一臉警惕之色，擺了擺手，道：「老夫何人，豈會傷害孺子？不過據我暗中觀察，你對那翎兒，似乎並無多大的情分。」

谷寒香微慍道：「你知道怎樣才叫情分？哼！誰若動了我那孩子一毫一髮，縱然天地翻轉，我也要將他挫骨揚灰，令他永世難為人身。」

龐士沖雙肩連聳，問道：「那翎兒尚在『迷蹤谷』內麼？」

谷寒香玉容之上，殺氣陡增，峻聲道：「你問這話是何用意？」

龐士沖怔了俄頃，道：「老夫順口問問，你不講也罷。」

目光一垂，朝她掌中的「問心子」望去。

谷寒香重又伸手懷中，取出那個破布小包，果見其中藏的，是那半截寒犀小刀。

她左手持「問心子」，右手持定「寒犀刀」，將刀口按於珠上，手指貫勁，將「問心子」徐徐一轉。

天材地寶，果是不同凡俗，但聽「嗤」的一聲微響，那「問心子」隨著她的手指轉動，頓時被齊中割開。

谷寒香目光到處，發覺「問心子」果然中空，而且其中藏了一團白綾似的物體，想是年日過久，那團白綾已經轉成了淡黃顏色。

她心頭怦怦跳動，偷眼向龐士沖一瞥，見他目光如兩道冷電向四處掃視，對於自己，反而視若無睹，於是匆匆收起「問心子」的外殼和「寒犀刀」，將那團陳舊的白綾攤了開來。

只見這塊白綾長寬不過五寸，非絲非帛，極爲細薄，不知何物織成？白綾上亦無字跡，僅以濃墨畫了一些山川木石，亭台樓榭的輪廓，著筆不多，極難辨認。

谷寒香乃是天資聰慧之人，她初初看去，只覺得不著邊際，再看下去，忽感到頗爲眼熟，繼續再看，卻是愈看愈爲心驚，愈看愈是駭然。

忽聽龐士沖冷聲道：「江湖之上，立即就要因此轟動，說不定尙要掀起一場滔天的風浪，時間寶貴，若有不識的字，還是請教老夫吧。」

谷寒香心頭有氣，玉腕一震，將那塊白綾擲了過去。

龐士沖伸手接住，雙目炯炯，低頭望去。

他才只看了一會兒工夫，立時脫口說道：「果然在『萬花宮』！可是老夫搜遍了那塊地方，偏又毫無所獲，難道那酸丁的遺物，已被佟公常捷足先登了不成？」

谷寒香何嘗未將「萬花宮」踏遍，只是搜索枯腸，也想不出尙有何等隱秘所在，未經自己發覺。

但聽龐士沖問道：「佟公常的武功，你是否都摸清了？」

谷寒香道：「摸清了又怎樣？」

龐士沖聽她語氣不善，不禁爲之一怔，重又向那白綾凝視幾眼，問道：「這草圖的形式，你可記全了？」

谷寒香冷冷地道：「記全了又怎樣？」

龐士沖微微一笑，將那白綾揉成一團，雙掌一合一搓，霎時變成了一片黃粉，灑落在地。

谷寒香暗暗忖道：「『毒火』成全、『陰手一魔』，以及范家莊的人，俱已知道『問心子』和『寒犀刀』，同時落入了自己手中，『毒火』成全和『陰手一魔』二人美夢成空，勢必將消息洩露出去，鼓動江湖，興風作浪，趁機圖漁人之利，夜長夢多，看來自己確實應該盡快地下手才對。」心意一決，立時對酆秋將手一揮，拔步往前奔去。

龐士沖暗暗皺了一皺眉頭，袍袖一拂，默然隨在酆秋的身後。

一路之上，誰也不開口講話，奔到日中時分，三人在汝南城中匆匆吃了酒飯，然後奔出東門，繼續趕路。

三人晝夜兼程，斜貫皖省，不消多日，由豫南趕到了浙東，抵達天台山下。

才入山內，半空中忽然響起一聲刺耳怪唳，一隻鐵翅大鳥劃空而過，霍地又折翼轉回，在空中打了兩個盤旋，突然怪叫一聲，鐵翅一斂，俯衝而下。

只見谷寒香左臂一抬，喝口低噓一聲，那怪鳥似是頗爲歡暢，半空中接連幾個翻滾，倏地瀉落在她的玉臂之上，左顧右盼，嘎嘎亂叫。

谷寒香玉手一伸，撫了撫怪鳥身上的羽毛，含笑道：「你倒是優遊自在，可知你的主人，度日如年麼？」

龐士沖見她與一隻怪鳥談話，不禁啞然失笑道：「好醜的鳥兒……」

那怪鳥似是深通人言，長唳一聲，雙翼微搧，猛向龐士沖撲去。

谷寒香玉掌一翻，倏地抓住怪鳥的兩條鋼爪，冷冷說道：「鳥兒雖醜，對主人卻忠心耿耿，勝似那批陽奉陰違，各懷私心的小人。」

龐士沖聽她忽然以鳥喻人，微微一怔，道：「你憤世嫉俗，在你的心目之內，世間業已沒有好人。」

谷寒香冷冷一哼，震腕一送，喝道：「通知包九峰，說我回山來了。」

那怪鳥騰起半空，盤旋數匝，果然向山中飛去，口中嘎嘎長鳴，空谷回聲四起。

她自與胡柏齡結褵後，流轉江湖，居無定所，計算起來，倒以在「萬花宮」成了她的家業，如今小別數月，重返家園，由於幾月來出生入死，迭經風浪，這時重臨故居，不禁興起一種遊子還鄉之感。

三人加疾腳步，折入一叢參天蔽日的樹林，一陣疾奔，穿過一段長約五、六里路，濃蔭密佈的樹林。

廿八　怪地風暴

樹林盡頭，一彎山溪，繞山潺潺流出，再行幾條山道，忽然眼前一亮，山道盡處，一片廣坪，廣坪西方，矗立著十座高達四丈的紫石牌坊，石坊樓頂「天台仙境」四個隸體大字。

那鬚髮如銀，名叫包九峰的駝啞老人，早已得了怪鳥傳信，率領著兩個青衣婢女，恭立在石坊之下迎候，一見谷寒香馳近，齊齊躬身行禮。

谷寒香才到近處，石坊兩旁的樹枝上面，立時「索索」一陣乾響，數百隻紅色小鳥，激飛而起，滿空翔舞，同時遠處的兩道峭壁之後，也響起了百獸齊鳴之聲。

忽聽龐士沖冷冷道：「有福不享，一心造劫，老天爺若有眼，也不會容你有好的下場！」

谷寒香聞言之下，不禁怒氣陡生，冷冷說道：「如今到了地頭，你須小心在意，防我取你的性命。」

龐士沖一哼，昂首望天，道：「你也不可大意，或許老夫臨時變計，突然劫寶殺人。」

這一路之上，兩人不知鬧過多少彆扭，勾心鬥角，爾虞我詐，間或還鬥上幾招。

龐士沖似乎存心找事，抓住機會，必要撩撥谷寒香一陣，言詞之間，常常暗諷她喪心病狂，但知仇恨，不明仁恕之道，谷寒香空自氣惱，亦將他無可如何。

適在此時，又是一陣鬱雷的吼聲，傳入了眾人耳際，接著遠處的峭壁之後，突然奔出四頭身高逾丈的猩猩，兩旁峙立的峭壁峰頂，每隔一段，現出一頭金毛巨獅，居高臨下，群同此處俯瞰下視。

谷寒香看酆秋雙眼之內，充滿了敵意，十指箕張，微微上揚，似在暗暗凝聚功力，不覺面容微弛，柔聲說道：「這些猛獸已經由我飼養馴服，不會侵犯我的。」

說話中，那四頭大黑猩猩，業已風馳電掣地奔到近處，在谷寒香身前歡呼跳躍，鬧嚷不休，雖是醜態百出，喜悅之情，卻表露無遺。

谷寒香目含笑意，凝注四頭猩猩一眼，心中暗暗忖道：「終老此鄉，雖與草木同朽，倒也逍遙自在，可惜大哥已死，這等桃源避世的日子，此生是與我無緣了。」轉念之下，不禁感慨叢生，暗暗地浩嘆一聲。

忽聽龐士沖冷冷說道：「如果老夫所料不差，『毒火』成全與『陰手一魔』兩個賊胚，必然會邀集一批狐群狗黨，趕來此間生事。」

谷寒香亦早已顧慮到此，當下朝四頭猩猩低嘯一聲，那四頭龐然大物頓時閉口低目，仆俯在地。她沉吟一陣，忽向包九峰道：「督促各處的鷙禽猛獸，加強防務，任何人擅闖禁宮，一律格殺勿論，來敵可能人多勢眾，武功高強，謹記先下手爲強，不必擇什麼手段。」

包九峰聞言一怔，道：「少林、武當兩派的人，要侵犯『萬花宮』麼？」

谷寒香秀眉一蹙，說道：「是一個叫做『陰手一魔』的……」

忽聽龐士沖冷冷說道：「別忘了還有一個『毒火』成全，那傢伙的『驚天魔火彈』非人力可敵，燒光了你這『萬花宮』，你可是喊天也不應。」

谷寒香哂然道：「我以為你已一掌將他擊死，原來他依然無恙，如此看來，他的武功倒不遜於暗器了。」

龐士沖冷哼一聲，道：「你以為老夫的功力不濟，一掌打他不死麼？嘿嘿！老夫是特為將他留下，用以對付你的。」

谷寒香目挾霜刃，陰沉沉地朝他凝視半晌，轉向包九峰道：「這『陰手一魔』和『毒火』成全兩人，都是無惡不作，凶名久著之輩，他們邀集的人，也不會有善良之輩，你只管放手去幹，絕不會錯殺一個好人。」

包九峰躬身道：「只要不是正人君子，我就可以放心了。」

忽見龐士沖仰首一笑，道：「原來『萬花宮』尚有好人，這倒是出於老夫意料了？」

谷寒香怒氣陡生，張口一聲急嘯，玉掌一揚，倏地擊了過去。

龐士沖哪曾將她放在眼中？大袖一揮，擊出一股潛力暗勁，反襲過去。

突地，一陣震耳的咆哮，發自四頭大黑猩猩的口中，聲如悶雷，震得人耳膜生痛。只見那四頭大黑猩猩急躍而起，紛紛向龐士沖撲了過去，爭先恐後，猛惡絕倫，火紅的眼睛一開一合，塌鼻直搧，發出絲絲嗤聲，血盆大口之內，露出森森白牙，猙獰萬狀，威勢懾人。

龐士沖似是識得這四頭畜牲的厲害，但見他哈哈一陣長笑，飛身一縱，霍地激射出數丈開外，倏落倏起，直向「萬花宮」內馳去。

谷寒香暗暗氣惱，匆匆急追過去，這「萬花宮」坐落二十餘里，由紫石牌坊望上去，尚要

翻山越嶺，通過幾處峰巒連雲，群山環抱的隘道，和繞山而流的溪澗，中間尚有長逾二十丈的石樑，濃蔭蔽日的密林，險阻重重，不一而足。

一路之上，隨處都有奇禽猛獸，這批禽獸都是久經飼養訓練，見有生人，頓時群起攻襲，詎奈龐士沖的身法太快，略現即逝，眨眼馳出甚遠，任何鳥獸蟲蛇皆難追及。

此時滿宮鳥鳴，遍山獸吼，龐士沖在前，谷寒香與酆秋在後，三人流星趕月一般，直往宮內疾馳。

龐士沖在「萬花宮」內窺探甚久，輕車熟路，對其間的部置瞭若指掌，但見他左拐右折，毫不停頓，片刻之間，奔近了宮牆之外。

此處奇香醉人，一望無際的浩瀚花海，萬花密植中，露出一條白石小徑，小徑盡頭，矗立著朱柱碧瓦，紅欄粉牆，美輪美奐的宮殿。

龐士沖奔到此處，倏地駐足不前，轉面一望谷寒香，漠然道：「急不如快，早點勘察地方吧。」

谷寒香冷哼一聲，越身上前，當先奔去。一段橫路，一道石橋，石橋之後，並排立著八個身軀異常高大的大漢。這八個形體驚人的大漢，每人手中，執定一桿一丈三、四的長矛，矛尖之上，發出一片紫藍湛湛的光芒。

谷寒香才一現身，八人已齊齊拜仆下去，只是八人口中，俱無絲毫聲息。

她玉手揮了一揮，嬌軀微晃，轉往左側一條小徑奔去，順著宮牆奔了一段，接著轉而向

右，發足疾馳。繞來繞去，終於繞至一處花如繁星，流泉似瀑的所在，谷寒香停下身來，目凝神光，朝四處打量不止。

龐士沖雙目之內，倏地精芒逼射，環顧四周一眼，自語道：「果然不錯，那圖中所指的正是這個地方。」說罷分花拂柳，往一旁的山石處走了過去。

谷寒香暗暗忖道：「『萬花宮』一草一木的布設，都是匠心獨俱，格調極高，若非胸有丘壑之人，絕難有這等手筆。」

她轉念之下，愈信這「萬花宮」必然與「三妙書生」有所關連，對於發掘遺珍的信心，亦愈為堅定。此處靠「萬花宮」的後方，一面是高約八、九丈的石壁，一面通往宮殿，其餘則是奇花異卉，淺水短橋，和一座修整得煥然一新的八角涼亭。

谷寒香心中暗忖道：「高人奇士的遺珍，想來總不至於埋藏於土內，瞧這四周的形勢，關鍵定然在那石壁之上。」

忽聽龐士沖冷誚的聲音傳了過來，道：「谷寒香，你就不怕老夫先找到了寶物麼？」

谷寒香分開花木，朝石壁下走了過去，口中冷冰冰地道：「此處經常有人整理，哪裡容易尋得到寶物？只怕早已被人拾走了。」

只聽龐士沖「哼」了一聲，道：「你若不信，何不過來瞧瞧？」

谷寒香循聲走了過去，只見龐士沖立在石壁之前，雙手抓住壁上密茂的藤蘿，目光熠熠，盯住一個小小的洞穴發怔。這個穴寬廣不足五尺，其深才只四尺不到，一目了然，毫無起眼之處，唯一有異的地方，乃是洞穴乾燥異常，既無雜草蔓生，亦無半點蟲蟻之跡。

只聽龐士沖冷聲道：「你張開眼睛，瞧瞧這洞內有何異狀？」

這兩人愈來愈不客氣，言語之間，大有水火難容的樣子，谷寒香妙目凝光，向小洞仔細瞧了半晌，委實瞧不出有何異狀，口頭上又不願意示弱，於是岔開話題，冷笑道：「看你對此處這般熟悉，倒似早就疑心三妙遺物藏在『萬花宮』了。」

龐士沖亦報以冷笑，道：「天下的靈山勝景，哪一處未經老夫踩探？哼哼！偌大一片『萬花宮』，武林之內，卻無人知道其興建之人，這豈非大爲可疑之事？」

他說到此處，忽將左手大袖一揮，朝那小洞之內輕輕拂去。

只聽「啵」的一聲輕響，一陣柔和的潛力暗勁，由龐士沖大袖之上湧出，向洞穴中的地面拂過，撞擊在洞壁之上，直激得塵土飛揚，滿洞迴盪不已。

忽聽龐士沖低喝道：「閃開一步！」身子一側，大袖隨手往回一收，那滿洞迴旋飛舞的塵土，倏地匯成一道濛濛灰流，直往洞外射出。

谷寒香閃開半步，心中暗暗忖道：「飛袖的功夫練得這等深厚精純，也算是登峰造極，無可再進了。」思忖中，目光流動，瞥了悄然立在一旁的酆秋一眼，美眸一轉，重又移往龐士沖身上。

龐士沖似乎洞察她的心意，嘿然一笑，道：「如果老夫猜得不錯，你大概覺得三妙酸丁的遺物，尚在虛無縹緲之間，與其捨近求遠，莫如設法以藥物制住老夫，有了老夫這個殺人工具，你爲夫報仇之事，也就易如反掌了？」

谷寒香確曾有過這想法，此時被他當面揭破，依然面不紅、氣不喘，聲色不動，僅只陰沉

沉地盯他一眼，轉臉向那小洞中望去。

她目光才落洞內，頓時玉容蒼白，櫻口一張，幾乎驚叫出聲。

原來經過龐士沖所發內家真力拂過之後，這小洞之中，忽然現出兩樁異事，一是石壁之上，赫然現出一個指力刻劃的人像，這人像著筆不多，輕描淡寫，刻劃出一個文士裝束之人，此人左手藏於背後，右手微抬，食、中二指，指定自己的心田，意態如生，栩栩欲活。

另外一樁異事，則是人像前的石地之上，有幾塊圓潤異常的凹痕，大小不一，深淺不同，一眼望去，恰似一人面壁盤膝而坐，雙腿坐出的痕跡。

谷寒香驚詫欲絕，身形一弓，一頭鑽入了洞內，細瞧那人像的筆劃，正如以金剛指力之類的功夫，在石壁上信手劃成。

只聽龐士沖冷聲說道：「谷寒香，你且出來，待老夫揭掉這座山頭，瞧瞧那酸丁究竟遺下了一些什麼？」

谷寒香目光流眸，暗暗向四壁察視一眼，但見洞穴內天衣無縫，無絲毫罅隙，於是退出洞外，一顧龐士沖道：「『萬花宮』的主人在此，你若自信氣力充足，儘管將這座石壁剷平。」

龐士沖怒聲道：「這個自然，反正你是要死的人，身外之物，惋惜它作甚？」說罷跨上一步，舉掌一揮，霍地向洞中隔空擊去。蓬然一聲暴震，碎石狂飛，齊往洞外激射。

龐士沖橫閃一步，避過洞口激射出的石塊，接著左足一邁，一掌向小洞的右壁擊去，跟著閃向右旁，一掌擊向小洞的左壁。「蓬蓬蓬」之聲，震得人耳膜生痛，碗大的石塊，在洞中互相撞擊，有的隨著澎湃的狂飆往洞外激出，猛惡之勢，彷彿天崩地裂。

谷寒香站在一側，眼看龐士沖面含怒色，一掌接連一掌地擊出，生似擊向一個誓不兩立的敵人，細一尋思，似有所悟，於是揚聲問道：「龐士沖，你恨『三妙書生』麼？」

龐士沖收掌退後，轉臉一望谷寒香，怒道：「老夫與那酸丁素昧平生，風馬牛不相及，我恨他幹什麼？」

谷寒香冷笑一聲，道：「違心之論，你雖與他從未謀面，但是他的名頭蓋過你，瞧他以指力在壁上留像，石壁外表不現異狀的功夫，其武學造詣，顯然高出你十倍不止……」

龐士沖雙目暴睜，眼中稜芒四射，右手一揚，要待一掌擊來。

酆秋悄然站在一旁，睹狀之下，倏地縱上一步，立於谷寒香身畔，雙掌齊胸，蓄勢待發。這等情況，路上曾經發生過多次，龐士沖知道谷寒香與酆秋聯手對付自己，自己頗難佔到便宜，於是掌力一散，冷聲說道：「武學之道，了無止境，而且修爲有別，成就不一，你說那酸丁在石上留像，外表不著痕跡，其實那是你瞎了眼睛……」

谷寒香獰聲道：「你若不想早死，最好是口頭謹慎。」

龐士沖雙眼一翻，道：「你說那酸丁留像未著痕跡，老夫又是如何發現的？哼哼！不是你有眼無珠，又是什麼？」

谷寒香無辭以對，只得報以一陣冷笑，轉眼再向洞中望去。只見石洞四壁，被龐士沖劈空三掌，震得斑斑駁駁，瘡痍滿目，無一尺完整之處，不過，這小洞顯然到此爲止，並無夾壁內洞等。

忽聽龐士沖道：「谷寒香，那酸丁的遺物，你還想不想要？」

谷寒香望了望壁上殘缺不全的人像，冷哂道：「你別管我的事，先問問你自己，是否還要見識人家的遺跡？」

龐士沖沉吟了一陣，道：「不瞧瞧那窮酸的本領，老夫食不甘味，睡不安枕……」

谷寒香冷笑一聲，接口道：「你死也不能瞑目！」

龐士沖突然狂笑一聲，道：「不親眼看到你惡貫滿盈的悲慘下場，老夫豈會輕易死去？」

他語音一頓，接道：「老夫敢以項上人頭打賭，三妙酸丁的遺物，就在此山的山腹之內，只是一時之間，難以找出其開啓的門戶。」

谷寒香淡淡地道：「你不是要揭掉這座石壁麼？怎地又不動手了？」

龐士沖目射寒光，凝注谷寒香道：「老夫忽然想到，讓你坐享其成，未免太不划算，倘若你趁著老夫力竭筋疲之際，猝下毒手，與那呆子合力謀害老夫，那更是大爲不值。」

谷寒香「嘿嘿」一笑，道：「你倒是步步爲營，絲毫也不大意。」

龐士沖道：「似你這等心狠手辣，絕情寡義之人，老夫豈能不加意提防？」

谷寒香目光一冷，陰沉沉地看他一眼，默然無語。

三人站在石洞之外，忽然同時沉默起來，酆秋懵懂無知，根本不知講話，谷寒香與龐士沖則在各絞腦汁，齊搜枯腸，籌思探索三妙遺物的方法，另外尙有兩名青衣侍婢，站立在花叢之外，聽候谷寒香的使喚。

片刻之後，龐士沖突然打破沉寂，用手一指酆秋，朝谷寒香道：「你命那個呆子向洞中擊上一掌試試，老夫仔細聽聽回音，即知這石壁是否中空？」

谷寒香已將這四周的地勢仔細想過，如果山腹中別有天地，其門戶理該設置在這面石壁之上，此時無法可施，只得向酆秋以手示意，命他凝聚功力，以劈空掌力向洞中擊去。

酆秋長日守在谷寒香身側，對她的心意和手式，業已頗爲熟悉，這時微微一頓，立即功貫右掌，揮手向洞中擊去。他這凝勁一掌，其勁力之沉雄，較之龐士沖並不多遜，只聽一聲轟然回響，碎石狂飛，擊在洞壁之上，轉而由洞口迸射出來，沉悶的回音，由洞中一陣接一陣地湧出。

龐士沖兩眼微合，雙眉深聚，似在凝神傾聽洞口傳出的回音，谷寒香雖然也在細辨那「嗡嗡」震響的餘音，卻絲毫覺不出有什麼特異之處。

酆秋一掌擊過以後，見谷寒香未做表示，莫名其妙之下，雙掌齊胸推出，擊出一陣排山倒海的掌力，二度向洞中擊去。

這一擊他竭盡了全力，強猛的掌勁，將洞壁震得碎石如雨，紛紛反激而出，巨響之聲，直傳「萬花宮」外，餘音搖曳，久久不絕，那滿地繁花，亦爲之無風自顫，震動不休。

谷寒香暗暗忖道：「這一掌當真有震山撼嶽之威，想不到服用過『向心露』的人，武功會如此地突飛猛進？」思忖中，見酆秋雙手在胸前劃了一個圓圈，再度朝前推出，急忙飄身上前，伸手將他攔住。

只聽龐士沖鼻孔中一哼，冷冷說道：「原來你的心腸軟弱，知道顧惜手下人的氣力。」

谷寒香陰陰一笑，道：「強敵在側，我也不能不爲自身打算。」

龐士沖瞋目望她一眼，身形一晃，再次鑽入了洞內。

這洞穴空間不大，雖經龐士沖和酆秋一連數掌，將洞壁震碎了尺厚的一層，卻也不過六尺方圓，谷寒香見龐士沖業已鑽了進去，於是就立在洞口，縱目向洞壁上察看。

但見龐士沖伸出右掌，在洞壁上徐徐地拍著，敲得那洞壁啵啵作響，乍看之下，似在悠悠搖晃。

谷寒香瞧了一會兒，心中尋思道：「如果這洞壁上有門戶，豈能一絲裂縫俱無？至低限度，也該多少留有痕跡。」轉念之下，不禁冷笑說道：「我看你不用枉費心力了，那圖案所示的地點雖在此處，門戶卻不一定就是此洞。」

龐士沖飄身退出洞外，雙眉一軒，怨聲道：「無知小輩，依你之見，門戶又在何處呢？」

谷寒香玉面一沉，道：「我若找著了門戶，你就別想活了。」

龐士沖看她雙目之內，殺機閃閃，不由仰天一陣狂笑，道：「你未曾找到門戶之前，遲遲不願下手，可是擔心害死了老夫之後，獨自一人，會感到徬徨無主，不知如何著手？」

只見谷寒香秀目一睜，眼中迸射出兩道凌厲的冷燄，道：「找得著『三妙書生』的遺物，必可使武功大為增進，那時有你、無你皆可，找不到三妙遺物，我要留你有用，這等說法，你該可以明白了？」

龐士沖哈哈一聲狂笑，厲聲道：「谷寒香，老夫與你打個賭，包你找著那狗屁書生的東西，你敢是不敢？」

谷寒香秀眉一揚，道：「如何賭法？」

龐士沖伸手向洞口一指，道：「你進入那個洞內，依照地上遺留的印痕坐好，十日之內，

定能發覺那狗屁書生擺布的機關……」

谷寒香冷笑道：「你想我不飲不食，坐上十日十夜？」

龐士沖淡淡地道：「那有何不可？倘若十日之內，你查不出關鍵所在，毋須你親自動手，老夫自飲『向心露』，終生替你為奴。」

谷寒香芳心一動，目射奇光，朝他臉上望去。

龐士沖怨聲道：「你看老夫作甚？龐士沖是何等樣人，難道會言而無信不成？」

谷寒香微微一哂，道：「你就看得這般準麼？」

龐士沖厲喝道：「你囉嗦什麼？願賭則賭，不願則罷。」

谷寒香心中暗暗忖道：「這老怪物定必發現什麼端倪，又不願低首下心，向那『三妙書生』低頭。」轉念之際，不覺移目向洞中望了過去。

只聽龐士沖說道：「那地上的凹痕，即是一個蒲團，你依樣坐好，萬一餓得難以忍受，也可隨時進些飲食，只是十日之內，不可起身出洞。」

谷寒香忍不住微微一笑，道：「我實在想不出其中的奧妙？」

她沉思了一陣，問道：「如果是你贏了，十日之內，發現出探取遺物的門道，那又怎麼樣？」

龐士沖冷然說道：「老夫對你一無所求，倘若十日內找出了門道，遺物依然歸你，老夫只要你聽幾句逆耳忠言，至於是否依言行事，也全憑你自己抉擇。」

谷寒香聞言之後，心頭暗暗轉念道：「那『三妙書生』必是一個才智超群之人，他所安

排的後事，必然顧慮周詳，萬無一失，若不依照他原定的步驟去做，多半會心勞日絀，空忙一頓。」她想到此處，抬眼再向龐士沖一望，私忖道：「此人的聰明智慧，看來也在自己之上，想他爲了一粒『問心子』奔波一世，對於『三妙書生』的事，諒必也思慮得極爲詳盡了。」

正當她左思右想，委決難下之際，她的腦海之內，突然現出胡柏齡英偉的身影，接著是他那威武爽朗的面龐，跟著那面龐神情一變，現出滿臉痛苦的表情。

龐士沖看她臉色陰晴不定，變幻不已，不知她在想些什麼？忍了片刻，終於大聲道：「谷寒香，你是擔心老夫設計暗算你麼？」

谷寒香聞言一怔！定了定神，反問道：「你急於想瞧『三妙書生』的遺物麼？」

龐士沖怒聲道：「不會比你更急！」

谷寒香淡然一笑，玉手一揚，向花叢外的兩名侍婢招了一招。

那兩名青衣侍女一見召喚，頓時身形疾閃，眨眼之下，穿過緊密的花叢，趕到了谷寒香身前。

谷寒香看兩人的輕功都大有進展，玉面之上，不禁略露喜色，說道：「此間的事，爾等諒必聽出了一點眉目……」

那兩個青衣侍婢齊齊惶聲道：「婢子等未曾聽到。」

谷寒香玉手一擺，道：「反正事關重大，你二人輪流在此守候，我要進入那洞中面壁，可能十日後始才出洞，速告知包九峰，無論生熟，任何人不許入宮。」

那兩個青衣侍婢恭諾一聲，立即分了一人轉身奔去。

谷寒香冷冰冰地轉望龐士沖一眼，道：「別忘了你身中奇毒未解，死了我谷寒香，你也活不了多久的時間。」

龐士沖沉聲一哼，道：「你不必恐嚇老夫，生死之事，老夫自有打算。」

谷寒香頷首一笑，轉朝酆秋做了一個手勢，命他守護在洞口，然後身形微俯，一頭鑽入了洞內。

她長袖微拂，將地面的砂石、塵土掃出洞外，然後依照地上的印痕坐下。這坐姿與她本來打坐的姿式略有不同，但也沒有什麼奇特之處，她依樣坐下，眼望石壁上殘缺得難以辨識的指痕，想像著那文士裝束的人像。

她並不相信，如此呆坐上十日十夜，即可發現「三妙書生」的遺珍，她甚至懷疑，那文士裝束之人，是否即是武林傳言中的奇人？她之所以毅然坐了下來，只是爲了與龐士沖打賭，她暗暗決定，只待十日期滿，逼著龐士沖服下「向心露」，然後再收伏「陰手一魔」和「毒火」成全等人，只待羽翼一豐，實力一足，立即大舉掃蕩武當、少林，將兩派的首要人物劍劍誅絕，然後……

開始時，她思潮起伏，但她畢竟是身負上乘內功之人，想了一會兒，終於摒絕雜念，冥心內視，暗暗練起功來。

「萬花宮」內，突然寂靜下來，包九峰趕來探望過一次，但見谷寒香在洞內面壁，黑罩蒙面的酆秋盤腿坐在洞口，白髮蕭蕭的龐士沖閉目坐在花叢之外，只有那青衣女婢的眼睛是張開

的，他不知眾人在鬧什麼玄虛？但他知道事態嚴重，因而悄悄朝那青衣女婢吩咐幾句後，立即趕往前宮去了。

轉眼間，一切沉寂下來，鳥獸的鳴聲也沒有了，似乎整個「萬花宮」內，再無一樣生物。

紅日西沉之後，上弦月由東方昇起……

月墜西沉，旭日再從東方露出……

日復一日，時間緩緩地過去，第三日中午，谷寒香開始煩躁起來。

那青衣小婢每日按時送來三人的飲食，龐士沖與酆秋餓了就吃，偶爾也起身活動一會兒，只有谷寒香一人，她一逕坐在洞內，雙腿從未移動過一次。

不知爲了什麼？她轉而瞧了瞧身畔食物，芳心之內，總覺得有一件事情未了，懶得去動飯食。

此時，她躁渴難耐，亟欲一躍而起，但她強行忍住，她知只要自己離地站起，這三日夜的工夫便白費了。

一種堅韌無比的毅力，令她閉目枯坐，絲毫不去動彈，偶爾張一張眼，壁上除了斑痕累累外，其餘什麼也沒有。

驀地，她瞿然一驚！心中暗暗忖道：「龐士沖莫非在使弄詭計？倘若自己餓得筋疲力竭，酆秋一人豈是他的敵手？如果自己走火入魔，那更成了俎上之肉，任他宰割了。」轉念之下，不覺心意一變，隨手取過一點食物吞入腹內，然後澄清神智，重又閉目運起功來。

如此又過了兩日，待到第五日深夜，「萬花宮」外，突地火光沖天，跟著鳥鳴獸吼之聲，響徹霄漢，偶爾夾雜幾聲武林高手所發的急嘯之聲。

谷寒香星目一睜，瞧瞧洞壁上反映出的火光，聽那悶雷似的野獸咆哮之聲，一陣緊似一陣，於是出聲喚道：「青萍，過來。」

那名叫青萍的侍女正自舉措難定，聞得傳喚，急忙飄身進入洞內，躬身道：「夫人有何吩咐？」

忽聽龐士沖冷冷地道：「來者必是『毒火』成全等人，不過包九峰尚未來報，想必情勢尚不嚴重。」

谷寒香自從矢志為夫報仇以後，即養成了一副不知畏懼的性情，似是在她的芳心深處，感覺到夫仇難報，但又不得不盡力而為，因而若能在報仇的過程當中，不由自主地死去，則是一個最好的結局。

因之她毫不考慮，即向那青萍道：「你去傳話給包九峰，無論來犯的是何等樣人，統統不要攔截，領到此地見我，不過放進不放出，若無我的吩咐，任何向外闖的，一律格殺勿論。」

那青萍恭諾一聲，立即轉身馳去。

龐士沖立在花叢之外，將她的話聽得一清二楚，忍不住沉聲一哼，道：「老夫見過的亡命之徒不少，但如你這般不計利害、不管成敗的，卻是絕無僅有。」

谷寒香冷笑一聲，懶得逞口舌之利，只將全身功力凝注雙耳，向「萬花宮」的宮門外聽

去。

片刻之後，鳥鳴獸吼之聲倏地靜止，接著兩聲懾人心魄的尖嘯劃過長空，直對此處飛射而來。

這兩聲尖嘯來得好快，晃眼之間，聲到人到，只見當先落地的一人骨瘦如柴，全身黑衣，但卻生了兩條白眉，隨後一人身著土色長衫，臉色蠟黃，有如死了數月的人，從棺材中拖出來的一般，眉宇神情間，滿布陰森之氣。

這兩人身已落地，那嘯聲的餘音尚在空中搖曳，遠山皆應，頗有天搖地動之勢，連天上殘星，也似悠悠晃動，搖搖欲墜。

兩人落地未久，半空中勁風震耳，那隻碩大無朋的怪鳥突然疾掠而下，在花叢上霍地一個盤旋，瀉落於那小洞上方的崖壁之上，雙睛電射，朝先到的二人顧盼不已。

那全身黑衣、骨瘦如柴的白眉老者，與那身著土色長衫、臉色蠟黃的老人，二人落地之後，一眼看清花叢邊的龐士沖和酆秋，不禁相視一陣狂笑，哈哈之聲，震得萬花齊顫，枝葉簌簌搖落。

笑聲未歇，颼颼之聲連響，「陰手一魔」與「毒火」成全當先躍到，接著包九峰率領兩隊奇形怪狀的人，風馳電掣而來。

只見左邊一隊十人，身披紅色披風，右邊十人，身披綠色披風，這兩隊人，俱都面白如紙，長髮披散，直垂腰際，每人左手執著一面小小的皮鼓，空著右手，最怪是每人的腰肢之上，都各生出一隻手，這隻手上，拏著一只銅鈴，不過銅鈴、皮鼓，未發絲毫聲響。

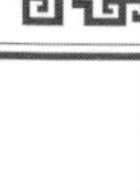

這二十個三手怪人，俱是「萬花宮」的舊主人佟公常所遺，谷寒香接掌門戶後，因無力恢復其形體，因而任其留在宮內，既未遣散，亦未帶下山去。

這兩隊怪人奔到花叢之外，包九峰舉手一揮，口中發出「吱吱絲絲」的一聲輕響，兩隊怪人頓時一左一右，奔到谷寒香面壁的那座小洞兩旁站定，目光齊注著「陰手一魔」等四人，口中齊發一種含混不清的輕呼之聲。

忽聽龐士沖冷冷一笑，道：「你們兩個老廢物，昔日倖逃一死，如今再度出來現世，大概是練成了幾手絕藝吧？」

原來那全身黑衣、骨瘦如柴的白眉老者，乃是「鬼老」水寒，那身著土色長衫、臉色蠟黃的老人，乃是「人魔」伍獨，這兩人昔日爲了爭奪「問心子」，都與龐士沖交過手，後爲龐士沖所敗，兩人一氣之下，遠離中原，埋首北極冰天雪地之中，精研寒陰神功二、三十年。

仇人見面，分外眼紅，「鬼老」水寒陰沉沉低笑半晌，道：「龐老兒，今日天假其便，你我間的千筆賬做一筆。」

他語音微頓，傲然道：「念你找尋『寒犀刀』不無微勞，我兄弟論功行賞，給你佔一點便宜就是。」

龐士沖雙目一翻，仰望當頭幾顆殘星，慢吞吞地道：「怎麼？你兩個老廢物要伸出脖子，讓老夫砍下你們的腦袋當洩氣麼？」

「鬼老」水寒白眉怒聳，獰聲道：「老兒莫圖嘴皮子痛快，我兄弟站在此處，任你揀上一個，勝得了我兄弟的寒陰神功，今夜就放你一條生路。」

龐士沖冷冷說道：「你們這兩個廢物，說話等於放屁，依老夫之見，還是乾乾脆脆，你們兩人一起上，老夫也好久未曾打個痛快的了。」

「鬼老」水寒削瘦的臉上，閃掠過一抹殺機，大袖一拂，飄身飛上花叢之上，道：「老匹夫上來，取不了老兒的性命，管他娘的三妙遺珍，水寒也懶得要了。」

忽聽「人魔」伍獨道：「水兄也太性急了，連本帶利，包在兄弟身上如何？」他兩道青冷的目光，轉投到龐士沖臉上，道：「龐老兒，你先將谷寒香那女娃叫出來，姓伍的有話問她。」

龐士沖聞言之下，心中暗暗忖道：「那山腹明明中空，老夫激那丫頭枯坐十日，原望她靜極生慧，找出山腹開啓的門戶，誰知她心浮氣躁，根本體察不出老夫的用意。」轉念之下，不禁暗暗一嘆！掉頭向那洞中叫道：「谷寒香，老夫昔日的手下敗將『鬼老』水寒和『人魔』伍獨兩個廢物，請你出洞答話。」

谷寒香面對石壁，看不到眾人的形貌，不過由三人對答之間，業已聽出是水寒和伍獨兩人，這時依然端坐不動，揚聲問道：「龐士沖，咱們的賭約還算不算？」

龐士沖怒聲道：「你要算就算，不算拉倒。」

「毒火」成全向洞口凝注一眼，突然雙掌一合，向外一分，縱聲道：「谷寒香，什麼賭約？相好的到齊了，你藏頭露尾，難道是怕羞不成？」說話中，一陣勁風應手而出，將花叢吹得齊中分開，朝兩旁仆偃，露出了那個石洞。

「毒火」成全等四人，無不身負上乘內功，每人的目力都大異尋常，就這一眼之下，俱已

將石洞中的景況，看得巨細無遺。

谷寒香雖是背著身子，但從花葉拂動的聲音，亦能得知「毒火」成全的舉動。耳聽他口出汙穢之言，芳心之內，震怒萬分，不禁雙手一按地面，由洞口倒射而出。

她身形一現，「毒火」成全等人反而默然無語，十餘道目光齊皆落在她的身上，似是全都等待她最先開口講話。

倏地，一陣疾促的衣襟飄風之聲響起，酆秋和那兩隊三手怪人，齊齊移步，擁立到她的身側。

龐士沖目射神光，朝她凝注半晌，肅然的臉上，微微泛現出一縷憐憫之色，道：「你枯坐五日，神情倒不萎頓，看來那酸丁的打坐姿式，另有一種奧妙。」

谷寒香冷冷地道：「咱們的賭約只得作罷了。」

目光一轉，落在「鬼老」水寒與「人魔」伍獨身上，說道：「兩位怎樣稱呼？夤夜造訪，未知有何見教？」

「鬼老」水寒與「人魔」伍獨似乎突然之間，為她的美色所迷，自己變做了另外一人，只見他兩人相視一眼，神色之間，好似都不知如何措詞，始才不致唐突佳人。

頓了一頓「人魔」伍獨突然雙手一拱，搶著說道：「老朽名叫伍獨。」

伸手向「鬼老」水寒一指，接道：「這一位大名水寒，江湖朋友都稱做『鬼老』。」

谷寒香淡淡一笑，道：「久仰二位的大名，但不知寵降『萬花宮』因了何事？」

「人魔」伍獨沉吟了一陣，道：「說來事情不大，但有三樁之多……」

他仰起臉來，乾笑一聲，接道：「一來那位酆秋兄乃是我等的同道至交，耳聞他落於了谷姑娘手內，我等若不前來一看究竟，難免有失朋友間的義氣……」

谷寒香微微一笑，道：「酆秋人在此地，他安然無恙，兩位應該放心了。」

「人魔」伍獨聞言一怔！轉眼向酆秋望了過去。

「鬼老」水寒忽然揚聲叫道：「酆兄，你還識得兄弟等麼？」

酆秋癡癡呆呆，哪裡知道答應？他頭覆黑罩，眾人無法瞧出他臉上的神情，亦不知他是否聽到了「鬼老」水寒的話？

谷寒香陡地陰陰一笑，移目向「陰手一魔」道：「你與酆秋也是舊識，何不將『向心露』的解藥，與他服上一粒？」

「陰手一魔」未料她講出這等口是心非的話，但他究竟是久走江湖，甚善心機之人，略一轉念，頓時由懷中取出一粒藥丸，朝谷寒香拋了過去。

谷寒香玉手一伸，接住那粒藥丸瞧了一瞧，突然兩道秀眉微微一蹙，沉吟不語。

「毒火」成全挨了龐士沖碎石開碑的一掌，被谷寒香半途撇下，心中原已對她恨至極處，誓欲將她碎屍萬段，始才甘心，豈料此刻面面相覷，心頭的激忿，倏地又化爲烏有了。

他敞聲一笑，顯示自己內傷已復，功力猶在，接著笑聲道：「谷寒香，快將解藥給酆兄服下，咱們老友重聚，急著敘舊一番。」

谷寒香冷冷望他一眼，突然伸手懷中，另外又摸出了一粒藥丸。

只見她手托兩粒藥丸，仔細審視半晌，忽然目光一抬，望住「陰手一魔」道：「你前次交

給我的解藥是一種，這次給的又是另外一種，到底何者是真？何者是假？」

「陰手一魔」明知她不會解救酆秋，因而大大方方地拏出一粒解藥，當著眾人面前，正要瞧瞧她如何抵賴？詎料她胡亂拏出一粒藥丸，使這等以假亂真之計，他雖老奸巨猾，一時之間，也不知如何辯駁？

忽聽谷寒香冷笑道：「難道你一種毒藥，卻有兩種解藥不成？」

「陰手一魔」怒道：「司馬昭之心，路人皆知，你這種含沙射影，羅織罪名的辦法，騙得了誰？」

「鬼老」水寒、「人魔」伍獨，以及「毒火」成全等人，都知谷寒香在使弄狡獪，但因她風華蓋世、美絕天人，色不迷人人自迷之下，三人俱覺她狡黠得令人可愛，忍不住哈哈大笑起來。

「人魔」伍獨笑聲一歇，高聲道：「陰手兄，解鈴還須繫鈴人，是你的『向心露』，還是由你親手解救吧！」

他面龐一轉，朝谷寒香眉開眼笑，柔聲說道：「你儘管放心，有老朽在此，包管酆兄神智清醒之後，不會向你算賬，而且只等此間事了，老朽等同心協力，助你報仇雪恨，以償夙願。」

谷寒香任他睜眼說夢，卻自眼望「陰手一魔」冷然發笑。

「陰手一魔」目光一掃「人魔」伍獨，心中暗暗罵道：「老匹夫，你只管消遣老夫，有一日你落入這丫頭的手內，自有你的罪受。」

心中在罵，口中卻淡淡地道：「我姑且一試，酆兄神智已失，制他不住，也難以逼他就範……」

說話中，重又取出一粒解藥，緩步向酆秋身前走去，眼中射出一片友善的光芒，一面輕言細語地道：「酆兄，兄弟『陰手一魔』與你多年至交，如今特來救你脫卻厄難……」

他喃喃自語，尚未走近酆秋身前，忽見酆秋雙目之內，凶光四射，左足斜跨，擋在谷寒香身前，「呼」的一掌，劈空猛擊過來。

「陰手一魔」一聽那掌風初起，即帶呼嘯澎湃之聲，不禁心頭大駭，雙足猛一點地，擰身倒射而回，只見一陣狂猛的掌飆，直向「陰手一魔」先頭立身之處撲去，「陰手一魔」離地而起，酆秋頓時手腕一震，縮掌向後一收，那陣狂猛的掌飆突在原地一陣迴旋，須臾消散不見，數尺外的花草木石，也不過略晃即止。

眾人面面相覷，全都作聲不得，連谷寒香與「陰手一魔」二人，也都暗暗蹙眉，不知酆秋何以突然將掌力練得如此剛猛，並且收發由心，運用自如。

忽聽龐士沖嘿嘿冷笑一陣，道：「你們兩個老廢物，此來的第二樁事，自然是向老夫找場了？」

「鬼老」水寒搶先開口道：「姓水的生平不做賠本買賣，此來非但找場，而且取你龐士沖的性命，以消三十年埋首寒漠之恨。」

龐士沖冷笑連連，滿臉夷然不屑之色，道：「你們還有何事須得交代？快快料理完畢，老夫便來成全你們的心願。」

谷寒香環掃眾人一眼，接口道：「第三樁事，自然是三妙遺珍了。」

「人魔」伍獨口齒一動，尚未講出話來，「毒火」成全陡地狂笑一聲，道：「你可曾知道，武當、少林、崑崙、峨眉四派之人，正在天台山下集結，準備大舉進犯，趁你遠離『迷蹤谷』老巢之時，合力將你擒下麼？」

這消息太過突兀，谷寒香先是一怔！繼而陷於沉思之內。

忽聽「人魔」伍獨縱聲一笑，道：「話雖如此，不過你不用操心，我等已命門下弟子守在山下，監視四派之人的舉動，有咱們幾個老不死的在此，保你無驚無險，無災無難……」

他語音微頓，轉眼一顧那壁上的石洞，接道：「你適才與龐老兒打什麼賭？可是與三妙遺物有關麼？」

龐士沖冷然接口道：「三妙遺寶就在這座石壁之後，老夫與她打賭，誰先找著門戶，誰就是寶物的主人。」

「毒火」成全的鴛鴦臉上，突然綻出一片醜怪的笑容，高聲道：「好哇！大夥全來賭上一賭，瞧瞧誰的運氣最佳？」

「鬼老」水寒陰森森一哼，道：「賭對方機巧，可不賭什麼下著玩意兒……」

「毒火」成全一聽話中有刺，不禁怒氣陡生，雙眼一翻，道：「水兄有什麼高明的玩意兒，何不先抖出來兄弟瞧瞧？」

「鬼老」水寒兩道白眉倏地一聳，削瘦的臉上，閃過一抹殺機，道：「動手相搏，拳腳無眼，成兄……」

「人魔」伍獨忽將雙手連搖，道：「兩位又犯心病了，要知讓龐老兒揀便宜事小，讓谷寒香姑娘看笑話，我瞧兩位的老臉往何處放？」

「毒火」成全與「鬼老」水寒聞言之下，同時移目向谷寒香望去，兩人面上的神色，不禁同是一弛。

「人魔」伍獨哈哈乾笑一聲，道：「成兄，誰不知你那『驚天魔火彈』的威力？你先炸開這座石壁，三妙遺珍尋到之後，先由寒香姑娘盡量拏取，有她看不中的，咱們幾個老不死的再隨便拾點什麼，意思意思。」

他轉面一顧「陰手一魔」問道：「陰手道兄，你瞧兄弟這辦法如何？」

「陰手一魔」瞥了谷寒香一眼，點頭說道：「老朽本來只是與谷寒香鬥氣，三妙遺珍既存『萬花宮』內，自然屬她一人所有，老朽等活了一把年紀，豈能覬覦她的東西？」

忽見谷寒香螓首一揚，淡淡地環掠眾人一眼，道：「『三妙書生』既然年過百齡，行跡遍天下，他所遺留的物件定然不少……」

「鬼老」水寒接口笑道：「是啊，我們這幾個老不死的虛名在外，吐出的口水，誰也不致再收回來，你退過一旁，水寒拚著耗損功力，也要以『寒陰神功』將這石壁震開。」

龐士沖見眾人巧言令色，爭著向谷寒香討好，心中又好氣、又好笑，忍不住插口道：「你耗損了功力，須防老夫趁機取你的狗命。」

「鬼老」水寒勃然大怒，身形一晃，直向龐士沖身前欺近。

谷寒香一見兩人將要動手，心中暗暗忖道：「敵人雖只四個，然而個個都是功力絕世的高

手，而且人人對自己存有不良之心，一旦破臉，自己勢必陷於四面楚歌之境，單憑自己和酆秋二人，顯然不是彼等的對手，『萬花宮』的下人雖多，在這些武功出神入化的高手之前，卻又派不了大用。」這念頭像閃電一般，在她心頭疾掠而過，她忽然體念到，這天池老怪龐士沖，乃是一個對她頗有善意的人物，心念電轉之下，唯恐龐士沖拚得你死我活，失了平衡眼下這局勢的力量，不覺玉掌一揮，倏地向「鬼老」水寒拍去。

「鬼老」水寒正向龐士沖欺去，忽見谷寒香橫裡一掌擊來，而且這一掌只見她玉手揮動，不見絲毫掌風勁力，凜然之下，才即折腰一擰，使出五成寒陰功力，一掌直迎過去。

谷寒香自離「萬花宮」後，迭經陣戰，增長了不少臨敵經驗，不但內外功力精進極多，對於防身絕學「三元九靈玄功」，亦已練至爐火純青，神妙無方之境。

她這一掌斂勁不吐，直待「鬼老」水寒的掌力業已擊出，始才掌心一震，將一股極陰至柔的潛力暗勁，倏地逼了過去。

這兩人的掌力，皆是屬於陰柔一類，「鬼老」水寒憐香惜玉，雖然使了五成功力，依然全神貫注，在掌上拏捏分寸，以防將谷寒香擊傷，谷寒香亦知鋒芒太露，對自己大是不利，因而佯裝傾力一擊，實際亦不過使出五、六成功力。

二人手掌未接，掌力已交，但聽「砰」的一聲悶響，激風排蕩，波翻浪滾，直往四外溢出。

「鬼老」水寒穩立當地未動，掌力一接之下，測出自己這四、五成功力的一掌，谷寒香勉強尚可承受，眼看她藉著反震之力，飄身退出了一丈開外，藉以消解自己掌力的餘勁，不禁極爲得意地哈哈一陣狂笑，道：「不錯，不錯，有這一份功力，足可領袖天下綠林了，難得的是聰慧伶俐，料敵機先，自立不敗之地。」

谷寒香嬌軀一穩，瞥見龐士沖口齒啓動，似欲發話，急忙冷笑一聲，故露滿面薄嗔，搶先道：「你何必賣狂，要不再對拚幾掌試試？」

說話間，忽見花叢靠邊的長長一片，隨著激蕩的掌風搖擺一陣之後，突然逐漸萎縮起來，轉眼工夫，齊皆凍萎而死。

「鬼老」水寒看她玉容忽轉蒼白，似乎已被自己的「寒陰神功」所懾，不禁更爲得意，仰天一陣狂笑，道：「水寒癡長你一把年紀，何必與你爭強鬥勝？你先運一運氣，看看是否已被我掌力的寒陰之氣，侵入了體內？」

谷寒香任他驕狂，但只滿面冷哂，亦不調息運氣。

「人魔」伍獨向她臉上凝視一眼，笑道：「水兄的五成功力，你還應付得來……」

他的目光，又投到「毒火」成全身上。

「毒火」成全淡淡一笑，道：「伍兄等請過一旁，待兄弟來獻醜吧。」

「人魔」伍獨心機較深，情知龐士沖在此多日，倘若這石壁能以掌力震開，也不致待到自己等人到此，因而雖見「毒火」成全面有驕色，亦假作未見，輕笑一聲，轉朝谷寒香道：「寒香姑娘，請隨伍獨退向一邊。」

谷寒香聽他叫得親熱異常，心頭暗哼一聲，舉手向鄷秋和那兩隊三手怪人揮了一揮，閃身退到了數丈之外。

「鬼老」水寒原想先料理龐士沖，然後再動手取寶，這時覺出「毒火」成全與「陰手一魔」二人，與自己所欲相同，衝突難免，而且山下尚有武當、少林等派的人窺伺，自己與伍獨要想挾著人、寶脫身，血戰亦所不免，爲了保存功力元氣，故爾改變心意，一見眾人俱已退出四、五丈外，遂也雙足一彈，凌空飛出六丈，落於一株紫檀木上立定，靜觀「毒火」成全施爲。

「毒火」成全待眾人退開後，伸手在衣襟之下一摸，取出兩粒大如鵝卵，黑忽忽的鋼丸，兩手各持一粒，覷準那壁上的石洞，揚手投擲過去。

他兩粒鋼丸出手，人也仰面倒射，急退三、四丈外，但見那兩粒鋼丸才入洞內，倏地一聲震天暴響，傳了過來。這一聲轟然暴響，直如天崩地裂，在場的如許蓋世高手，俱感到耳鼓一熱，隨即嗡嗡震動，一時失了聽覺。

霎時間，風雲失色，但見斗大的石塊，由那洞口處迸裂而出，往四外飛射，眾人俱感到足下的土地在疾速震動，帶得自己也立足不穩。這一震之威，端的驚天動地，酆秋不明其中之故，駭得手足俱顫，兩眼望住谷寒香，充滿了乞憐之色，那兩隊三手怪人更是神情大變，一個個手足拄地，口中吱吱亂叫不已。

龐士沖與「鬼老」水寒、「人魔」伍獨等高手，這時也都暗暗心凜，眾人只知「毒火」成全的「驚天魔火彈」與「白燐箭」等火器厲害，卻未料到他的身上，還攜有威力如是驚人的殺傷武器，想想若是不知端倪，一個躲避不遠，豈不要活活被他炸死。

捱了一盞熱茶的時光，那洞內方始沉寂下來，「毒火」成全首先縱身一躍，鑽入了那個被炸得高有丈餘的洞口，「鬼老」水寒和「人魔」伍獨如影隨形，雙雙電射而入，龐士沖、谷寒香以及「陰手一魔」三人，則僅只閃到洞口，凝目向洞中望去。

此時殘夜已盡，天光微亮，滿地亂石，將洞口那些繁花壓得倒塌殆盡，谷寒香等雖在洞外，對洞中的景況，亦皆一目了然。只見那石洞的後壁，已被炸塌了四、五尺厚的一片，殘壁之上，山石作烏紫色，與原來的山石相異，瞧那大小格局，正似一座洞門。

「人魔」伍獨突然「拍」的一聲，一掌按在石壁之上。隔了一會兒工夫，一陣沉悶的回音，由石壁上緩緩傳了過來，但卻餘音嬝嬝，持續甚久。

龐士沖一聽音響，發覺這石壁至少尚有五、六尺厚，頓時轉身走開，口中卻喃喃咒罵道：「奶奶的，窮酸……」，須臾「鬼老」水寒板著一副死人面孔，昂首走出洞外。

「人魔」伍獨跟著走了出來，經過谷寒香身畔之時，突然眼珠一轉，朝她暗暗遞了一個眼色。

谷寒香芳心一怔，尚未了然其中之意，「毒火」成全垂首望地，默然跟了出來。她妙目凝神，朝「毒火」成全臉上盯視一眼，發覺他臉上憂喜參半，陰晴不定，似有甚大的難題？她乃是聰慧之人，略一轉念，頓時明白了其中的關聯，但卻佯做未解「人魔」伍獨眼色之意，揚聲問道：「成兄，你這彈丸，一共備有幾粒？」

「毒火」成全聞言，頓了一頓，始才緩緩地道：「這霹靂彈的外殼，係以鋼母鑄造，成某共只製成五顆，除適才用去兩粒外，身畔尚有三顆。」

谷寒香點頭笑道：「鋼母乃五金之英，鑄劍之寶，得來不易……」

「毒火」成全乾笑一聲道：「姑娘所言甚是，餘下的三顆霹靂彈，成某要留做防身保命之用。」

忽聽龐士沖笑道：「這麼講來，如果前日老夫再補你一掌，你就奉贈老夫一彈，來個同歸於盡了？」

「毒火」成全想起那日挨了一掌，至今內傷尚未痊癒，不禁恨得雙目噴火，咬牙切齒道：「老兒說得不錯，不過你不必得意，成某遲早要令你骨化灰揚，死無葬身之地。」

龐士沖哈哈大笑，道：「如此一來，你的霹靂彈可只剩下兩顆了。」

「毒火」成全怒氣塡膺，真想就此與他一拚，但知眼下之局，鷸蚌相爭，徒使漁人得利，誰最先動手，誰就少一分成功之望，多一分殺身之險，因而強嚥一口怒氣，這才忍讓不語。

谷寒香見二人不再鬥口，回顧洞中一眼，道：「凡百事小，人命事大，成兄防身保命之物，咱們是不能再用他的了。」

她凝思俄頃，倏地笑聲道：「空入寶山，誰也不會甘心，爲今之計，只有另思破壁之法了。」

「鬼老」水寒聽她挖苦「毒火」成全，胸懷大暢之下，撚鬚笑道：「你聰明絕頂，是否業已籌出錦囊妙計了？」

谷寒香一掃素來那種冷漠之色，嬌笑道：「聰明卻也未必，法兒倒是想出了一個。」

眾人聽她說想出了破壁之策，齊將目光盯在她的玉靨之上，靜待她的下文。

只見她探手入囊之內，摸索半晌，突然取出一個小巧精緻的翠綠葫蘆來……

臥龍生精品集

龐士沖瞧是葫蘆，知道其中又是藥丸，不禁氣得重重地「哼」了一聲，道：「邪魔歪道，你將來若能善終，老夫為你披麻戴孝。」

谷寒香星目一瞪，怒聲道：「這裡三人等著取你的性命，你死活不過今日，管我是善終或是橫死？」說著蓮步輕移，走到一塊大石之前，拔開翠綠葫蘆的木塞，傾出七粒小小的藥丸在石塊之上。

「人魔」伍獨雙肩一挑，含笑問道：「寒香姑娘，咱們這幾個老不死的都是蠢人，怎知你葫蘆之中，賣的是什麼藥啊？」

谷寒香突然咯咯一笑，退了數步，一指石上的藥丸，道：「我這藥丸，乃是用千年靈芝，萬載雪蓮等物合製而成，服上一粒，足可增加十年功力，這裡共有七粒，咱們每人吃下一粒，然後輪次向那石壁發掌，周而復始，直待將石壁震開之後，始准罷手！」

眾人見她原來想的是這種辦法，不禁都感到哭笑不得，「陰手一魔」首先冷哼一聲，道：「輪流發掌，不失為無可奈何下的法子，不過在下寧可功力耗盡而死，也不吃谷姑娘的藥丸，增加那十年功力，減少我十年陽壽。」

「毒火」成全接口道：「成某也不敢亂吃東西，實在不濟，姓成的再捐出一顆霹靂彈，和幾粒驚天魔火彈就是。」

「人魔」伍獨與「鬼老」水寒相視一眼，頓了半晌，「鬼老」水寒笑道：「久聞你一身是計，聽說『黑魔』時佛的兒子時寅，即是被你所騙，服了一顆奇毒的藥丸，因而對你低首下心，唯命是從……」

谷寒香冷冷地截斷了「鬼老」水寒的話，轉望龐士沖道：「你是快死的人，諒必不致像他們這般多慮了？」

龐士沖雙目怒睜，道：「老夫死去之時，少不了將你帶走，省得留你在世害人。」

谷寒香不怒反笑，道：「好麼！就這麼辦，反正你已服過我的一粒毒藥，沒有我的解藥，你也活不了多久。」

「鬼老」水寒等聽說龐士沖業已服過她的毒藥，不覺齊齊轉面，向龐士沖望去。

龐士沖突然心中一動，暗暗忖道：「這丫頭雖然可惡，人卻不笨，她明知旁人不會服用她的東西，這番舉動，難道是針對老夫而發的麼？」

他轉念道：「眼下的形勢，她實無暇謀害老夫，何況老夫確已服下了她的一粒毒藥，倘若毒上加毒，豈不畫蛇添足麼？」

忽聽谷寒香道：「你敢吃就吃，不敢吃拉倒。」

龐士沖見她學著自己的口氣講話，恨得咬牙罵道：「不知死活的丫頭，等你身遭慘死之時，老夫要仰天大笑三日！」說話之中，大步走了過去，拈起一粒藥丸，一口吞了下去。

谷寒香冷冷一笑，走到大石之前，將剩下的六粒藥丸抬起，自己吞下三粒，餘下的三粒悉數交到酆秋的手中，酆秋接過藥丸，一口就吞了下去。

「鬼老」水寒等也弄不清她鬧的什麼玄虛？只是瞧她那種詭異難測的行徑，心中暗感到忌憚。

谷寒香美眸流盼，嬌笑道：「哪一位發第一掌？」她目光投向「鬼老」水寒。

「鬼老」水寒愣了一愣！皮笑肉不笑地道：「也罷，老夫試第一下。」話才完，人已躍到洞口，功貫右掌，霍地猛推出去。

「鬼老」水寒一掌擊罷，晃眼退回了原處，只聽那洞中殷殷一陣雷鳴，隔了一會兒，突然響起石塊雨落之聲。

「人魔」伍獨怪笑一聲，舉步往洞口走去，口中卻道：「這實在不是辨法，不過伍獨既不希冀寶物，也只好爲你胡亂效勞了。」

谷寒香知他是講給自己聽的，於是接口笑道：「天下事難說得很，這寶物我也不想要啦。」

「人魔」伍獨哈哈狂笑一聲，道：「只怕姑娘此語，口不應心？」

谷寒香哂然道：「彼此彼此。」

「人魔」伍獨笑聲不絕，揚手一掌，朝洞中猛然擊去，轟隆巨響之下，石壁旋即崩塌了數尺寬闊的一片。

眾人聽那震響之聲，都知「人魔」伍獨掌上的實力，與「鬼老」水寒難分軒輊，而且這一掌威力雖然猛烈，其實最多不過使出了六成真力。

「陰手一魔」閃身過去，陰風掌凝足五成功力，倏然劈了一掌，於是「毒火」成全、龐士沖、谷寒香、酆秋七人相繼跟上，各自擊出一掌。

但聽轟轟之聲，不絕於耳，砂石狂飛，塵土瀰天，那石壁搖搖欲墜，威勢駭人。

「鬼老」水寒正欲二度上前，領先擊出一掌，忽聽「人魔」伍獨揚聲道：「水兄且慢。」

谷寒香冷冷地道：「閣下的名堂真多，如今又想出何等高見了？」

「人魔」伍獨敞聲一笑，身形微晃，閃到洞口立定，雙袖一拂，兩股寒陰之氣直逼洞內。展眼之間，滿洞飛揚的塵土悉落地面，「人魔」伍獨雙目炯炯，向洞壁和地面的碎石打量數眼，接著轉過身來，朝谷寒香含笑說道：「寒香姑娘，依伍獨估料，倘若各人能夠維持適才那一掌的力道，則每人各擊十掌之後，那一面石壁也就可以洞穿了。」

谷寒香佯笑道：「既然如此，咱們各擊十掌就是了。」

「人魔」伍獨雙眼連眨，眉花眼笑地瞄她半晌，道：「姑娘自料，這般十掌擊去，能以維持功力如一麼？」

谷寒香淡淡地道：「勉力而爲，盡心而已，難道閣下要半途而廢，空入寶山一趟不成？」

忽聽「鬼老」水寒道：「寒香姑娘，如此一掌一掌擊去，擊開石壁之後，你還有餘力對敵麼？」

谷寒香暗暗忖道：「這般老賊，說來說去，還是希望自己出面，去動『毒火』成全霹靂彈的腦筋。」

她心中在想，口中卻笑聲說道：「反正對那『三妙書生』的遺物，我是可有可無，大不了寶物拱手讓人，沒有餘力對敵也不要緊。」

「人魔」伍獨狡黠地一笑，道：「可是武當、少林等派的人正在山下集結，彼等勞師動眾，必有冀圖，姑娘不可不愼。」

谷寒香美眸瞥了「毒火」成全一眼，見他獨自一人站於一隅，雙眼望天，臉上一無表情，好似根本未曾聽到三人的對答。她心念一轉，突然莞爾一笑，道：「咱們在此取寶，那些自命名門正派的人卻窺伺一旁，依我之見，與其螳螂捕蟬，黃雀在後，何不就此衝下山去，攻他們一個措手不及？先將彼等消滅，再議取寶之事便了。」

眾人聞言之下，不禁為之一怔！雖然心內都明白她想借刀殺人，為她報一己私仇，但是乍聽之下，覺得她言之成理，令人難以反駁。

忽聽龐士沖冷哼一聲，道：「這種驅虎吞狼之計，只能使在血氣方剛的小伙子身上，用於這班老不死的頭上，不過是枉費心機吧了！」

谷寒香咯咯一笑，道：「是啊！老而不死是為賊，我倒是忘了。」她心頭雖然激忿，外表卻毫不顯露出來，城府之深，亦算高人一等了。

「人魔」伍獨瞧眼前這僵局難以打開，心中暗暗忖道：「谷寒香那丫頭，她是等著咱們這班老不死的先拚個你死我活，看這光景，咱們倒是落於她的計算中了。」他心念電轉，臉上倏地泛露出一抹殺機，一顧「毒火」成全道：「成兄，咱們同道來此，難道就是為了爾虞我詐，勾心鬥角的麼？」

「毒火」成全聽他語氣不善，立時身子一轉，兩道銳利的眼神罩定他的身形，冷然問道：「伍兄此語，是何意思？請恕兄弟愚魯，不解其中之意？」

「鬼老」水寒瞧他身形一轉之際，雙手業已插於衣襟之下，不由怒哼一聲，雙肩一晃，霍地閃到了他的右側，與「人魔」伍獨成犄角之勢，口中陰沉沉道：「那霹靂彈的威力，當真非同小可，但不知用來對付絕世高手，其效果如何？」

忽聽龐士沖鼻中一嗤，慢吞吞地道：「好一個絕世高手……」

谷寒香兩道秀眉微微一聳，截口道：「我瞧你成事不足，敗事有餘，倒像武當、少林派來此間臥底的奸細。」

龐士沖怒聲道：「你找死！」欺身一掌，倏然擊去。

酆秋比電還快，谷寒香尚未舉動，忽見他霍地橫身閃了過來，舉掌一揮，直對龐士沖的手掌迎去。

龐士沖暗暗震怒，但覺此時此地，委實不宜先與這個喪失神志之人硬拚，百忙中，雙足疾挫，倏地斜飄數尺，避過了酆秋的掌勢。

酆秋亦不追擊，側身退了一步，悄然立於谷寒香身側，雙眼之內，依舊木然平視，毫無喜怒之情。

谷寒香冷冷一笑，環視眾人一眼，突然玉手一舉，向身後那兩隊怪人揮了一揮。

展眼間，那兩隊怪人三手齊齊搖動，一時之間，皮鼓「咚咚」、銅鈴「嗆嗆」，響起了一片低沉的殺伐之聲。

「陰手一魔」對她的戒心最重，睹狀之下，頓時揚聲問道：「谷姑娘，你這是什麼意思？」

谷寒香淡淡一笑，道：「沒有什麼，我不過瞧諸位舉棋難定，特以這鈴鼓之聲，替諸位洗滌心神罷了。」

「人魔」伍獨知她必有詭謀，只是倉促之下，識不透其中的奧妙？於是轉向「毒火」成全

道：「成兄，兄弟向你借一粒霹靂彈應用，諒你不致見拒吧？」

「毒火」成全冷冷地道：「兄弟這霹靂彈用來對付絕世高手，只需一、兩粒已足，要炸開那石壁麼，卻非得三粒齊發才可。」

「人魔」伍獨狂聲一笑，道：「既然如此，成兄只得將三粒霹靂彈，一併借與兄弟了。」說罷移動腳步，緩緩向前逼進。

「鬼老」水寒一聲不響，移步便向「毒火」成全走去，不過兩人走得極慢，一步一頓，如臨深淵，如履薄冰一般。

「陰手一魔」暗暗焦急，眼看三人箭在絃上，一觸即發，不禁脫口叫道：「三位且慢，兄弟有話奉告。」

「人魔」伍獨與「鬼老」水寒亦是迫不得已，虛張聲勢，聞言之下，齊齊飄退丈餘，異口同聲道：「道兄，有何高見？」

「陰手一魔」朝二人將手一拱，道：「兩位太小覷谷姑娘了，兄弟不才，殊為二位懸心。」

谷寒香嘿嘿冷笑，道：「你倒是看得起谷寒香，我當好好地答謝你才是！」

「陰手一魔」強笑一聲，道：「豈敢，豈敢！」

「鬼老」水寒與「人魔」伍獨同向谷寒香望了一眼，二人口齒齊動，似欲講話，不過終又忍了下來。

「陰手一魔」聽那鈴鼓之聲，一陣緊似一陣，急促詭異的節奏，逼得自己逐漸心煩氣躁起

來，急忙收斂心神，一凝神志，高聲道：「成兄，眼下之局，除了同舟共濟之外，別無二途，依在下愚見，成兄還是炸開石壁，解開這遺珍之謎才是。」

「毒火」成全將凝在雙掌上的功力一散，徐徐吐出一口長氣，道：「道兄的話是不錯……」他突然面龐一轉，冷聲道：「谷姑娘，這聲音聒噪得很，你可否令其停下？」

谷寒香雙眉一揚，道：「成兄，何不捨卻一粒霹靂彈，將他們毀掉？」

忽聽龐士沖怒喝道：「谷寒香，你當真找死麼？」

谷寒香道：「怎麼？區區離心奪舍之法，你也承受不起了？」

龐士沖重重地「哼」了一聲，道：「老夫見不得鬼蜮伎倆，一見就心頭有氣。」

谷寒香撇嘴一笑，舉手向那兩隊怪人揮了一揮，那兩隊怪人，頓時三手齊齊垂下，鈴、鼓之聲，倏然而止。

只見「人魔」伍獨仰天一笑，道：「成兄，你是要兄弟對天盟誓，始能消除對兄弟的猜忌之心麼？」

「毒火」成全淡淡地道：「兄弟只是感到，用成某一人之力啓開石壁，似乎有欠公允罷了。」

「人魔」伍獨哈哈大笑一陣，道：「水兄與在下有言在先，三妙遺珍縱然都是絕世至寶，我兩人也走在最後，絕無巧取豪奪之意。」

說罷目光一轉，向谷寒香望了過去。

谷寒香漠然一笑，道：「我志在夫仇，身外之物，要之無益，但若有助於復仇大事的，谷

寒香是無法捨棄了。」

只聽「陰手一魔」接口說道：「這是肺腑之言，毫無置疑之處，至於在下麼，『陰手一魔』素不多求，成兄大可放心。」

龐士沖目射湛湛神光，橫掃眾人一眼，最後一望「毒火」成全道：「你動手吧！有誰違背諾言，老夫站在你的一邊就是。」

「毒火」成全知道再不出手，定然觸犯眾怒，於是雙手一抬，托著兩粒黑忽忽的霹靂彈，舉步向洞口走去。

正當「毒火」成全掌凝功力，兩粒霹靂彈即將忍痛出手之際，一陣雜亂的衣襟帶風之聲，倏地遠遠傳了過來。

在場之人，俱是江湖上的頂尖高手，耳目之靈，幾乎有天視地聽之能，這風響雖尚遙遠，卻都相繼聽入了耳內。

因那風響杳雜，眾人一聽之下，立即辨出來人至少有二、三十名之多，而且輕功火候，俱都不弱，行動有序，好似領率有人。

眾人只道是少林、武當等派的人，業已潛入宮內，因而俱都轉面向風響來處望了過去，「毒火」成全亦轉過身來，靜觀動靜。

展眼間，十餘條人影，由一叢花樹後轉了出來，谷寒香目光犀利，一眼望去，看出當先一個員外裝束，黑臉長髯的大漢，乃是「垂楊村」的皇甫天長，略後半步，一個面色白淨，神態瀟灑的英挺少年，乃是與皇甫天長並稱「江南雙豪」的譚九成。

這批人來得頗快，跟著又是十餘條人影，谷寒香閃目望去，原來當先一個身軀修偉的長髯大漢，正是領袖西北綠林道的「屠龍寨主」。

兩批人奔至臨近，身形剛剛停下，龐士沖已自冷冷地道：「斬將封神之期已近，該當歸位的都趕到了。」

「鬼老」水寒、「人魔」伍獨、「毒火」成全、「陰手一魔」這批人都是名震江湖數十年的黑道凶神，四人都是生俱異相，只要是久走江湖之人，俱都聽過有關四人的傳說，一眼之下，也能認出四人，但對這最後發話的白髮老叟，卻是陌生得很。

皇甫天長向龐士沖略略打量一眼，立時朝谷寒香一拱手，道：「姑娘別來無恙！重返江南，怎不令我等得知？」

谷寒香未及開口，忽聽那「屠龍寨主」縱聲一笑，道：「谷姑娘，可還記得三年之約麼？」

剎那間，三道紫紋，在谷寒香眉心處閃了一閃。

這三道紫紋一閃而沒，快過電光石火，在場之人，只有龐士沖等幾個絕頂高手瞧見，其餘的人，但覺自己眼前霍然一黯，瞬眼之下，重又毫無異狀。

谷寒香不待眾人再次開口，立即冷冷地道：「『三妙書生』的遺珍馬上就要出土，常言道：見者有分。諸位來此便是有緣，統統拭目以待吧！」

她秀目一轉，移注「毒火」成全，道：「夜長夢多，成兄可以出手施為了。」

「毒火」成全不知怎的，突然感到背脊一寒，似他這等功力之人，這現象自是大反常態。

他怔了一怔！不禁默默咒罵一聲，接著一起一落，躍至石洞兩丈前站定，雙手齊揚，兩粒霹靂彈脫手擲去，右手順勢在衣襟下一抄一掄，第三粒霹靂彈啣尾出手，同時奔入洞內。

「毒火」成全人如電掣，三粒霹靂彈發射完畢，人已退回原處立定，只聽震天一聲暴響，霎時間，山搖地動，風雲失色，斗大的石塊，由洞口處暴射而出，密如驟雨，罩走了三丈方圓之地。

「毒火」成全好似自己也未曾料到，這三粒霹靂彈的威力如是之猛，眼看那半空飛射的隕石，大有擊上身來之勢，不覺雙足一蹬，疾地又退後數丈。

場中倏然大亂，「江南雙豪」與「屠龍寨主」所攔之人，乍睹這等情況，不禁譁然四散，紛紛躍過山石花樹，往遠處飛射，那兩隊三手怪人亦是吱吱亂叫，躍退不迭。

殷殷雷鳴之聲，一陣緊接一陣，石塊沙塵，不斷地自洞口湧出，驀地轟隆一聲，那石洞上方，崩裂了丈餘寬闊的一片，令人望去，覺得那洞口突然大了數倍，但是一股股沙石湧出洞口，愈堆愈高，又有將洞口堵塞之勢。

谷寒香聽那山石崩裂之聲繼續不斷，不禁芳心大急，忖道：「如果那個洞口被亂石封死，要想清出門路，那可非一朝一夕之功了。」

忽聽龐士沖恨聲詛咒道：「臭酸丁！搗他娘的什麼鬼？」

谷寒香聽那隆隆之聲，愈來愈是沉悶，仔細一辨，覺得那山腹之內，亦有石塊崩塌之音。

「毒火」成全、「人魔」伍獨等，每人臉上具有惋惜之色，每人的眉宇之間，都露出枉費心力之意。

谷寒香瞧那洞口，尚有四、五尺的一截未被封死，突地，她銀牙一挫，拔足疾奔過去！

眾人瞧那石壁悠悠晃動，彷彿整座峭壁俱有倒塌之勢，她卻貿然撲向洞口，不禁齊都大驚失色，紛紛出聲喝止。

倏地，龐士沖身形電射，直向她的背後竄去，右手疾探，飛攫她的腰際，口中厲喝道：「亡命之徒！」

谷寒香離洞口尚有丈餘之遙，覺出龐士沖一爪抓來，不禁勃然震怒，纖腰一擰，冷聲道：「休得多管閒事！」

玉掌一揮，當胸擊去。

龐士沖不敢以掌硬接，只恐她藉反震之力，竄入了洞內，匆促中，雙手倏出，左斬腕脈，右手疾點她的「期門」重穴。

驀地，酆秋悄無聲息，一掌擊到了龐士沖的背後。

龐士沖聽掌勢風響，如是酆秋襲到，恨得咬牙咒罵道：「蠢東西！蠢東西……」

身形霍地一個盤旋，向谷寒香與洞口之間抄去。

這都是瞬眼間的事，「人魔」伍獨一見谷寒香往洞口奔去，心頭閃電般地思忖道：「如此可人的丫頭，死了著實可惜！」心念一轉，頓時一躍數丈，疾縱過去，一面高聲道：「稍安勿躁，老夫擔保裡面的東西都是你的！」

「鬼老」水寒與他一般心意，伍獨是凌空飛縱，他卻是貼地一掠，兩人一上一下，俱都快速無倫，七、八丈距離，晃眼便到。

「江南雙豪」與「屠龍寨主」等，一來弄不清幾人間微妙的關係，二則惑於幾人驚世駭俗的武功，呼喝一聲以後，俱都目瞪口呆，愕然不知所措，只有「毒火」成全與「陰手一魔」二人，冷冷地袖手旁觀，未爲所動。

霍地，只見谷寒香蓮足一絞，施展「摘星步」法，由龐士沖身側一閃而過，眨眼之下，竄到了洞口的亂石之上。

「人魔」伍獨身在半空，一看谷寒香竄上了洞口，頓時大袖一揮，凌空朝前激射，一面急聲喝道：「魯莽不得！」十指箕張，向她當頭罩下。

「鬼老」水寒如響斯應，雙手一探，貼地掠出丈餘，疾抓谷寒香的雙足。

這兩人惑於谷寒香的美色，憐香惜玉之心，油然而生，再來這石洞有倒塌之虞，自己不敢貿然下去，潛意識中，也不欲旁人生下，是以雙雙出手，欲將谷寒香攔住。

谷寒香此時雖是熱血沸騰，心頭狂跳不已，但是，她的神智依然冷靜，絲毫未被貪慾所蒙蔽，然而她急於爲胡柏齡報仇，加以自己陷身在一群心懷叵測、武功奇高的魔頭之間，若不早謀出路，遲早會被這班魔頭吞噬，而且她知道，沒有人真能助她，唯一足以倚賴的，還是谷寒香她自己。

她看來好狠！蓮足翹楚，一招「亂石崩雲」，飛踢「鬼老」水寒的面門，雙手擎天，凝十二成功勁，猛地向凌空撲下的「人魔」伍獨推去。

只聽「蓬」的一聲巨震，原來是酆秋和龐士沖二人硬接了一掌。

「人魔」伍獨一見谷寒香雙掌推來，頓時橫空一扭身形，避過她的掌力，一面縱身笑道：

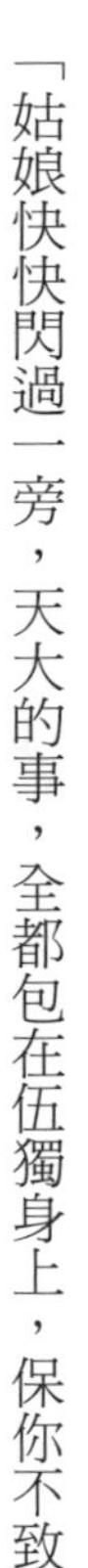
「姑娘怏怏閃過一旁，天大的事，全都包在伍獨身上，保你不致失望！」

似他這種功力登峰造極之人，谷寒香雙掌推來，其力道多寡，自是入眼便知，因而一見不便力敵，立時改易身法，另向谷寒香左側撲下。

「鬼老」水寒未曾抓著谷寒香的雙足，卻被她一腿亂踢而來，眼看百十點青影簇擁而至，迫得足尖一挫，疾退五尺。

他不怒反笑，瞥眼「人魔」伍獨撲向左側，頓時疾若流矢，轉往右方激射。這兩人一上一下，俱是行動如風，不說「寒陰神功」，單以輕功身法而論，也都是頂尖的功夫。

此時洞口傳出的閃雷之聲，依然一陣緊似一陣，那洞口碎石外湧，愈積愈高，眼看再有片刻，勢必將洞口封閉起來。

谷寒香纖腰一折，雙掌翻飛，分別迎向左右二人，芳心之內，卻自暗暗忖道：「這山腹之內，洞府定然甚廣，『三妙書生』果真高明的話，也絕不會僅開一處門戶。」

她想到此處，不禁暗暗叫道：「大哥啊大哥，你的香妹左面是虎，右面是狼，她便捨卻性命，也是力不從心，爲今之計，只有鋌而走險，至於生死成敗，俱都隨你的心意了。」

思忖中，已與「人魔」伍獨和「鬼老」水寒飛快地拆了七招，兩人不忍傷她，要想擒她，那是談何容易？不過二人也打定了主意，只要不容她有緩手的機會，稍拖一時，那洞口堵塞之後，自然不愁她鑽天入地。

然而酆秋見谷寒香獨敵二人，卻是目眥欲裂，心膽欲碎，一輪狂風驟雨般地狠打之後，終於捕到一個空隙，擺脫了龐士沖，擁身一掌向「鬼老」水寒襲去。

谷寒香再不怠慢，雙手迴環，連劈四掌，未待「人魔」伍獨和龐士沖撲近，擰腰一竄，霎眼鑽入了洞內。

眾人一見谷寒香鑽進了洞口，不禁駭然色變，紛紛喝止，一邊的「毒火」成全、「陰手一魔」，以及「江南雙豪」和「屠龍寨主」等人，亦向洞口處趕來，一時情勢大亂，恍若天地崩塌一般。

「人魔」伍獨和龐士沖雙雙出手，未曾將谷寒香抓住，龐士沖瞧那洞口尚有一、兩尺的空隙，猛一咬牙，俯身亦往洞中鑽去。

適在此時，一聲悶雷似的響聲，夾著一股沙石塵土，由洞口潮湧而出。

龐士沖身形微微一滯，方待身形一昂，由空隙處鑽了進去，忽感到雙腿一陣劇痛，身子被人倒擲出去。

原來谷寒香鑽進洞口後，眾人除了面面相覷之外，再無其他的舉動，那酆秋卻狀如瘋狂，撲身亦往洞口竄去，但他慢了半步，一瞧龐士沖堵住了洞口，頓時雙手一沉，抓住他的兩隻小腿，猛地往後一摔。

酆秋神智顛狂之下，雙手使勁極猛，隨手一抓，十指俱已插入龐士沖的腿中，鮮血泉湧，染得十指根根赤紅。

龐士沖驟遭劇痛，不禁怒發如狂，酆秋尚未將他擲出手去，他已腰桿一折，一掌擊了過去。這一掌結結實實，正擊在酆秋的肩上，打得他喉間「荷荷」一響，一跤摔到亂石之上。

忽聽「毒火」成全厲聲叫道：「水兄、伍兄，一切事暫時撇下，先將那個凌辱中原武林，

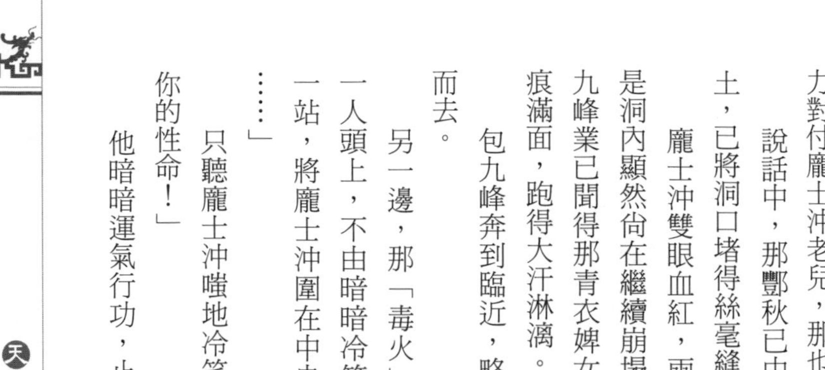

令咱們中原豪傑三十年來，未能一日抬頭的老賊合力剁掉！」

「人魔」伍獨哈哈狂笑一聲，道：「好啊！既然成兄有這個意思，水兄和兄弟再要堅持獨力對付龐士沖老兒，那也未免太驕人了。」

說話中，那酆秋已由地上連滾帶爬，趕到了洞口之處，但是終於慢了一步，一股碎石和沙土，已將洞口堵得絲毫縫隙不露。

龐士沖雙眼血紅，兩手在洞口處不住地亂扒，將那堵塞洞口的石塊扒得直往身後飛去，但是洞內顯然尚在繼續崩塌，他忙了半天，那洞口隨缺隨補，依然不露一絲空隙。適在此時，包九峰業已聞得那青衣婢女的報訊，風馳電掣地趕來，他面容蒼白，毫無人色，那青衣婢女則淚痕滿面，跑得大汗淋漓。

包九峰奔到臨近，略一打量洞口的景色，立即將手一揮，帶著那兩隊三手怪人，轉身如飛而去。

另一邊，那「毒火」成全聽「人魔」伍獨言語狡猾，將聯手對付龐士沖的責任推到自己一人頭上，不由暗暗冷笑一聲，飄身上前，與「人魔」伍獨、「鬼老」水寒二人「丁」字形一站，將龐士沖圍在中央，冷笑說道：「龐老兒，你揚威中原三十年，如今也該志得意滿了……」

只聽龐士沖嗤地冷笑一聲，道：「老匹夫，你別打如意算盤，只一動手，老夫必然先結束你的性命！」

他暗暗運氣行功，止住腿上的血液外流！接道：「嘿嘿！似你們這些醜類，也算得中原豪

傑麼？」

「鬼老」水寒冷冰冰一笑，道：「老兒不要臭美，待水寒一人，來打發你上路。」閃身上前，倏然一掌擊去。

龐士沖哈哈狂笑，身形電掣，倏地一個盤旋，向「鬼老」水寒身後欺去，道：「老夫瞧瞧，三十年的時光，你長進了多少？」駢指如戟，疾點過去。

「鬼老」水寒挫步旋身，揮掌還擊，霎時間，二人爭搶先機，展開了一場龍爭虎鬥，生死之搏。

「人魔」伍獨凝注場中，見二人都是攻守兼備，步步爲營，各以奇妙的招式，冀圖搶制先機，再予對方制命之擊，情知一時半刻之間，兩方都不會有何凶險，於是移轉目光，向毒手成全與「陰手一魔」兩人望去。

只見「毒火」成全和「陰手一魔」兩人，早已撇下了搏鬥中的龐士沖和「鬼老」水寒，但將四道充滿了惋惜和遺憾的目光，盯住在那個已爲塵土亂石封閉的洞口。

場中無半點人聲，除了一陣陣拳風掌勁之外，只有砂土流動的沙沙之聲，和石塊撞擊的聲響。

原來酆秋獨自一人，仍在洞口亂抓不已，這會兒工夫，居然清除了一片亂石。

然而，一陣哀悽的氣氛，卻在場中逐漸地蔓延，慢慢地籠罩上每個人的心靈，使各人的面色，愈來愈顯得難看。突地，一陣急驟的步履聲響傳了過來，眾人掉頭望去，原來是那駝啞老人包九峰，率領那兩隊三手怪人疾奔而來，後面還有幾名淚痕滿面的少女。

包九峰滿頭大汗，老淚縱橫，他奔到石壁之旁，立即向左面一隊怪人打了一個手勢，那三手怪人頓時一擁向前，齊往洞口圍去。

原來這兩隊怪人手中所持的鈴鼓，一概換作了釘、鈀、鋤、鏟等器具，這時紛紛揮動，將那堆積洞口的亂石和砂石向兩旁撥開。

酆秋突然反手一撈，攫去身旁一人手中的鐵鏟，卻聽「喀嚓」一聲，就只一下，便將鏟頭碰得翻捲過來。

包九峰睹狀，轉面向身後一人所持的一柄三股叉努了過來，直向酆秋拋去。

酆秋伸手接住，瞧也不瞧，頓時向洞口挖掘，這三股叉本是一根鋼質特異的兵刃，酆秋下手又重，信手一揮，立時碎石紛飛，火星四濺。

石洞之前亂成一片，石洞內的悶雷之聲卻已停頓，想是內中不再有倒塌之處了，但是洞口才掘開一點，重又「嘩啦」一聲，被後面的亂石填上。

驀地，激鬥中的龐士沖和「鬼老」水寒，一口氣對拆了二十餘招，兩人都無法搶到先機，將對方逼處下風，因而一輪疾攻之後，兩人同時躍開了丈許。

僵峙半晌，「鬼老」水寒倏地冷冷說道：「龐老兒，姓水的懶得打了。」

「鬼老」水寒，自稱懶得打了，這在武林人物來說，乃是大反常態之事，但他說得坦然自若，絲毫沒有示弱與做作的意味，生似原就是打著好玩，而對方並非自己三十年的宿仇。

龐士沖聞言之後，閃目向亂作一片的洞口瞥了一眼，突然發覺自己也是意興蕭索，百無聊賴，根本就懶得與人動手。他怔了片刻，忽然冷冷地道：「不打就不打，難道老夫不知你有幾

斤幾兩麼……」說話中，移步向洞口走去。

鬼老水寒懶洋洋地「哼」了一聲，也自移步走了過去，只見砂土飛揚之下，那洞口的積石已被清除了一大半。

倏地，那幾個青衣女子，低聲垂泣起來。

在場之人，爲數不下七十，眾人列作半環，團團圍在石壁之前，靜觀酆秋和那十名怪人忙亂地清除石土，每人臉上，都是一片哀傷之色，那「屠龍寨主」所率西北道的人物，幾乎都是初次見到谷寒香的面，但是就這匆匆一瞥，每人心中那美艷而又威嚴的影子，已是再也無法抹去，似乎人人都在暗想：「無論如何，讓我再見她一次。」

廿九　三妙書生

谷寒香因報仇心切，急欲獲得「三妙書生」遺寶，竟冒險衝入即將塌閉的洞中，眾人搶救不及，每人臉上都是一片哀傷之色，嘆息不止。

包九峰更是急得滿頭大汗，老淚縱橫，指揮著同來的怪人，努力挖掘。

那幾個青衣女子的啜泣之聲，愈來愈響，愈來愈是悲愴，其餘的人，俱都希望她們停止哭泣，但是誰也不願開口去阻止她們。

突然，立在一旁的那隊三手怪人中，有人發出一種「嗚嗚」的哭聲，轉眼之間，一響眾應，所有的三手怪人全都號哭起來，連那些正在清除亂石的人也是一樣。

這些怪人的形貌裝束本就詭異，那號哭的聲音，更是刺耳難聽，一片淒涼愁慘聲，正如鬼哭神號一般。

霍地，那「屠龍寨主」搥胸頓足，仰天慟哭起來，瞧那痛不欲生之狀，彷彿如喪考妣。

「人魔」伍獨正在心煩意亂之際，睹狀之下，心頭暗暗忖道：「這老東西與她是什麼關係？瞧他這等傷心，難道是那丫頭的入幕之賓不成？」

原來谷寒香當日化名「紅花公主」流落江湖，企圖以色盜藝時，曾與這「屠龍寨主」相

天香飆

遇，並以李代桃僵之法，由苗素蘭暗做替身，與他留過一段雲雨之情，「屠龍寨主」斷指示愛，谷寒香卻許以三年之約，他刻骨相思，夢寐難忘，三年之期未滿，卻目睹谷寒香自入墳墓，被活埋在洞中，情不自禁之下，竟然失聲痛哭起來。

「人魔」伍獨殺機暗萌，忖道：「不管你這老東西因何號哭，老夫一掌將你斃掉再說。」他想到便做，雙肩微晃，倏地閃至那「屠龍寨主」面前，舉掌一揮，猛然擊下。

那「屠龍寨主」武功原也不弱，不過與「人魔」伍獨這等蓋代魔頭相較，自然遠非敵手，何況又當神思恍惚，心頭大慟之際，「人魔」伍獨一掌擊下，只聽「喀」的一響，慘嗥半聲，那「屠龍寨主」已是腦漿迸裂，屍橫就地。

頓時，喝罵之聲紛起，那批西北道上的綠林人物，紛紛動手抽兵刃，「人魔」伍獨卻因目睹谷寒香葬身石洞，生機渺茫，胸頭生出了一股暴戾之氣，這時一聲不響，雙掌齊揮，朝那批西北道上的綠林人物亂打一陣。剎那間，慘呼之聲，不絕於耳。

那批西北道上的綠林人物原來擁在一處，彼此靠得太近，變起倉促，沒有閃讓之地，「人魔」伍獨又殺心大起，立意將這批人悉數擊斃，雙掌電掣之下，轉眼工夫，十餘人已倒了一半。號哭之聲，並未因這突起的變故停頓，酆秋頭也未回，依然在向洞中挖掘，那十個怪人一面號哭，一面在一旁跟著動手。

「人魔」伍獨陡地一陣震天狂笑，身形疾閃，直向兩個向外逃竄的人背後撲去，雙掌齊揮，分擊二人。慘叫起處，那兩人各自張口噴出一股血箭，身形齊齊摜倒，「人魔」伍獨狂笑未歇，轉身又向剩下的幾人撲去。

「鬼老」水寒、「毒火」成全、「陰手一魔」這三人不過略略望了一眼，重又轉面凝注洞口，對於聲聲不斷，令人心驚肉跳的慘呼，和屍體僕僕摔倒的聲音，好像充耳未聞似的。

龐士沖口齒動了一動，旋又閉口不語，對這血腥四噴的一幕，亦是一副無動於衷的樣子，包九峰仍然是老淚縱橫，呆呆地望住洞口，那幾個青衣女子，依然在垂首哭泣，只有「江南雙豪」和他們手下的那批人，目睹這一場怵目驚心的屠殺，面上露出了些許驚懼之色。說時緩慢，其實不過轉眼工夫，自「屠龍寨主」起，十七、八人，轉瞬橫屍就地，無一倖免，兵刃撒落一地，卻無一人還得一招半式。

「人魔」伍獨立在滿地屍體之間，自顧自地「嘿嘿」冷笑了一陣，目光一抬，兩眼轉向洞口移去。

那堆積在洞口的亂石已被鏟除，酆秋和兩個三手怪人已掘進洞口一、兩尺深，因那洞口寬不盈丈，砂石紛飛之下，其餘的人插不上手，俱已退向一旁。

「人魔」伍獨移步上前，見那洞中撥出的亂石，又在洞口堆積起來，於是走到一側立定，雙袖一拂，劈出一股狂飆，貼地掃去。只聽一陣「嘩啦」聲響，滿地亂石，被他那重如山嶽的袖風捲起，折向一旁飛去。

「鬼老」水寒見那些三手怪人號哭不停，突然感到心煩意亂起來，他原待向那些怪人發作，突然心意一變，轉向包九峰道：「喂！老兒快命這些怪物閉口，否則老夫一掌一個，統統予以斃了。」

駝啞老人包九峰正當哀傷之際，聞言之後，抬頭向鬼老水寒一望，口齒啓動，吶吶無聲。

「鬼老」水寒惱道：「老兒望我則甚？莫非是不想活了！」

忽聽龐士沖冷冷地道：「他是啞子……」

「鬼老」水寒勃然大怒，移步走向龐士沖，獰聲道：「老匹夫，他是啞子，難道也是聾子麼？」

「人魔」伍獨突然冷聲道：「水兄，谷寒香死了，難道連一點哀悼和招魂之聲，也不許有麼？」

「鬼老」水寒面龐一轉，未及開口，忽聽一陣極爲輕微的步履之聲，隨風送入了耳內。

轉眼間，三個打扮得非僧非道之人，連同一個藍衣瘦長老者，疾步奔到了近處。

這四人身形一住，環掠場下一眼，頓時移目向洞中望去。

爲首抵達的那個非僧非道之人，倏地目光一收，向「鬼老」水寒、「人魔」伍獨、「毒火」成全，及「陰手一魔」等四人抱拳施禮，道：「諸位老前輩，方天瀾這廂有禮了。」

原來這方天瀾乃是酆秋的首徒，另外那兩個非僧非道裝束之人，乃是酆秋的二弟子羅錚，和在範家堡外，挨了酆秋一掌的三弟子丁一魂，那藍衣瘦長老者則是追隨酆秋數十年的手下，名喚「追魂手」莫信。

「鬼老」水寒、「人魔」伍獨、「毒火」成全和「陰手一魔」四人，各自向方天瀾舉手還禮，頓了半晌，始由「人魔」伍獨道：「方賢姪，你師父神智已失，親疏不辨，咱們都難以近他的身，愛莫能助，說來慚愧得很。」

這方天瀾隨師甚久，在江湖上，亦是成名數十年的人物，但見他抱拳當胸，淡淡一笑，

道：「諸位老前輩的好意，方天瀾一門師徒，感激不盡。」

他語言微頓，接道：「不知那谷寒香今在何處？伍老前輩可否見示？」

「人魔」伍獨伸手向洞中一指，道：「那丫頭業已被活埋在洞中，看來是有死無生了。」

說話間，突然憶起谷寒香的絕世風華及音容笑貌，不禁仰首望天，浩然長嘆一聲。

方天瀾嘴裡肌肉抽動了一下，移目再向洞中望去，忽見丁一魂正向洞口走去，急忙低喝道：「三弟慢點！」

丁一魂聞聲止步，轉面恨聲道：「小弟若不將那賤婢碎屍萬段，誓不為人。」

方天瀾鬚髮微顫，沉聲喝道：「不許輕舉妄動！」

轉面向「陰手一魔」將手一拱，道：「小姪鬥膽，向陰手老前輩討點『向心露』的解藥，尚祈老前輩慨允。」

「陰手一魔」一語不發，伸手由懷中取出一個玉瓶，傾了兩粒解藥，遞了過去。

方天瀾邁步向前，接過藥丸，小心翼翼地收入囊中，道：「多謝老前輩的惠賜。」

說罷轉過身子，微一晃身，倏地閃到了一個三手怪人面前，一把搶過那人手中的一柄鋼叉。

那三手怪人睹狀之下，突地「吱吱」一叫，三手齊動，疾向方天瀾抓去。

方天瀾正待出手，包九峰口中忽然怪嘯一聲，那怪人頓時三手下垂，疾躍開去。

那「追魂手」莫信也跨步向前，打算奪過一柄鋼叉，方天瀾忽然將手一擺，道：「你們都站在此地，我不招呼，誰也不要過去。」

說罷之後，移步走近洞口，雙肩一晃，閃入了洞內，擠在酆秋和那三手怪人之間，揮動鋼叉，將洞中的石塊向洞外撥動。

他內力精湛，手法靈巧，鋼叉揮動之下，那大小不一的亂石，彷彿江河奔騰，直往洞外飛瀉。

那三手怪人似是礙了他的手腳，忽見他反臂一揮，將身旁那怪人扔出了洞外。

谷寒香葬身亂石之下以後，「鬼老」水寒等人，誰也未曾想到去設法解救酆秋，這時見他的大弟子孤身入內，不禁齊皆屏息靜氣，目射精光，凝神盯住洞中，瞧他如何施爲？片刻之後，另一個三手怪人，亦被方天瀾扔出了洞外，剩下他與酆秋二人，在洞中並肩挖掘。

方天瀾手揮鋼叉，撥得砂石向洞外狂飛不已，人卻逐步移動，徐徐向酆秋的身側靠近。他目光銳利，一眼就看出自己師父的左肩之上新受掌傷，運轉不靈，這時將鋼叉向左揮動，一面斜眼瞧住師父的身形，蓄勢出手。

酆秋如癡如醉，雙手揮叉，目光緊望前端，始終未曾旁瞬，方天瀾看入眼中，心頭如被刀割，因而也將谷寒香恨入了骨髓。

霍地！方天瀾右臂猛地一探，一指向酆秋腰際點去！這一指蓄勢已久，猝然偷襲，勢若霆驚電閃，奪人心神，龐士沖等身在洞外，亦恍惚感得自己的腰上一緊。

方天瀾深知自己師父的一身功力，他知道若不使用極重的手法，休想一指將他點倒，倘若一擊不中，再想下手，那就更爲困難了。

詎料，酆秋的武功過於了得，但聽他喉間怪響一聲，身子猛地撞到洞壁之上，人卻依然未倒。

方天瀾牙根一咬，隨身欺上，右臂疾舒，再度一指點了過去。

酆秋雙目之內，血絲密佈，他身形微蹲，背脊緊靠石壁，一見方天瀾揮指點到，頓時鋼叉一掄，猛然迎去。

方天瀾瞧那鋼叉勁風震耳，勢道極爲猛惡，迫得招式一收，向後疾躍一步。

這師徒二人，各自背靠洞壁，四目瞪視，相峙而立。

酆秋胸前起伏如浪，粗重的喘息之聲，直達洞外，他雙手橫托鋼叉，血紅的雙眼，目不轉睛地瞪住方天瀾，狀如負隅之獸，獰惡至極。

「鬼老」水寒與「人魔」伍獨默然相視了一眼，突然雙雙朝洞口走去。

只聽「人魔」伍獨揚聲道：「方賢姪，你師父玄功通神，你一人制他不住……」

方天瀾急喝道：「兩位老前輩好意，小姪心領！」他身形電閃，倏地移出了洞外，一躬到地，阻住兩人前進。

「人魔」伍獨微一沉吟，道：「那丫頭九成已香消玉殞，除她之外，又無人能令你師父將解藥服下，我瞧還是由你水老前輩與我合力出手，來將你師父制住吧。」

方天瀾擔心二人妬嫉自己師父的武功，趁機將自己的師父毀掉，是以急忙一個長揖，陪笑道：「這是小姪分內之事，豈敢勞動兩位老前輩的大駕？」

方天瀾轉朝羅錚等人喝道：「趕快進去將堵洞的亂石清除掉，小心在意，不要衝撞了師父。」

羅錚、丁一魂、「追魂手」莫信，三人低諾一聲，緩步向洞中走去，一面凝神戒備，以防酆秋會猝然出手。

他三人徐徐走入洞中，羅錚接過方天瀾手中的鋼叉，眼看師父雖是充滿了敵意，卻未出手阻截，於是輕輕地揮動鋼叉，將石塊朝洞外撥出。

「鬼老」水寒與「人魔」伍獨重又相視一眼，兩人一般心意，都恐過於逞強，讓「毒火」成全與龐士沖揀了便宜，因而不約而同地轉身退去。

方天瀾忽向包九峰縱聲喝道：「駝背老兒，你是呆子麼？」

包九峰靜靜地望他一眼，轉身由那些怪人手中揀了兩柄長叉，揚手向洞中擲去。

丁一魂和「追魂手」莫信接住長叉，頓時與羅錚一齊動手，清除洞中的積石，三人奮力操作，故意使酆秋沒有插手的餘地，酆秋左肩新受掌傷，又被方天瀾在「脊尾」穴旁戳了一指，花了頓飯工夫，始將體內的真氣調伏，轉眼向羅錚等三人凝望片刻，忽將身子一縮，貼於壁上的一塊凹處，呆立不動。

此時那些怪人的號哭之聲，已被包九峰止住，那幾個青衣女子的啜泣之聲，也逐漸地微弱下來。石壁之前，除了不絕於耳的石塊碰擊之聲外，慢慢地顯得沉悶起來，隨著那逐漸清理出來的洞穴，眾人在懷想谷寒香的絕世容顏之餘，重又憶起了「三妙書生」的遺珍，因而一雙雙精光逼射的眸子，又復向洞中緊盯不捨。

那「江南雙豪」中的皇甫天長，見「鬼老」水寒等人俱都目射寒電，滿臉沉凝之色，不禁回首向滿地遺屍瞥了一眼。他不看猶可，一看之下，想起這十七、八人，不過轉眼工夫，便被

「人魔」悉數擊斃，他暗暗忖道：「這批人諒必是西北道上的一時之選，較之自己所率的人，武功未必就差，但在『人魔』伍獨手下，不過如土雞瓦狗一般，簡直不堪一擊。」

轉念之下，他突然感到，此處乃是不祥之地，看那滿洞亂石，根本無容身的空隙，谷寒香要想活命，實比登天還難，伊人既無生望，又有這般蓋世魔頭在此，三妙遺珍也輪不到自己頭上，留在這是非之地，實在是有害無益。

他心意一決，立時轉面向譚九成道：「二弟，此間已無可留之處，依爲兄之見，我等不如撤走吧！」

譚九成明白他語中之意，但是谷寒香艷絕人寰，美似天仙的倩影，深深地烙在他的心上，令他念念難忘，揮之不去，作繭自縛，不克自已。

他默默沉吟一陣，故意提高嗓音道：「大哥，我等與谷姑娘是道義之交，反正無所冀圖，多留片刻又有何妨？好歹看個究竟，待得找出谷姑娘的遺體，我等憑弔一番，立即離開此處。」這一番話，原是講給「人魔」伍獨等人聽的，詎料語聲甫落，那方天灝已是冷笑連連，道：「爾等最好是快滾，谷寒香賤婢不死便罷，如果死了，你們這般道義之交，一個也休想生離此處。」

譚九成少年氣盛，聞言之下，不禁劍眉怒聳，跨步走出行列。

適在此時，一聲洪亮的佛號，由數百丈外的花樹之後，遙遙傳了過來。

眾人聽這佛號中氣充沛，震人耳膜，情知來了一流高手，不禁齊齊轉身，向那聲音來處望了過去。只見那花樹之後，大步走出兩個老年的和尚，前面一人，肩上扛著一根粗如鵝卵的純鋼禪杖，後面一人僧袍蔽舊，補釘重疊，一根錫杖拄在手中。

這兩個老年和尚，俱都是慈眉善目，令人一見之下油然生敬，那聲洪亮的佛號，便是由當先的和尚所發。

眾人一望之下，不覺同是一驚！原來當先這肩扛純鋼禪杖的老僧，乃是少林寺中，享響最隆的天明大師，天明大師久走江湖，在場群雄，大半都與他見過，隨在他身後的乃是天覺大師，那天覺大師雖然一生都在天下行腳，識得他面目的人，反而爲數不多。

只見天明大師走到近處，朝眾人合掌一禮，道：「各位老施主別來無恙，可還記得貧僧天明麼？」

龐士沖倏地哈哈一陣狂笑，道：「天覺，你布的好陷阱，老夫如今是服你了。」說罷之後，又是哈哈一串狂笑。

天覺大師容色一動，環掠群雄一眼，移目向那洞中望去，忽聽天明大師道：「龐老英雄，你可見到貧僧那個女徒？」言未落，包九峰和那幾個青衣女子突然奔了過來，跪在天明大師身前，放聲痛哭起來。

天明大師面色一凜！戚然問道：「你們因何啼哭？莫非老衲那香兒有何不測麼？」

包九峰不能言語，那幾個青衣女子卻紛紛指住洞口，涕淚滂沱，一時竟是語不成聲，答不上話來。

天明大師緩緩地點了點頭，自語道：「阿彌陀佛，瞧你們如此傷痛，想必香兒平時待你們尚還不薄。」他垂目望地，默然沉思片刻，接著又低聲自語道：「如此看來，香兒並未迷失本

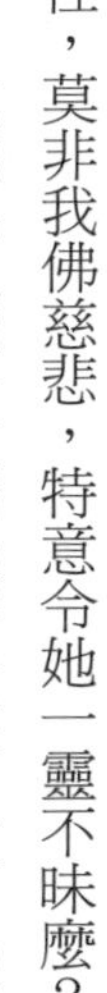

性，莫非我佛慈悲，特意令她一靈不昧麼？」

忽聽「人魔」伍獨縱聲一笑，道：「天明，谷寒香是你的徒弟麼？」

天明大師目光一抬，深注「人魔」伍獨一眼，道：「她是老衲的記名弟子，伍老施主可是眼見她葬身在洞中的亂石之下？」

「人魔」伍獨將頭一點，道：「伍獨親眼見她竄入洞中，阻截不及，眼看亂石將洞口封死。」他話音一頓，接道：「伍獨深望你那女弟子福大命大，神佛默祐，倘若她得以活命，伍獨自今以後，也要長齋唸佛，再不做半點虧心之事。」

天明大師見他說得不倫不類，似真似假，當下不做理會，卻自掃視遍地遺屍一眼，道：「這般死者俱已骨髓成冰，血液凍結，看來正是喪命在寒陰掌下。」

「人魔」伍獨狂笑一聲，起口道：「正是死在『寒陰神掌』之下，除了『鬼老』和我伍獨之外，旁人無此功力。」

天明大師蹙眉道：「如此說來，這批人都是死在伍施主掌下了？」

「人魔」伍獨點頭含笑道：「這班東西對你那徒兒不敬，你說伍獨該不該將他們打死？」

天明大師雙眉緊皺，低低誦了數聲佛號，移步向洞口走去。

忽聽龐士沖冷冷地道：「天明，你是趕來唸超生經文，爲你那徒兒超渡亡魂……」他意興蕭索，愈講愈覺無趣，話未說完，倏地將口閉住。

此刻那羅錚、丁一魂、「追魂手」莫信三人，業已掘進了八、九尺深，洞外諸人，瞧谷寒香尚無蹤影，各人心頭，不覺逐漸地活動起來。

「鬼老」水寒朝洞中凝視半晌，忽向洞口的方天瀾道：「方賢姪，快命你兩個師弟和莫信退出洞外，待咱們幾個老不死的施點手腳，或許谷寒香那丫頭大難不死，另有巧遇也說不定？」

方天瀾一聽谷寒香生機未絕，頓時血脈賁張，轉面朝洞中喝道：「二弟、三弟、莫信，統統退出洞外。」

羅錚、丁一魂及「追魂手」莫信三人，聞得吩咐，頓時各自住手，轉身向洞外走去。

酆秋依然背貼洞壁，癡癡地站立一旁，三人走過他的身側，不禁齊齊停下腳步。

丁一魂眼眶一熱，哀聲說道：「師父，你老人家難道連徒兒一魂也不認識麼？」說話中，情不自禁地移步向前，意欲將酆秋牽出洞去。

酆秋哪裡明白他的意思？一見他走向自己，立時鋼叉一橫，蓄勢待敵，雙目之內冷焰逼射，懾人心魄。

丁一魂睹狀之下，爲之一愣，眼中不覺迸出了兩滴熱淚。

方天瀾立在洞口，心中暗暗忖道：「瞧師父這種失魂落魄的樣子，倘若一旦發見那賤婢的屍體，他老人家可能還有更激烈的舉動……」轉念之際，強忍滿腔激憤，朝丁一魂道：「三弟等先退出來，不要衝撞了恩師。」

他轉面朝「鬼老」水寒抱拳一禮，道：「水老前輩，不知你要如何施爲？」

「鬼老」水寒雙眉一軒，尚未答話，天明大師忽然舉步向前，朝方天瀾及剛由洞中走出的羅錚等人合十一禮，道：「幾位施主放心，貧僧擔保，絕不傷及令師便了。」

方天瀾冷冷說道：「憑你一人之力，亦傷不了家師，你又如何擔保得了？」

天明大師知他對谷寒香恨之刺骨，遷怒到自己頭上，因而也不與他計較，淡然一笑，扭頭向龐士沖道：「龐老英雄可否相助一臂之力？」

龐士沖倣聲一笑，飄身立到天明大師身旁，「人魔」伍獨亦閃身站到「鬼老」水寒身側，四人面向洞口，並肩而立。

方天瀾睹狀之下，只得向羅錚等施了一個眼色，四人閃到「鬼老」水寒和「人魔」伍獨身後，暗暗戒備。四人並肩站好，靜立片刻後，龐士沖首先單掌一揚，向洞口緩緩推去，緊接著天明大師雙掌一分，「鬼老」水寒和「人魔」伍獨四掌齊揚，同時罩定洞口，彼此間似有默契，各將一身驚世駭俗的功力，化做一股潛力暗勁，無聲無息地向洞中逼去。倏地，酆秋身形電射，由洞口飛縱而出，直落五丈開外。

忽聽「人魔」伍獨大喝一聲：「起！」

聲甫落，天明大師、龐士沖、「鬼老」水寒以及「人魔」伍獨四人，業已同時飄身而起，躍出數丈之外。

停了片刻，一陣沉悶的響聲起處，那堵塞洞內的亂石突起一陣震動，接著似江河堤潰一般，轟轟隆隆，由洞口潮湧而出。

這黑、白兩道的四位尖頂高手合力之下，其威勢端的駭人，只見那洞口亂石狂湧，直瀉三丈有餘，一直持續了半盞熱茶的時光，其去勢始才逐漸衰竭下來。

那洞口沙塵瀰漫，亂石尚自滾滾外流，但是洞外之人，大半都目光如炬，能夠直透瀰天沙塵之後，龐士沖和天明大師等爲首數人，更是早已看出那石洞深邃異常，至低限度，也要深達五丈。

眾人先是盯住洞口湧出的亂石，瞧瞧並無谷寒香的屍體，各人心中，業已想到那亡命之徒多半已誤打誤撞，逃脫了活埋之厄，這時看出洞中有洞，益發相信她已有驚無險，當先入了藏寶之處。

「人魔」伍獨暗暗忖道：「捷足者先登，老夫再也不能後人。」轉念之下，頓時功凝右掌，暗提一口真氣，不待洞中情勢澄清，立即雙足猛蹬，飛身向洞中射去。

他身形剛剛離地，忽覺腦後生風，耳聽「鬼老」水寒厲喝道：「伍兄留意！」

「人魔」伍獨驚怒交迸，身形疾墜，猛然腰肢一擰，發覺酆秋喞身追到，一隻血紅刺目的手掌，正向自己當頭壓下。

酆秋的「血手印」豈同小可，「人魔」伍獨怒極而笑，舉掌一揮，施展早已凝足的「寒陰神功」，霍地朝後一揚。

詎料，酆秋神志雖然不清，卻因心無雜慮，武功日進千里，突飛猛進，這時但見他掌式倏變，手腕翻處，驀地駢指如戟，改拍爲點，陡地向「人魔」伍獨掌心點來，身形卻絲毫未慢，就這瞬眼工夫，業已身子凌空，飛過了「人魔」伍獨的頭頂。

「人魔」伍獨怒不可抑，眼看自己一掌縱然可將酆秋擊傷，酆秋的手指破勁下擊，直點自已掌心「勞宮」重穴，大有令自己應指斃命之勢，萬般無奈，只得強忍一口惡氣，雙足微挫，

向一旁暴閃一尺。

他這裡身形尚未立穩，酆秋業已飛臨洞口，足未沾塵，雙手猛然一揮，捷若勁矢離絃，眨眼射入了洞內。

驀地，「颼颼」兩聲，龐士沖和「鬼老」水寒一掠數丈，啣尾鑽入了洞內。

「人魔」伍獨見「毒火」成全與「陰手一魔」二人，亦已騰身而起，雙雙朝洞口躍去，不禁怒哼一聲，雙足猛蹬，再度飛射而去。

天明大師看這班魔頭，一個個爭先恐後，搶進洞中，急忙向天覺大師道：「師弟，你我快去瞧瞧，別令人傷了那個孩子。」

天覺大師朗聲一笑，道：「師兄休急，有那酆秋走在前面，你那香兒保可無虞。」

說話中，早已錫杖一提，與天明大師雙雙騰身躍起，隨著「陰手一魔」和「毒火」成全兩人之後，飛入洞內。

天明大師和天覺大師入洞之後，方天灝師兄弟和包九峰等，也隨後入了洞內，剩下「江南雙豪」和他們所率的那批人物，以及那兩隊三手怪人，尚還留在原地未動。

「江南雙豪」相視一眼，皇甫天長陡地心意一決，轉面向身後諸人道：「各位兄弟就在此處等候，我和譚賢弟入洞……」

他話未講完，那焦氏三傑已自齊齊說道：「既然皇甫大哥和譚二哥入內，便是龍潭虎穴，兄弟等也要隨侍在側。」

皇甫天長心頭作難，瞥了地上的「屠龍寨主」，和他那批兄弟的屍體一眼，道：「我知各

位兄弟的心意，既入寶山，縱然空手而返，也得見識一番，開開眼界，不過我等手底下的那點玩意兒，實在不足以和旁人爭長論短，各位還得三思才是。」

只聽那焦氏弟兄齊聲道：「大哥放心，我等死而無怨。」

皇甫天長知道到此地步，誰也不甘後人，無奈之下，只得舉手一揮，當先朝洞中奔去。

且說龐士沖和「鬼老」水寒二人，追在酆秋身後進入洞內，五丈距離，在這幾人來說，自是一晃就到，詎料兩人身形未住，即已發覺這石洞盡頭，地面有個六尺方圓的洞口，那酆秋略一俯首下視，頓時踴身一躍，跳了下去。

兩人奔到洞口，俯首一望，不禁面面相覷，作聲不得。

原來這洞穴生似一口枯井，下豐上銳，黑沉沉的深不見底，兩人的目光雖然黑夜之中能見縫衣針落地，卻看不出洞底究竟是何狀況？

展眼間「人魔」伍獨、「毒火」成全、「陰手一魔」，以及天明、天覺兩位大師，相繼趕到，環立在洞穴四周，凝目下視。

「人魔」伍獨突然乾笑一聲，眼望龐士沖道：「膽大的拔頭籌，龐老兒，你遲早逃不出伍獨的掌下，反正一死，還是你先下吧！」

龐士沖雙目微翻，冷冷說道：「老匹夫，這洞穴誰都敢跳，但怕無恥鼠輩落井下石，那可是死得不值。」

語音甫落，忽然「砰」的一聲，由洞底悠悠傳來，餘音嬝嬝，繞耳不絕。

天明大師暗暗忖道：「聽這聲響，此洞約有十來丈高，躍下倒是容易，上來卻是大費周章之事。」

忽聽龐士沖喃喃咒罵道：「臭酸丁……」

言未了，「砰砰」之聲，一陣陣地傳了上來。

天明大師忽向天覺大師道：「那位酆施主想必已經發現門戶，正以掌力在攻門，我這就下去，師弟留在上面，倘若金陽道長等人到此，師弟可以說明原委，請他們稍待一時。」

只聽「鬼老」水寒道：「對哇！我不入地獄，誰入地獄？這才是出家人的本分。」

「鬼老」水寒話才講完，倏地人影連晃，方天瀾、羅錚、丁一魂、「追魂手」莫信四人，一言不發，飄身躍下了洞穴之內。

天覺大師忽然慨嘆道：「酆秋為人雖然不無可議之處，他這幾個門下倒是忠義可嘉，師兄請下，見著谷寒香時，命她解了酆秋的『向心露』吧。」

天明大師頷首道：「不勞師弟掛慮。」僧袍大袖一揮，手提禪杖，飄然躍下。

且說方天瀾當先躍下，勉強飄落十四、五丈，一口真氣已竭，急忙雙掌猛然向下一揮，以減緩朝下疾墜之勢，饒是如此，依舊「叭噠」一聲，摔落地面。

他知自己的兩個師弟和「追魂手」莫信，輕功較自己遠遜，任其下落，必將雙腿摔斷，急迫之下，顧不得兩腿尚自麻木，挺身躍起，雙臂連揮，將隨後躍下的羅錚、丁一魂和莫信三人，迭連往橫裡托去，自己也真氣不繼，一跤摔倒地上。

方天瀾略一調理真氣，振衣而起，剛與羅錚等人聚在一處，天明大師業已形如一片浮雲，冉冉飄落實地。

天明大師落地之後，見這洞底漆黑異常，一陣陣震耳的響聲，正由左側傳來，當下功凝雙目，環顧四周一眼，發覺這洞底約有兩丈方圓，左側微微透亮，看似一條長長的通道，那震耳的響聲，正由通道的另一端傳來。

老和尚不再猶豫，朝一側的方天瀾等人道：「各位施主，請隨老衲前進。」

方天瀾暗暗冷哼一聲，覺出天明大師已向發聲之處撲去，急忙低喝一聲：「走！」拔步隨後追去。

五人入了甬道，奔出數十丈後，眼前愈來愈明，天明大師目光銳利，這時業已瞧出了酆秋的身形。

展眼間，天明大師奔到了甬道盡頭，只見兩扇緊閉的石門擋在眼前，那石門的門楣之上，鏤有鬥大的「問心齋」三字，筆力雄渾，古樸異常，一片柔和的珠光，由洞頂折射而下，正照在字跡之上，那酆秋則雙腿微分，前弓後箭，正在一掌接連一掌地向石門攻打。

天明大師見酆秋揮掌不住，記記隱含裂石開碑之力，但那兩扇石門除了微微震撼，發出一陣陣沉重的回音之外，絲毫未被掌力損壞，不禁暗暗忖道：「前輩奇人的設施，果然迥異尋常，單瞧這『問心齋』三字，即可知道這石門後的景況，非常情所能臆測。」

他暗暗尋思道：「照理來說，我應將一切人驅開，使她得以澄澈神志，獨處這石洞之內，那麼她定能得三妙前輩所遺的啓迪，潛移默化，消除心內所藏的狠毒之念，化乖戾爲慈祥，放

棄造劫江湖之心，只是……」轉念未已，忽見方天瀾跨步向前，一掌向石門擊去，口中淒厲喝道：「谷寒香賤婢，老子連擊三掌，倘若你還不開門迎客，老子可要先去取你那兒子的性命了。」說話中「蓬蓬蓬」三響，一連三掌，擊在石門之上。

忽聽天明大師急喝道：「龐老英雄！你……」一言未了，龐士沖倏地出現，揮手一掌，正擊在方天瀾的後心之上。

龐士沖來得悄無聲息，連立在甬道中的羅錚、丁一魂和「追魂手」莫信三人，亦未覺出他是如何越過自已身旁的，這一掌驟下，事先連警告之聲也無，簡直不像他這種身分所做的事。

因而，方天瀾聞得天明大師的驚喝之聲，但是爲時已晚，只慘哼了半聲，張口噴出一股血箭，頓時僕地身死。

羅錚、丁一魂、「追魂手」莫信三人睹狀之下，俱皆目眥欲裂，齊厲喝一聲，縱身撲去。只見龐士沖倏地轉面，滿面猙獰，道：「留你們不得！」舉掌一揮，凌空劈去。

天明大師看龐士沖突然之間神情大變，直似凶神惡煞一般，不禁駭然大叫道：「老英雄手下留情！」合掌一拜，擊出一股沉雄之力的狂飆，向龐士沖所發的劈空掌力撞去。

兩股重逾山嶽的力道一撞，蓬然一聲暴震，掌飆四溢，排空激蕩，石壁之上回音四起，威勢懾人心魄。

只聽龐士沖獰聲道：「老禿驢，你是找死！」

話聲中，人已投入瀰空狂飆之內，右掌一揮，直襲天明大師，左手疾探，霍地向當先撲到的羅錚擊去。

霎時，陰沉的甬道之內，展開了一場慘烈的搏鬥，然而石門前的酆秋，對這一切恍若未聞，他那大弟子方天瀾倒斃在他的腳旁，他也未曾瞥上一眼，卻只是一掌接連一掌，不斷地向石門上劈擊。

天心難測，「三妙書生」的設施原無絲毫疏漏，天明大師爲了消弭江湖浩劫，所安排的巧計也無破綻，然而，一切未出意料，卻因酆秋如此一掌接一掌的劈擊，終於仍舊釀成了一陣狂飆，一陣空前未有，驚天動地的狂飆，橫掃武林，將黑、白兩道的一時之選，一網打盡。

原來谷寒香冒生命之險，在那洞口即將封死之際，由亂石之間竄入了洞內。

她手足並用，憑著一股百折不撓，勇往直前的力量，在間不容髮之際，終於穿過了滾滾而下的亂石，竄入了石洞之內，手足衣履，已是傷痕累累，零亂不堪。

然而，當她抵達「問心齋」之後，卻又被驚得手足無措，芳心之內，悔恨不迭。

原來這「問心齋」僅是一個寬廣兩丈，空蕩蕩的石室，石門對面，則是一面晶瑩閃亮的玉壁，玉壁之上，刻著一個閉目趺坐，一手捫胸，一手指天的老年儒生，看這老年儒生的神情相貌，顯然並非「三妙書生」而是另有其人。

在這壁像之前，設有一座矮矮的玉幾，玉几之上，陳列著一卷非絲非帛，顏色已轉暗黃的手稿，卷頭之上，題著「三妙遺言」四字。

谷寒香心轉微微，料想那玉壁上的人像，必是「三妙書生」的祖師，於是先行跪拜默禱，然後盤坐玉幾之前，閱讀「三妙書生」的遺言。

那「三妙遺言」之上，開頭便寫著：門祚中缺，傳人不繼，仁心仁術，暨絕世神功，待諸有緣……等，隨後則稱，爲防仁術神功淪入宵小之手，因而洞中另加設施，但恐入門之人未諳武功，是以各處門戶之啓閉，俱都別有巧思，另含用意，強行攻開，必罹奇禍。

那遺言上稱「三妙書生」的祖師，原是一位學海書城的太守，因是儒家出身，故而他這一門的武功，亦由「誠意」、「正心」上入手，而以「定、靜、安、慮、得」爲一貫之法門，不能方寸澄然，靈府空明之人，縱然入其門中，亦必空手而返，一無所得。

最後，那遺言上寫道：

這「問心齋」的兩房石門一閉，非至參透三妙遺澤之時，不能隨意啟開，同時石門一閉，石室中即另有門戶出現，但是來人務必反躬自問，其心是否有愧？倘若心有慚怍，則不可進窺秘學，否則便留在這「問心齋」中，靜待祖師爺的啟示。

谷寒香讀完「三妙遺言」，早驚得渾身汗下，想她一腔熱血，哪裡能夠「誠意」、「正心」？滿心仇恨，又如何能夠反躬自省？瞧瞧一切都在「三妙書生」算中，又何敢輕舉妄動？萬般無奈之下，只得跪在壁像之前，冀圖祈求祖師爺的啓示。

孰料她跪不多時，堵洞的亂路石已被天明大師等合力移開，酆秋業已闖下洞底，此時此地，她亦不遑多想，也不管當先闖到的是誰，閃到石門前，玉手疾揮，頓時閉上了兩扇石門。

這兩扇石門一閉，一陣「隆隆」巨響之後，那壁像兩側，倏地現出了兩座小門，一座門上

鐫著「洗心小室」四字，另一座門上，則分別刻著「武庫」、「文廊」四字。

她本是絕頂聰慧之人，單瞧那遺言之上，說是「仁心仁術，暨絕世神功，待諸有緣……」等字樣，便知自己理應先進「洗心小室」，洗滌自己的心靈，但是她的芳心之內，充滿了誅戮強敵，爲胡柏齡報仇雪恨之念，情知入室洗心，自己勢須大改初衷，放棄爲夫報仇之志，是以她裹足不前，不敢一觸那「洗心小室」的門戶。

但是「三妙遺言」之上，又明明寫著：

倘若心有慚怍，不可進窺秘學。

她被迫無奈，只有依照遺言上的指示，重又跪撲在壁像之前，祈求祖師爺的啓示。

她雖然知道，所謂「洗心小室」，所謂靜待祖師爺的啓示，目的都在轉變來人的氣質，因而她盡量地澄清神志，摒絕雜慮，冀圖以自己的聰明才智，來參悟此中的奧秘。

然而，一陣接一陣的巨響，震耳欲聾，令她心煩意躁，神志不寧，她不靜，也無法思考，與那「定、靜、安、慮、得」的法門，早已是背道而馳，愈離愈遠了。

倏地，轟轟之聲，愈來愈甚，其中尙還夾雜絲絲透壁而入，隱隱約約的話語之聲。

她再難忍耐，熱血沸騰之下，霍地一躍而起，帶著滿面淚痕，直向那鏤著「武庫」、「文廊」的小門衝去。

「蓬」的一聲，她一掌推開了「武庫」、「文廊」的石門，嬌軀似一陣狂風，眨眼捲入了門內，卻聽一陣沉重的響聲起自身後，轉身一瞧，那扇厚重的石門業已自行合上。

谷寒香暗暗忖道：「這洞中的佈置倒真是別具巧思，處處另含用意。」思忖中，撲到石門之前，伸掌貼在門上，猛然往外一堆，果然，那石門文風不動，生似業已和洞壁連爲一體了。

谷寒香暗暗尋思道：「事到如今，縱然餓死在這山腹之內，也得先瞧瞧那位三妙祖師究竟遺下了多少絕世之學，否則的話，自己豈不死得太冤？」

她橫定心腸，撇下了一切掛慮，回過身來，打量眼前的環境。

只見立身之處，乃是一條長長的走廊，兩旁石壁之上，每隔丈餘，嵌有一粒徑寸明珠，珠光輝映之下，將這不見天日的山腹，照得祥氛隱隱，不帶半點陰森之氣。

谷寒香舉步朝前走去，發現一座石門之上，題著「賞心小藏」四字，好奇心動之下，走到門前，舉手向門上推去。

但聽「吱呀」一聲輕響，那扇薄薄的石門，應手啓開，谷寒香縱目向室中望去，原來裡面陳列著許多瑤琴、鐘磬、字畫、古玩等物，一眼望去，古色古香，令人啓發思古之幽情。

這「賞心小藏」雖是琳瑯滿目，美不勝收，谷寒香卻似走馬觀花一般，就在門外望了幾眼，立時轉身走去。

再走過去，乃是那「三妙書生」的藏書之處，谷寒香推開石門瞧了半晌，看出所藏的雖是一些世間難見的謄本圖書，和珍貴的手稿，不過都是經史子集，以及釋、道兩家的典籍和輿地、星象等雜學，卻與武功沒有關係。

她不禁浩嘆一聲，自語道：「若非要爲大哥報仇，我便謝絕塵世，終老在這地闕之內。」正當她一時忘情，神馳物外之際，那持續不斷的撞門之聲，忽然停了下來。

一陣出奇的寂靜，彷彿一股晶寒之氣，倏地襲上她的心頭，她機伶伶地打了一個寒噤，掉頭向前走去。

過去一間密室，乃是「三妙書生」心愛的珍藏，谷寒香在其中留戀不去，將室中的片紙隻字，一草一木，俱都仔細地檢視，半點不肯遺漏，然而，她終於廢然一嘆，轉身退出了室外。

原來這室中除了各種醫藥典籍外，尙有形形色色的藥材，和大瓶小罐的成藥，那些盛放膏、丹、丸、散的瓶罐之外，全都貼有標籤，她逐一檢視，瞧那許多藥物幾乎能治百病，但無一樣是能助武功長進的。

她繼續向前走去，發覺那甬道已至盡頭，兩扇緊閉的石門，擋住了自己的去路。

刹那間，她的心情緊張起來，萬籟俱寂中，她開始聽到了自己的喘息之聲，她恍惚看得到自己心頭的跳動。

那兩扇石門特別寬大，門楣之上，嵌著一塊寬達四尺，高約尺許的玉石，那玉石平滑至極，瑩瑩生光，但是一片空白，好似這洞府的主人，忘了在石面題上字句，或是不知題上什麼才好，因而只得任其空著。

她先是一怔！繼而銀牙一咬，忖道：「管他是什麼意思，拚著埋骨在此，也是有進無退。」心念一決，立時閃身向前，雙掌同出，向那石門推去。

但聽一聲微響，兩扇石門應手而開，谷寒香目光落去，忽見一個中年文士當門而坐，雙目

微睜，正朝她莞爾而笑，同時間，一陣殷殷雷鳴之聲，亦由門後響起。

此時此地，乍睹生人，怎不令她驚凜欲絕，渾身冷汗直下？

谷寒香身形暴起，猛退數丈，落地之後，未及看清室中的景況，卻見那兩扇室門在殷殷雷鳴之中，正自徐徐合攏起來，同時整個通道之內，也響起一種「隆隆」震耳之聲，那聲響不知起自何處，只是聽入耳內，令人心驚肉跳，覺得這條甬道即將全部崩塌似的。

剎那間，谷寒香腦海之內，掠過了千百個人影，她想起了胡柏齡，想起了由於酆秋入據「迷蹤谷」，因而至「天香谷」避難的翎兒，以及苗素蘭和萬映霞等人，她也想起了「迷蹤谷」的部眾，同時也想起了難計其數的仇人。

她更想到一件事，這甬道頃刻便要崩塌，而那石門合上之後，再也休想啟開。

驀地，她心頭熱血一沖，一股求生的意志，一種報仇的決心，激發了她全身潛在的功力，但見她雙足猛頓，快逾奔雷激電，就在那兩扇石門將閉未閉，其間寬不逾尺之際，霍地由石室頂上垂落下來，將那兩扇石門全然遮斷。

良久之後，她才驚魂略定，記起這已被封死的石室之內，尚有一人在內，轉而一望，不由倒抽一口涼氣。

原來那中年文士，盤腿坐在一個大塊墨玉雕成的蒲團之上，不知何時，業已連人帶座，退後了兩、三丈遠，移到了石室中央，這時雙目大張，兩道湛湛神光，正自微帶笑意地籠罩在谷寒香的身上。

谷寒香渾身上下，冷汗如雨，忽然之間，又覺出自己竄入洞口之際，一身衣衫已被亂石刮

得凌亂不堪，衣不蔽體，加上滿身塵土，狼狽之狀，不堪入目。

忽見那中年文士口齒啓動，緩緩說道：「老夫行年一百六十餘歲，你不必羞窘，須知在老夫眼中，你不過是個初生的嬰兒罷了。」

谷寒香雖然羞窘得無地自容，玉靨之上，卻蒼白得毫無血色，她雙手抱在胸前，愕然半晌，始才囁嚅說道：「您老人家……」

那中年文士見她訥訥不能成語，不覺微微一笑，道：「世人都稱老夫做『三妙書生』，你也喚老夫做『三妙書生』便了。」

谷寒香驚詫欲絕，道：「三妙……您老人家不是業已……」

那中年文士知她想說什麼，藹然一笑，道：「你可是奇怪，老夫何以未死？」

他凝目望住谷寒香的面龐，接道：「其實老夫業已死了。」

谷寒香聽得怦然心動，暗道：「他明明未死，怎麼說是死了？但他說得那般自然，卻又令人毫無置疑的餘地。」谷寒香心中，本有甚多疑問，但見這自稱「三妙書生」的中年文士閉目不語，彷彿已經忘了自己的存在，也就不敢開口動問，再來也不知從何問起？

寂然良久，谷寒香突然心頭一動，暗道：「瞧這人的形貌、衣著，正是洞口那畫像上的模樣，雖然語音神情不似年過百歲之人，怎見得就不是因爲內功通神所致……」她思忖未了，倏地不顧一切地撲身向前，跪僕在那中年文士腳前，哀哀慟哭起來。

那中年文士慢慢張開眼來，道：「你哭什麼？瞧你眼中的神色，似對老夫尚有所疑？」

谷寒香玉面微仰，哭聲道：「您老人家可是三妙……三妙祖師的傳人麼？」

那中年文士啞然失笑，道：「老夫若有傳人，早已解脫這具皮囊了。」

他語音微頓，問道：「你跪在老夫面前則甚？莫非擔心陷身這山腹內，從此與世隔絕？」

谷寒香記起那「三妙遺言」之上，所稱「門祚中缺，傳人不繼，仁心仁術，暨絕世神功，待諸有緣……」等語，不由自主地猛一搖頭，道：「弟子歷盡艱險，爲的是探求絕藝，尙祈老人家慈悲……」

那中年文士淡然一笑，插口道：「絕藝倒有，不過老夫非僧非道，不以慈悲爲本，不講因果報應。」

谷寒香哀哀說道：「老人家濟世活人，勝似萬家生佛，弟子身世堪憐，千萬祈老人家垂鑒。」她聲淚俱下，說得淒慘欲絕，任何人聽了，都會惻然心動，但那中年文士不過淡淡一笑，說道：「你滿身血腥氣味，照理來說，老夫是懶得理你的。」

他淡淡一笑，接道：「不過你既能到此，總算與老夫有見面之緣，你且將身世來歷，詳細地說與老夫得知，老夫酌情處置，絕不虧待於你。」

谷寒香舉起衣袖，揩拭臉上的淚痕，道：「弟子據實稟告……」

那中年文士眉頭微蹙，道：「我看你是個狡黠成性的人，你自圓其說就好，不一定要據實相告。」

谷寒香聞言一怔，凝思半晌，突然伏地慟哭，道：「老人家對弟子有了先入之見，弟子就說真話，老人家也是不會相信的了。」她愈哭愈是哀楚，雙肩抽動，涕淚滂沱，看來完全是個初解人事的少女，哪裡還似叱吒風雲，江湖上聞名喪膽的谷寒香。

倏地，密室靠外的石壁之上，傳來一陣隱約的響聲，這響聲似有似無，宛如人在水底所感受的一樣，那響聲餘波蕩漾，猶未竭止，跟著又是一響傳來。

中年文士眉頭又是一蹙，道：「這掌力頗爲雄渾，發掌之人，與你是敵？是友？」

谷寒香仰面聽了片刻，搖頭道：「弟子分辨不出發掌之人是誰？想來是個名叫酆秋的黑道巨惡，或是一個叫做龐士沖的關外人物。」

那中年文士沉思少頃，道：「老夫想不起這兩人，不過剛剛那兩聲響音，乃是佛門大力金鋼掌所擊起。」

谷寒香未曾料到天明大師也會趕到此處，想了一想，道：「或許是少林派下，一個法號天覺的和尙了……」

那中年文士含笑道：「老夫已有數十年未在世上走動，對於武林人物已經陌生得很了。」他那恬淡神色間，倏地泛出一縷憐憫之情，接道：「你雖仇海沉淪，靈智隱晦，但念你年事尙輕，老夫破例矜恤，你先將往事述說一、二，但有值得恕宥之處，老夫必然成全於你。」

谷寒香早已被這洞中的佈置，和那「三妙書生」的盛名，以及眼前這人清奇恬淡的氣質所懾，聞言之下，不禁大喜過望，膝行數步，仰起玉靨，將自己與胡柏齡結褵之後，所經所歷，半點不漏地陳述出來。

往事如夢，不堪回首，她淚隨聲下，不知講了多久，最後撲伏在地，重又哀哀慟哭起來，那中年文士則瞑目趺坐，面色肅穆，彷彿老僧入定一般。

正當她淚盡而繼之以血的時候，那石壁之上重又響起了迴蕩之音，聲聲不斷，石壁傳音，

好似遠山之外，隨風飄來的暮鼓晨鐘，聲音雖然隱約，卻是叩人心扉，發人深省。

那中年文士倏地雙目一張，眉頭微蹙，道：「這是斧鉞伐石之聲，想來只有那個被你奪了神智的酆秋，才會做出這等傻事……」

谷寒香俯首無話，顯然，此時此地，她對自己過往的那種霹靂手段，也開始感到惶恐了。

那中年文士突然將手一伸，輕撫她的頭頂，道：「左面壁上有一座小門，裡面有飲食之物，你小憩片刻，我就開始傳你功夫。」

谷寒香驚喜不勝，美目大睜，歡聲道：「多謝師父……」

那中年文士莞爾一笑，道：「老夫無福收納弟子，你也無福列入老夫的門牆，去吧！你宗旨在於報仇，此來爲了學藝，老夫多少總要完成你的心願。」

谷寒香聞言一呆，她原也是心高氣傲之人，這時玉面之上，紅一陣、白一陣，羞窘而又惶急，許久工夫，依舊語不成聲。

那中年文士仍微微含笑，道：「你何必著急，老夫傳你武功已足，不認師徒，又有何妨？想那天明和尚也曾收你做爲記名弟子，只因未曾傳你武功，你又幾曾認他做爲師尊？」

這幾句話，不啻醍醐灌頂，當頭棒喝，直講得谷寒香羞慚欲絕，惶愧無地，重又俯下頭去，半晌之後，始才訥訥說道：「少林派過於愧對亡夫，弟子報仇心切，因而忘了天明師父眷顧之恩。」

那中年文士淡然一笑，道：「此事暫且不提，那小室中有一道靈泉，泉下有一株『龍鬚寶竹』，那寶竹每隔三日，長成一截竹筍，竹筍可食，靈泉可飲，你先入內飲食，回頭我就傳你練氣行功的法門。」

谷寒香早已懾服在這「三妙書生」的雍穆氣度之下，聞得吩咐，立即溫順地點了點頭，起身向他手指處走去。

那石壁之上，果然有一道小門的痕印，谷寒香用手一推，那小門應手而開。

她走入室內，見那小室方圓丈許，靠壁之處，石地上有一塊尺許大的低陷之處，其上生著一株高約三尺，翠綠欲滴的小竹，壁上有一道流泉噴出，正澆灌在那株小竹之上。

忽聽那中年文士道：「那靈泉不可弄髒，龍鬚竹筍可以手指折下，不可觸及金鐵之器。」

谷寒香俯身一看，那龍鬚寶竹的竹節之上，生滿了長約寸許的鬚根，碧綠晶瑩，鮮艷奪目，一眼之下，便能看出這寶竹乃是天生異極，迥異尋常。

她蹲下身子，瞧那竹根之處，果然生有一截小小的竹筍，這竹筍才只拇指粗細，色作嫩黃，纖塵不染，悅目至極。

本來她早已飢腸轆轆，眼看這截竹筍，更是垂涎欲滴，食指大動，但她忽然想道：「這龍鬚寶竹筍三日長成一截竹筍，自己未來之前，三妙師父定然是以之度日，如今自己將竹筍吃掉，他將以何物果腹？」

轉念之下，不覺嬌聲問道：「師父，這竹筍弟子若吃了，師父卻吃什麼？」

只聽那中年文士在室外說道：「你不必擔心，老夫是餓不死的，只要你不亂叫師父，想來老夫尚有幾年好活。」

谷寒香暗暗一笑，忖道：「倘若自己一時無法離開此地，那麼就與這三妙師父輪流食用，如果這竹筍有點寶物性質，六天吃上一次，想必也不會餓死。」心念一決，於是取過一旁的一隻玉缽，盛滿泉水，走到室角將手臉洗盡，然後折下那根竹筍吃下。

那龍鬚竹筍不過拇指大小，一口也能吃淨，味道苦澀，了無奇異之處，她吃罷之後，飲了幾口冷泉，秀眉微聳，緩步往室外走去。

那中年文士依舊趺坐在墨玉蒲團之上，這時伸手向右側一指，道：「那面有間丹室，原是老夫起居之所，你去找一身衣衫換過。」

谷寒香嬌靨一紅，奔到石壁之前，找著門戶，鑽進了丹室之內，見那室中設有一具雲床，和石幾、石案等物，於是找了一套衣衫換上，重新走出室外。

那中年文士目光一抬，見她長髮披垂，穿著自己的男人衣衫，大搖大擺地走了出來，玉面之上，那片肅殺之氣一掃而盡，換了一副天真無邪的嬌憨神態，不禁拊掌哈哈大笑起來。

谷寒香聽他笑聲清越嘹亮，卻又不似內功深湛之人，有那震人耳膜之力，不由暗暗忖道：「莫非這位三妙師父，業已修至返樸還純的境界了？」轉念中，作了一個長揖，甜甜地喚了一聲：「師父。」

那中年文士笑聲一歇，將手一擺，道：「老夫不尚虛假，你也不須無賴。」伸手一指，接道：「你坐下，老夫先將切身之事，略略向你說明一、二。」

谷寒香雙腿一曲，席地坐在他面前，索興無賴到底，道：「師父有話請講。」

那中年文士淡然一笑，旋即面容一整，神色轉為端凝，道：「這洞府之內，每座門後有一塊重逾萬斤的『斷門石』，如今各處的斷門石俱已落下，你若不能練出三萬斤的掌力，這一輩子休想脫離此地。」

谷寒香秀目一眨，道：「那麼師父傳我的功夫，待我來練成三萬斤的掌力吧！」

那中年文士見她說得輕鬆，不禁解頤而笑，道：「我這一門功夫，首重一個『靜』字，倘若你不能撇下俗世恩仇，安心學藝，老夫縱有意成全，你也徒對絕藝，難有所獲。」

他語音微頓，傾耳一聽洞外傳來的斧鉞之聲，接道：「若不能守定心神，一遭魔擾，重則喪生，輕則淪為殘廢……」

他低嘆一聲，道：「若非有此關鍵，老夫怎會忍令絕藝失傳，始終未能獲衣缽弟子？」

谷寒香愕然良久，問道：「如果弟子能夠撇開俗務，澄清靈智，約須多久的時間，才能練出三萬斤的掌力？」

那中年文士凝思片刻，道：「約須十年工夫吧。」

谷寒香如遭焦雷轟頂，楞了半晌，倏地珠淚泉湧，道：「弟子除了滿身恩怨外，尚有稚齡養子在外，如今不敢多求，只祈師父略為傳授一點武功，然後啓開門戶，放弟子離開此處。」

那中年文士兩道長眉微微一軒，道：「在你想來，只要老夫略予傳授，也盡夠你縱橫江湖，手刃夫仇了，是吧？」

谷寒香確有這等想法，被他道破心事，不禁玉面一紅，露出忸怩之態。

那中年文士突然輕嘆一聲，藹然說道：「你的想法固然不錯，無奈老夫油盡燈枯，早已無

力啓開斷門石了。」

谷寒香大吃一驚！知道這等世外高人，絕不會欺騙自己，一時之間驚惶過甚，不覺嚇得面無人色，口中喃喃自語道：「十年，十年，十年太長了……」倏地雙手掩面，失聲痛哭起來。

那中年文士看她放聲悲哭，亦不出言慰藉，反而雙目一合，自行枯坐起來。

然而，谷寒香終是生有慧根之人，哭過一陣之後，知道徒自悲傷，於事無補，於是揩乾淚痕，仰面說道：「師父就傳弟子武功吧，弟子盡力而爲，何時脫困，聽天由命罷了。」

那中年文士張開眼睛，點了點頭，道：「通權達變，不失爲可造之材。」

接著面容一整，沉聲說道：「老夫生平活人無數，卻從未殺過一人，話雖如此，亦知世間有可殺之人，你先說說，哪些人是你勢在必殺的？」

谷寒香未料他有此一問，聞言之下，不禁芳心暗急，不知如何回答是好？

她對胡柏齡情深意重，矢志爲夫報仇以來，啣恨忍辱，爲的就是將正、邪各派，所有導致胡柏齡身罹慘死之人誅滅殆盡，但是，此時此地，她怎敢坦率直言？

捱了片刻，她囁嚅地道：「『鬼老』水寒、『人魔』伍獨、『毒火』成全，這三人無惡不作，弟子是一定要取他們的性命，爲世人除害的了。」

那中年文士面容之上，倏地轉爲肅穆之色，兩道湛然神光，凝注在谷寒香臉上，緩緩說道：「老夫不管你殺誰，不過學了我三妙門下的武功之後，終你一生，只許你殺害四條性命，殺滿四人，你就有天大的仇恨，也不得取人的性命。」

說到此處，臉上忽然現出一片淒涼的笑意，接道：「老夫寧可絕藝失傳，卻不願爲武林蒼生貽下無可挽回的禍害，如何取捨，你自行思量吧！」

谷寒香怔在當地，良久不能言語，卻聽那中年文士淡淡地道：「老夫出言不改，不過你只要用手一推，便可制老夫的死命，而且老夫的一生武學結晶，都藏在那間丹室之內，你可自行取閱，自行修練。」

谷寒香玉面一昂，搖頭道：「弟子並非真正邪惡之人。」

那中年文士道：「那麼你仔細思量吧！洞中無甲子，時日還長得很。」

谷寒香垂目望地，低頭沉思了良久，然後仰面說道：「是弟子自己闖來此處，於今進退維谷，只有依照師父的吩咐，此生不得多殺一人了。」

那中年文士頷首道：「老夫深信你的話出自肺腑，不過你隱恨太深，如何取信自己？立一個自己也無法違背的誓言，你自己酌量吧！」

谷寒香心神一凜，默然有頃，終於幽幽地道：「弟子指亡夫和養子為誓，終此一生，只取四條人命！」

那中年文士肅然道：「也罷，你摒絕雜慮，聽老夫傳你內功心法。」

他頓了一頓，接著便將他這一門的內功口訣，和練氣行功之法，詳細地說了出來。

這「三妙書生」所傳的內功心法，果然抱一含元，特重個「靜」字，他反覆剖析，講得惟恐不詳，一直花了半日工夫，始才令谷寒香全然領悟，無半點疑義，然後才命她依法修練。

詎料她一摸著門道，循著那內功心法練氣行功，頓時感到由石壁上傳來的斧鑿之聲，逐漸變得震耳欲聾，令人心煩氣躁起來。

那石壁上傳來的斧鉞開山之聲，自開始響起之後，再也不曾停歇，但那聲響甚爲微細，隱隱約約，並不令人煩躁，可是當谷寒香心神一靜之後，那聲響卻顯得特別巨大了，然而，當她以原來的「周天坐息」之法練功時，又絲毫不受那聲響的干擾。

約莫過了一日時光，谷寒香依然無法摒絕那音響的困擾，當她移往內室，或那間種植龍鬚寶竹的小室中時，那音響更顯得響亮，此時，那中年文士也是愁眉不展，滿面憂色了。

谷寒香迫於無奈，最後語帶央求地道：「師父，弟子實在無法……」

那中年文士苦笑道：「老夫知道！本來這心法練出三成火候，即可使蚊蚋之聲彷爲雷鳴，初練之時，的確禁不住雜音打擾。」

谷寒香問道：「弟子就練原來的內功，師父另傳弟子武功招術，成麼？」

那中年文士搖頭道：「你那內功心法難有大成，練至極處，也休想將那斷門石揭起。」

谷寒香秀眉緊蹙，問道：「以掌力將斷門石震碎，是否可行？」

中年文士道：「這洞中共有斷門石三塊，石質特硬，揭之不起，震其不碎。」

說話中，突然緩緩起身，走下了那個墨玉蒲團，接道：「這墨玉座乃是武林至寶，你坐上去試試。」

谷寒香入洞後，尚是首次見他起身，不由歉然道：「這是師父的寶座，弟子怎能佔據？」

那中年文士微微一笑，道：「老夫業已三十餘年未下此座，於今也該退位讓賢了。」

說罷舉步向丹室走去。

谷寒香怔了一怔！見他久不出來，只得坐到墨玉蒲團之上，重又試行練功。

這墨玉蒲團端的妙用無窮，谷寒香坐上不久，即感周身舒泰，靈明朗澈，那斧鑿伐壁之聲雖然聽來更爲清晰，但卻不再搖撼心神，生離心奪舍之象了。

正是洞中無甲子，她這一坐，也不知過了多少時間，起身之時，聽那斧鑿之聲，依舊聲聲不斷，不禁暗嘆一聲，想道：「若非酆秋，便是包九峰的主意，旁人絕無如此的耐性。」她振衣站起，聽那丹室中尙無動靜，於是信步向左側的小室走去。

入室一看，那龍鬚寶竹之上，早又生出了一根竹筍，較之自己上次吃的，似乎還要大點，顯然，時間已不止三日。

她一見這根竹筍，頓時感到腹中饑餓，垂涎欲滴，但她並不將竹筍吃下，僅只飲了幾口山泉，然後以玉缽盛了清泉，連同折下的竹筍，一起拏著往丹室走去。

那丹室的石門自開啓之後，即未再次關過，谷寒香躡足走了過去，探首向室內一望，哪知她不望猶可，一望之下，不禁驚詫欲絕，脫口叫出聲來！

原來就這三、四日的時光，那中年文士的滿頭青絲，業已轉做了花白，頦下青鬚，更變得其白如銀，臉上皮膚鬆弛，皺紋隱現，看來至少是一個年屆六十的花甲老翁了。

這銀髯老人原是閉目趺坐在雲床之上，聞得谷寒香的驚叫之聲，頓時雙目一張，呵呵輕笑一聲，舉手招喚道：「你如何吃驚？於今老夫是三妙老人了。」

谷寒香細辨那語音神情，除了略顯蒼老外，依然神定氣足，儒雅從容，與以前無怎差別，

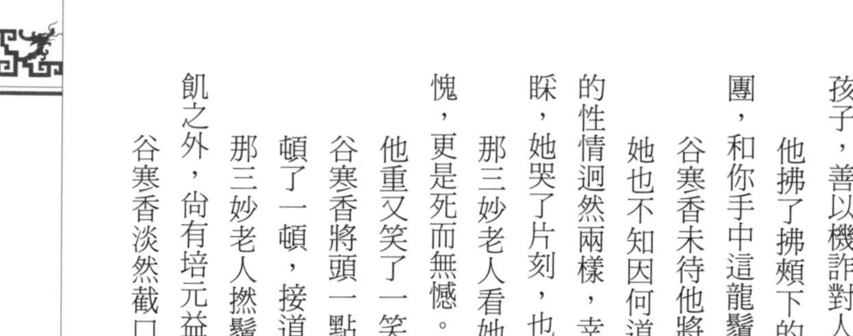

於是舉步走了過去，惶聲道：「師父，你老人家原來是化裝易容……」

她講了一半，突然感到那是大不可能的事，因而朱唇一抿，倏然住口不語。

那三妙老人目光閃動，向她手中的玉缽和龍鬚竹筍望了一眼，藹然笑道：「老夫不似你這孩子，善以機詐對人。」

他拂了拂頰下的銀髯，接道：「早曾對你講過，老夫已是油盡燈枯的人了，靠著那墨玉蒲團，和你手中這龍鬚竹筍的神效，始能苟延殘喘，勉強活到今日……」

谷寒香未待他將話講完，霍地放下手中的玉缽和竹筍，伏在雲床之上，放聲痛哭起來。

她也不知因何道理？自見這前輩奇人之後，情緒特別易於激動，動輒失聲大哭，與她素來的性情迴然兩樣，幸得這世外奇人應付得宜，每當她放聲大哭之際，便來個閉目枯坐，不理不睬，她哭了片刻，也只得自行收束眼淚了。

那三妙老人看她停了哭泣，微微一笑，道：「人孰不死？只要死得其所就好，倘能捫心無愧，更是死而無憾。」

他重又笑了一笑，接道：「你將這龍鬚竹筍拏來，可是省給老夫吃的？」

谷寒香將頭一點，堅決地道：「我和師父輪流果腹，這次輪到師父了。」

頓了一頓，接道：「弟子也是個一言出口，寧死不改的人！」

那三妙老人撚鬚一笑，道：「六天吃上一枚，那是有點飢餓的了，而且這龍鬚竹筍除了充飢之外，尚有培元益氣，助長功力，駐顏添壽……」

谷寒香淡然截口道：「修到師父這般境界，也還是有羽化飛昇的日子，可見世上根本沒有

長生不老之人，師父不吃，弟子也寧可餓死。」

那三妙老人呵呵一笑，道：「好吧，你忍著飢餓，老夫亦忍死一時，也好多加指點，助你早日功成脫困。」

說罷拏起那截龍鬚竹筍吃下，飲了幾口冷泉，然後在雲床裡端摸索一會兒，忽取出一個兩寸見方的玉盒來。

谷寒香倏地噗哧一笑，嬌聲問道：「師父還藏著些什麼寶貝？何不讓弟子開一開眼界？」

那三妙老人莞爾笑道：「這洞府之內，每一樣物件都是寶貝，不過對你有用處的，只有這玉盒中的一枚藥丸。」

谷寒香雙目閃亮，盯注那玉盒一瞬不瞬，口中卻不禁稚氣地道：「拳經、劍訣和任何武學秘笈，對弟子都有用處。」

那三妙老人啓開玉盒，取出一粒寸半大小的蠟丸，一面含笑說道：「老夫不肯收錄於你，正因我門下絕藝難學，縱然許你列入門牆，你也無福消受……」

谷寒香又氣又惱，嬌嗔道：「既然如此，師父何必甘捨餘年，傳授弟子的武功？」

那三妙老人凝目注視她一眼，微笑說道：「老夫但望你能練成三萬斤掌力，揭起那斷門巨石，不過老夫的畢身武學結晶，俱都要交託於你，倘若你揭起斷門石後，能夠看透『恩仇』二字，留在洞中，繼續鑽研老夫的絕藝，那時老夫雖死，依然追認你爲入門弟子，衣缽傳人。」

谷寒香聽罷這一段話，不覺啞口無言，面露沮喪之色，她暗暗忖道：「要我改變初衷，放棄夫仇，我便武功蓋世，又有何用？」思忖中，一陣撲鼻異香，薰得自己陶陶欲醉。

原來那三妙老人已將蠟丸的外殼，剝開了薄薄的一層，但是就這外層一去，一種奇異莫名的異香，業已瀰於整個的丹室之內。

谷寒香瞧那香氣濃鬱得異乎尋常，情知他手中這粒藥丸，必是由極爲珍貴的材料，或是什麼罕世難逢的奇藥所煉成，由他的語氣聽來，似乎還有意將這粒藥丸贈給自己，因而驚喜交集之下，不禁雙眼奇光迸射，玉頸長伸，面龐直往那藥丸湊去。

她乃是天生絕色，嬌美無倫，在這三妙老人面前，又回復了純真之態，任是那老人心如止水，微塵不驚，也被她惹得慈懷大暢，呵呵長笑不絕。

那三妙老人笑聲未竭，手指卻已極快地剝去蠟丸的層層外殼，露出核心一粒大加龍眼的朱紅丹丸，一把塞入谷寒香的小嘴之內，朗朗說道：「這藥丸名叫『火龜丹』，老夫費十年時光始才煉成，保藏至今，爲時已在一甲子以上，本來係爲我未入門的弟子所備，如今卻便宜你這野孩子了。」

那「火龜丹」才入她的口中，立時溜入了腹內，聞言之下，不禁感激莫名，眼眶一熱，淚珠似乎又要奪眶而出。

只聽那三妙老人肅然道：「休得多言，速至墨玉座上，依照老夫所傳的調息之法運氣行功，老夫不喚，不許起身。」

谷寒香亦感到胸腹之間，有一團暖氣擴散開來，全身血液向上沖集，身子躍躍欲飛，當下感激不已地望了三妙老人一眼，轉身奔出室外，坐上墨玉蒲團，閉目行起功來。

她的任、督二脈，早在初入「萬花宮」時，即已由獨眼怪人佟公常代爲打通，加上自己的勤修苦練，其內功火候，早已登上一流高手的境界，如今雖然改練三妙老人的內功心法，那也不過因爲新闢途徑，功力火候較遜而已，至於丹田真氣，依然是流轉周身，通行百骸，毫無阻礙之處，是以她這運行片刻之後，便將胸腹間那股暖氣揉合於本身的真氣之內，流轉於周身百骸之中。

珠光輝映，無晝無夜，谷寒香趺坐墨玉座上，意與神會，渾然忘我，不知過了多少時候，她忽然感到，自己周身血液的熱度逐漸增高起來。

她知道「火龜丹」的藥力，業已滲透於自己全身血液之內，因而繼續運氣行功，催動藥力，使其周身百穴中流轉，然而，那熱度愈來愈高，到得後來，簡直像滾湯沸騰一般，燙得她經受不住。

片刻之後，她開始渾身汗下，呻吟出聲，再過一刻，她感到暈厥欲倒，她的身子不斷地扭曲，大汗如雨，濕透了衣履，一陣陣沸騰的熱氣，由她的頭頂冒了出來，她痛苦地喘了幾口大氣，終於雙目一閉，暈倒在墨玉座上。

不知過了多久，她悠悠地甦醒過來，張開雙目，向丹室望了一眼，她記起三妙老人曾有吩咐，未得召喚，不許自己起身離座，於是她重又調息運氣，閉目行功起來。

她感到自己體內的血液業已冷卻了許多，雖然尚有難受的感覺，卻不似先頭那種炙熱如火，好似要將人焚化的樣子。

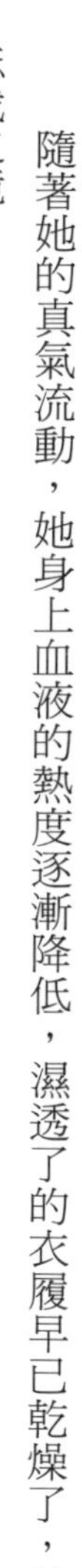

隨著她的真氣流動，她身上血液的熱度逐漸降低，濕透了的衣履早已乾燥了，她重又入了忘我之境……

那斧鑿伐壁之聲，依舊是夜以繼日，時光似水，悄然流動，那龍鬚寶竹的竹筍早已結成了，倏地，丹室中傳出三妙老人虛弱的語聲。

只聽那三妙老人道：「谷寒香，你快過來，老夫傳你幾招手法。」

谷寒香瞿然驚醒，嬌軀一晃，霍地閃到了雲床之前，惶聲道：「師父……」

言未了，倏感眼中一酸，淚珠簌簌，沿著粉腮滾滾而下。

原來幾日時光，那三妙老人已是鬚髮如銀，面上皺紋累累，連背脊也微微佝僂了。

谷寒香想起初進洞時，他還是一位儒雅清奇、仙風道骨的中年文士，曾幾何時，竟然變成一個雞皮鶴髮，看來行將就木的老人，她原是天生情厚之人，想起這一切均是因了自己之故，不禁「哇」的一聲，掩面大哭起來。

忽聽三妙老人笑聲道：「你這般好哭，哪裡像個綠林盟主……」

谷寒香突然反身奔出室外，抱著那個墨玉蒲團，重又奔了進來。

那墨玉蒲團原本頗重，但在她的手內，卻是恍若無物，只見她將蒲團往雲床上一放，連推帶抱，道：「師父快坐上去……」話未講完，又已拏著玉缽，一溜煙地跑了。

展眼間，她一手托著玉缽，一手拏著龍鬚竹筍，重又出現在雲床之前，三妙老人亦不推辭，吃了龍鬚竹筍，飲過山泉，一指石案上的一隻玉瓶，呵呵笑道：「那瓶中的藥丸勉可充

饑，你先吃上一些……老夫好與你講話。」

谷寒香毫不違拗，走到石案之前由玉瓶中傾出五、六粒藥丸，一口吃了下去，重又走到雲床之前，道：「師父有何吩咐？」

三妙老人雙目微合，傾耳向室外聽了片刻，道：「不知何人，正以一柄似鑽似杵的寶物，在第一塊門石上攻鑿，再有三、五日時間，那人可能在斷門石上鑿出一個小洞，倘若其精善縮骨神功，即可由小洞鑽入，進至『問心齋』中。」

他說到此處，停下籲了一口長氣，谷寒香瞧入眼中，心頭暗暗一痛，趁機插口道：「也許是酆秋，旁人不會有這種恆心。」

三妙老人微笑道：「此人也可將功折罪了，出洞後，你將他『向心露』的藥力解掉吧！」

谷寒香溫馴地點了點頭，道：「弟子謹遵師命。」

三妙老人莞爾一笑，道：「當他攻到第二座斷門石時，那聲響老夫已抵受不住了，你也無法再繼續練功，因而老夫打算，先將後事交代清楚，然後傳你幾招手法，你盡力去練，以便出困之後有力應變。」

谷寒香眼淚如斷線珍珠一般，滾滾下落，道：「師父別說喪氣的話，有這墨玉寶座和龍鬚竹筍，你老人家至少還有百年好活！」

三妙老人脫口大笑，接著由身後拏出一個厚約寸許，狀如書本的玉匣，道：「老夫畢生武學精萃都藏在這玉匣之內，你出洞時，記著將這玉匣帶走，若有機緣，便替老夫覓個傳人。」

谷寒香接過玉匣看了一會兒，然後放在墨玉座旁，幽幽地道：「倘若弟子本想長留洞中，

繼承師父的衣缽，卻因外敵侵入，迫得非離洞不可，那麼弟子也算列入了師父的門牆吧？」

那三妙老人哈哈大笑，道：「你這丫頭狡獪得很，如果你真想長留洞中，老夫只要舉手一揮，即可令整個的前洞崩塌，那時縱然土行孫前來，也無法進入此間。」

谷寒香嬌靨一紅，忸怩道：「弟子的養子翎兒，他是你老人家的徒孫，弟子須得出洞一次，將他接來此處。」

三妙老人捋鬚大笑，道：「你巧言令色，老夫不與你胡扯。」他面容一整，接道：「你謹記一事，最後一塊斷門石被人攻開之前，你將那龍鬚寶竹連根拔起，將地面以下的部分，統統吃下肚去。」

谷寒香愕然問道：「為什麼？」

三妙老人道：「吃下之後，足可增加你三十年的功力，而且身輕如燕，幾可蹈虛而行。」

谷寒香毫不思索，道：「那麼師父把它吃掉，咱們一道離開這裡。」

三妙老人凝目望她半晌，看出她言出肺腑，完全是一片真誠，不禁大受感動，伸手一撫她的秀髮，道：「老夫壽數已盡，不是藥物所能挽留，何況這玉匣非同小可，如果你沒有蓋世的功力，定然保護不住，倘其落入壞人手中，那一場武林浩劫，較之你這丫頭所造成的，又不知大過多少倍了？」

谷寒香小嘴一撇，嗔道：「弟子幾時造劫武林了？」

三妙老人微微一笑，正色道：「閒話少說，老夫傳你九招掌法，時日緊迫，你要用心學，加緊練。」

谷寒香道：「師父先告訴我掌法的名稱。」

三妙老人道：「沒有一定的名稱，若是你用來行善誅惡，就叫『天雷掌』，如果你用來濫殺無辜，也可稱做『天魔掌』。」

谷寒香知道絃外有音，故意問道：「倘若弟子用來報仇雪恨，又該怎麼稱呼？」

三妙老人淡淡地道：「世間何來仇恨？正如你我之間並無恩惠一般。」說罷之後，不待她再次開口，立時口講指劃，將掌法的招式、變化、運力、使勁等，詳細地解說出來。

谷寒香才只聽完一招，便知這九招掌法，必是三妙老人一身武學中的菁華，因而絲毫不敢大意，直到將所有疑難之處全問清楚以後，始才請教第二招掌式。

那三妙老人傳罷三招，立即吩咐谷寒香自行演練，同時重將墨玉蒲團移至室外，親自在旁指點，三招掌法練得嫻熟於胸，絲無瑕疵之後，再學另外三招，待得第九招掌法教完，谷寒香尚未開始練習時，石壁之上，卻突然傳出了一陣異響。

谷寒香自服食「火龜丹」後，耳目之力，早在不知不覺之間，加增了數倍不止，此刻聞得聲響，不禁脫口叫道：「師父，那『問心齋』的那塊斷門石，好似已被人鑿穿了？」

三妙老人點了點頭，含笑道：「此人鑿開這塊斷門石，花了十一個晝夜，依此而論，至少尚須二十餘日，始能抵達此處，你速練掌法，不要分了心神。」

谷寒香躬諾一聲，立時飄開丈餘，練習最後三招掌法。

倏地「咚」的一聲悶響，由室外遙遙傳來，餘音未竭，又是「咚」的一聲，其聲震耳，令

人聽到耳內，煩躁異常。

谷寒香掌勢一收，秀眉雙蹙，道：「師父，這音響是來自甬道口麼？」

三妙老人將頭一點，道：「快快練功，心神不可旁騖。」

谷寒香楞了一楞，重又反覆地演練掌法。

最後三招練習純熟之後，谷寒香遵囑將九招掌法連綴起來，重頭施展，這掌法名爲九招，其實每一招中，俱都包含著極爲繁複的變化，精奇玄奧，迥異常流。

這九招掌法，乃是去蕪存菁，千錘百鍊而成，掌法展開，能將全身每一寸地方，都防護得嚴密周到，同時亦能由任何一個角度，去攻襲敵人的要害。

谷寒香原本資秉過人，何況武學早窺堂奧，但她練這九招掌法，前後已花上十日的工夫，依然未能得心應手，離出神入化的境界，更是遠而又遠。

那斧鑿伐壁之聲，仍舊晝夜不斷，因那聲音較先頭遠爲響亮，而且石壁傳言，回聲四起，激得人頭暈腦脹，片刻難安，若非三妙老人督導在側，時加訓勉，谷寒香勢必早已狂聲大叫，暴跳如雷了。

正當她練得筋疲力竭，欲待小憩片刻，吃幾粒藥丸充飢時，忽然看到那三妙老人目光黯淡，面色蒼白，神情萎頓至極。

谷寒香大吃一驚！撲到三妙老人身前，惶聲叫道：「師父，您老人家怎麼了？」

三妙老人微笑道：「老夫就要去了，這音響震耳得很，你將老夫搬到雲床上去吧。」

谷寒香瞧他語音虛弱，簡直似個魂遊廢墟之人，臉上的微笑，亦似竭盡了渾身的氣力，始才掙扎出來，不禁心頭一酸，珠淚奪眶而下。

她雙手平伸，捧住那墨玉蒲團，連人帶座，搬於丹室之內，放到雲床上面。

三妙老人伸手一撫她的秀髮，含笑道：「像你這等情感脆弱之人，實在不宜練我這門功夫……」

谷寒香噙淚說道：「弟子只有在師父面前，才會這樣易於激動，對與其他的人，卻是心腸剛硬得很。」

三妙老人失笑道：「剛硬也是不宜，要在心平氣和……」

他愈說聲言愈低，說了兩句，終於語音一頓，大聲喘息起來。

谷寒香心頭大急，轉身將室門閉上，依然不能使那巨響減低，急得拉開室門，向外奔去。

忽聽三妙老人叫道：「谷寒香，你要幹什麼？」

谷寒香聞言一楞，道：「弟子將那龍鬚寶竹拔來……」

三妙老人搖手笑道：「龍鬚寶竹只能增高功力，不能增長壽命，貿然拔掉，連你也得餓死。」他喘了一口大氣，接道：「謹記你的誓言，不可多殺一人，善藏老夫的玉匣，不可落於匪類之手。」說罷之後，雙目緩緩合上。

谷寒香瞧他雙頰之上，逐漸泛露出兩片紅光，情知他即將大去，不禁悲從中來，珠淚簌簌，直往下淌，卻又強忍悲痛，不敢哭出聲來。

「咚、咚、咚」那斧劈石壁之聲，愈來愈響，好似在催促三妙老人，早點離開塵世一般。

倏地，那三妙老人雙目微睜，靜靜地望了谷寒香片刻，跟著雙眼重合，兩條玉筋，由鼻內徐徐垂下。

谷寒香早已淚如雨下，她癡癡望了老人的遺體半晌，霍地跪落地上，默然大拜九拜。

然後，她將放置雲床上的玉匣拏起，貼身收藏妥當，悄然退出室外，掩上了丹室的門戶，她奔到左側的小室之內，躲在門後，低聲啜泣不止，她擔心驚動了三妙老人的亡靈，因而不敢放聲痛哭，但她難抑心頭的傷痛，加以自悲身世，無法收束眼淚。

不知過了多久，忽聽數聲巨響傳入耳際。

她略一思忖，即知有人正以雄渾的掌力，擊在那甬道口的斷門石上，想是那人見掌力無效，因而那種規則和有節奏的斧鑿聲音，重又響了起來。

谷寒香悲痛稍止，立即感到這種震耳的聲響極爲難耐，她恨恨地咬咬牙，奔出室外，重又練起掌法。

一日，二日，三日……陡地，一聲轟然暴響，由室外透壁而入。

她暗暗忖道：「聽這聲響，那第二塊斷門石想又洞穿了！」

三十　浩劫紅顏

谷寒香被那晝夜不斷，一連二十餘日的轟轟之聲激得心躁意煩，這時見人已到了門外，頓時提起一口丹田真氣，大聲喝道：「什麼人？」

原來石室之外，當門站定一人，正是身穿黑袍，黑罩蒙面的酆秋，左側一人乃是少林派的天明大師，右側一人則是自「落雁谷」大戰之後，一直未在江湖上走動的武當掌教紫陽道長。

那甬道出口處的斷門石上，被鑿了一個方圓尺許的小洞。「人魔」伍獨、「鬼老」水寒、「毒火」成全、「陰手一魔」四人相繼穿洞而入，在那「賞心小藏」等石室門外略一瞥視，立即向這面閃來。

接著，那洞口射入一個緇衣揹劍的老尼，和一個形貌蒼古的和尚，這兩人緊隨在「人魔」伍獨等人身後，目不旁瞬，對於甬道兩旁的石室，恍若未睹。

谷寒香在石門之後一聲喝問，門外諸人只感嗡嗡之聲，卻辨不出是何人的聲音？

天明大師忽向酆秋搖了搖手，接著以「凝氣成絲」和「傳音入密」的功夫，朝著門縫中緩緩說道：「老衲是少林寺的天明和尚，室內若是香兒，可在石壁上輕擊三掌。」

谷寒香未曾料到自己的中氣如此充沛？一聲喝問，震得自己的耳膜也隱隱生痛，但她立即明白，自己的內力雖有驚人的進展，但卻流於龐雜，離精純之境尚遠。

這時，天明大師細若蚊蚋的語聲，清晰地鑽入了她的耳中，她愕然少頃，隨即玉掌輕揮，在那斷門石連擊三下。

她出手雖輕，而且落掌無聲，但那石門之外，卻應手響起三聲轟轟巨聲，整個甬道之內，充滿了震耳的回音。

室外諸人，都以為她在猛力劈擊石壁，多數人的眉頭都暗暗地皺了一皺，「鬼老」水寒與「人魔」伍獨相視一眼，面上齊露會心的微笑。

天明大師暗暗忖道：「這孩子想必受困太久，飢餓難耐，心頭煩躁得很。」轉念之下，重以精純無比的傳音入密功夫，朝著門縫中說道：「香兒再忍耐幾天，為師的加緊施為，務必使你早日脫困。」說到此處，伸手一拉酆秋，同時飄身退了七、八尺遠，說道：「水施主、伍施主，兩位的掌力雄厚，就請相助老衲一臂之力，先將這兩扇石門震碎吧！」

「鬼老」水寒陰惻惻一笑，道：「老禿驢，你大概想先耗盡我們的功力，然後趁機將我等打敗，嘿嘿！」他狂聲一笑，接道：「你這佛門弟子，倒是甚善心機啊？」

他兩人講話，「人魔」伍獨和「毒火」成全等俱都目光閃動，在天明大師臉上梭來掠去，似乎想要看透老和尚的心意。

紫陽道長和那緇衣揹劍老尼，以及那形貌蒼古的老僧，則都臉色沉凝，一派肅穆，但是三人的目光，時時不離「鬼老」水寒等人身上，似在暗中戒備，提防彼等有猝然偷襲的舉動。

天明大師目光炯炯，輕注「鬼老」水寒一眼，淡然說道：「既然兩位施主顧慮如此周詳，

就請退過一旁，待老衲來獨自施爲吧。」轉身面向室門，調息運氣，凝注功力。

那酆秋滿身塵土，衣履盡濕，手持一根長達五尺，形如「降魔杵」的兵刃，這時倏地兵刃一扔，跨步上前與天明大師並肩立定。

「人魔」伍獨睹狀之下，忽然哈哈一笑，道：「水兄，咱們也賣點氣力，省得見到那丫頭時顏面無光。」說罷身形微晃，立至酆秋身側。

「鬼老」水寒冷冷地瞥了紫陽道長和那僧、尼二人一眼，終於閃身上前，在天明大師身旁立定，四人小立片刻，霍地四手齊揚，向那兩扇石門隔空按去。

只聽蓬然一聲暴響，兩扇堅厚的石門，頓時四分五裂，碎落地面，石屑紛飛中，露出了堵塞門戶的斷門石來。

這斷門石顏色微黑，青光閃閃，狀如一塊巨形石碑，上下兩頭，都在石槽之內，恰好將這室門堵住。

天明大師見石門一碎，頓時揚聲叫道：「香兒，你無恙麼？」

谷寒香立在斷門石的側面，雖然瞧不到外邊的景況，對於室外的聲息卻已聽得一清二楚，這時抑住心頭的激動，高聲道：「弟子沒事，您老人家怎地到此了？」

天明大師聽她語音清亮，神完氣足，不覺吁了一口大氣，道：「不但爲師的到了此處，連武當、崑崙、峨眉、少林等四派的掌門，也都早已到達『萬花宮』內。」

「人魔」伍獨倏地狂笑一聲，道：「寒香，黑白兩道，各門各派，尚有成百成千的人，正往此地陸續趕來，只等你這天下綠林盟主出陣，一場百年未有的黑白決戰即要鑼鼓登場了。」

谷寒香秀眉微蹙，冷冷叫道：「龐士沖。」

龐士沖人不在場，「鬼老」水寒卻接聲問道：「你叫他則甚？」

天明大師忽然低聲一嘆，道：「酆秋的四弟子名叫『冷眼神梟』高嶙，那人得知酆秋失手後，立時趕去『天香谷』內，將你那翎兒擄到手中，如今正被龐士沖和『迷蹤谷』的人困在一座山頭之上，雙方僵持了二十多天，須得等你出面，才能解決此事。」

谷寒香聞言之後，芳心一陣猛震，頓了半晌，始才緩緩問道：「門外尚有何人？」

「人魔」伍獨乾笑一聲，道：「除了舊相識外，尚有武當紫陽、崑崙一休、峨眉曼因，三派掌門，俱都在此恭迎鸞駕。」

忽聽那緇衣老尼冷冷說道：「貧尼到此，只是監督爾等，以防有人窺竊先賢遺澤，褻瀆了武林前輩的遺體。」

「鬼老」水寒勃然大怒，身形一轉，似欲發作，「人魔」伍獨卻已狂笑一聲，搶著說道：「老夫還道你們想混水摸魚，乘機撈上一票哩？」

天明大師向那緇衣老尼歉然望了一眼，意似求她忍讓一時，接著轉向室門道：「這石碑堅硬異常，香兒耐住性子，再有十日工夫，即能使你出困。」

說罷之後，將手中的純鋼禪杖靠在壁上，拾起那根形如「降魔杵」的兵刃，舉手一揮，直對斷門石上擊去。

這斷門石不知是何物製成，降魔寶杵，和天明大師的一身功力，威力至大，這一杵擊上，但見火星飛濺，響聲震耳，那石面之上，卻不過微微顯出一點白痕。

谷寒香暗暗忖道：「三妙師尊的遺體尚在室內，而且聽他老人家說，這密室中尚有甚多的寶藏，如果斷門石被毀，門戶洞開，實不妥當。」

轉念之下，又聽一聲震耳巨響，急忙縱聲道：「師父暫請住手。」

天明大師歇手問道：「香兒有話要講麼？」

谷寒香道：「這聲響傷人得很，弟子承受不住，師父就請各人靜坐用功，待到功力復原後，咱們內外合力，將這斷門石扶了起來……」

只聽「人魔」伍獨截口笑道：「寒香，這鬼石碑叫做『斷門石』麼？」

谷寒香聽他叫得親暱，不禁暗暗冷笑，口中道：「正是。」

「人魔」伍獨含笑道：「你知有多少分量？」

天明大師壽眉暗蹙，接口道：「這斷門石質地特異，重約萬斤，加以不便著力，憑一人之力，那是萬難扶起，即使兩面施力，至少亦得兩萬斤以上的力道，始能有望扶起。」

他說到此處，重又向那斷門石打量幾眼，接道：「這外面可由在場的幾位合力施爲，你那邊獨自一人，何來萬斤神力，將這斷門石扶起？」

谷寒香見天明大師將這斷門石的分量，估計得頗爲正確，對於這位記名師父的眼力，心頭確是暗暗佩服，她自知服過「火龜丹」後，自己的內力業已大非昔比，不過究竟到了何等境界，她自己也不確知？但她聽聞翎兒已落那個「冷眼神梟」高嶙手內後，心頭已是憂急如焚，急於出困。

她暗暗忖道：「依照三妙師尊所言，那龍鬚寶竹的根部吃下之後，足可增加三十年的功

力，有這兩般靈藥異寶相助，加上自己的修爲所得，想來所差也不致太遠了。」

心念一決，立時揚聲說道：「這室中另有物件相助，師父先歇息運功，香兒準備妥當之後，立即請師父動手。」

天明大師不知她有何物相助，不過自己連日勞累，身心交疲，亦感到體力不支，須得養息，於是轉身向眾人合掌一禮，道：「承蒙諸位鼎力相助，貧僧感激不已，事到如今，尚祈各位成全到底才是。」

紫陽道長接口道：「些許小事，同道至交，老禪師毋須客氣。」說罷退出丈許，席地坐了下去。

那崑崙一休大師、峨眉曼因師太，二人相視了一眼，亦都退後丈許，當道而坐，不過三人俱都睜著眼睛，繼續監視「鬼老」水寒等人，尤其紫陽道長的兩道湛湛神光，始終不離「毒火」成全身上。

「人魔」伍獨目光流動，橫掠眾人一眼，轉向「鬼老」水寒、「毒火」成全和「陰手一魔」等三人笑道：「常言道：蛇無頭不走！咱們這幾個老不死的武功雖高，卻是誰也不肯服誰，看來還是等待谷寒香出來，做個發號施令之人吧。」說著雙腿一盤，就地坐了下去。

轉眼間，甬道之內，九個人俱已坐下，除了酆秋和紫陽道長等三人外，餘者都先後閉上了眼睛。

谷寒香立在斷門石後，傾耳聽了一會兒，然後閃入左側的小室之內，去拔那株龍鬚寶竹。

她五指微注真力，朝那龍鬚寶竹的根部抓下，山石雖硬，遇著了她的手指，竟然如同朽木相似。

抓開石地後，她握住竹根，將那龍鬚寶竹連根拔起，然後在山泉下將泥土洗淨，瞧那竹根，除了根鬚較多、較軟外，沒有何等奇特之處，但她不遑多想，張開櫻口，咬下竹根便吃。

那龍鬚竹根入口冰涼，苦澀至極，她皺眉咧嘴，直將咬得動的地方，盡行吃下肚內，飲了幾口山泉，然後退出室外，席地坐了下去。

這龍鬚竹根的性質與那「火龜丹」極端相反，她人才坐下，頓時感到腹痛如絞，渾身冰冷，骨髓似欲凍結，但她心頭卻暗感寬慰。她覺得愈生異象，其神效必然愈大，因而她咬緊牙關，盡力忍耐，同時耐住體內的奇寒奇痛，勉力運行三妙老人所傳的坐息之法。

室內室外一片沉寂，內外十人俱都在運氣行功，這一片奇異的寂靜，正是一陣排山倒海，橫掃大地的狂飆來臨的前奏，這陣狂飆似乎帶有一股奇異的香氣，同時又充滿了血腥之氣……

逐漸，一片死亡的氣氛，由甬道中生起，向洞外徐徐飄去。

驀地，武當派的金陽道長，由甬道口的小洞下飛射而入，他兩手各提一個細長的竹簍，竹簍中盛著滿滿的食物。

這甬道中飛花落地，所有的人俱都驚醒，金陽道長尚未著地，斷門石後，業已傳出谷寒香的喝問聲道：「什麼人？」

眾人剛剛睜開眼睛，聞聲之下，不禁齊皆聳然動容。那金陽道長乃是武當派的第一高手，

身負玄門絕學「太清真氣」，喝問之聲入耳，立即辨出是谷寒香的聲音，而且聽那語聲清越，彷彿中間根本沒有石壁阻隔似的。

金陽道長雙眉連軒，飄身到了近處，地上之人，也都紛紛振衣而起。

「毒火」成全久未講話，這時陡然脫口問道：「谷寒香，你在何處講話？」

谷寒香以三妙老人所傳的坐息之法，潛心練了數個時辰的內功，體內的陰寒之氣一散，耳目突然變得靈敏異常，而且身軀虛浮，似欲離地飄起。

那金陽道長人未入洞，她心頭已起警兆，因她懸念翎兒的安危，疑心是龐士沖入了洞內，故而衝口喝問一聲，此時聽「毒火」成全問自己在何處發話，不禁微微一怔！

忽聽天明大師藹然道：「是武當派的金陽道長，孩子你無恙麼？」

谷寒香聽他念念不忘自己的安危，語聲之內，充滿了慈祥關切之意，芳心之內，不由生出一股歉疚之感，期期說道：「香兒無恙，師父請在外面施爲，只聽香兒出聲，立時將斷門石向上扶起。」

天明大師愕然少頃，轉身向金陽道長道：「煩勞道兄相助一臂之力。」

接著又朝「鬼老」水寒與「人魔」伍獨將頭一點，道：「兩位也有勞一番吧！」

金陽道長與水、伍二人都默然無語，同時走到斷門前，身形微蹲，八隻手掌，同時貼至斷門石的底部，默運神功，透石而入。

谷寒香早已一躍而起，朝著丹室灑淚一拜，然後略整衣衫，揣好玉匣，立至斷門石後，雙掌抵了上去。

她功貫雙掌，力透指尖，口中喃喃唸了幾句言語，倏地沉聲喝道：「起！」

室外四人早已弓開絃滿，聞聲之下，頓時腰肢齊挺，內力迸出，將那斷門石猛然向上一舉。但聽「吱呀」一聲，那重達萬斤的斷門石，在內外兩股碩大無朋的內力夾攻之下，霍地向上升起，露出了三、四尺高的空隙。

天明大師等力道尙未使盡，倏地一股微風，由脅下疾掠而過，同時掌上一熱，那斷門石猛然朝下墜去。

只聽轟然一聲巨震，斷門石重又垂落，天明大師等人驚悸猶存，不覺本能地轉面望去。

但見谷寒香長髮披肩，身穿一襲又寬又大的白羅儒衫，默然不響地立在甬道之內，那儒衫顯然是男子之物，因爲過於長大，乃以一根絲緞，將儒衫向上提起，繫住腰肢，那模樣瞧來既是灑脫，又是詭異，令人眉頭直蹙，卻又不能發笑。

然而，最令這一干絕世高手凜然心驚，惴惴不安者，卻是她那瑩瑩生光的玉靨之上，那兩點亮若寒星的眼睛，她那雙眼稜芒襲人，令人不敢逼視，略一凝視，頓時生出芒刺在背之感。

「鬼老」水寒和「人魔」伍獨口齒啓動，然而兩人都是話到唇邊，倏又忍住。

在場之人，俱是當代武林的一時之選，有的是武學宗師，有的是一派掌門，有的是威震江湖數十年的蓋世魔頭，這幹人無一不是目光如炬，一眼之下，便瞧出谷寒香已獲奇遇，有了一身不可思議的功力，就連神智已失的酆秋亦能感覺出來，因而目幻奇光，似驚似喜。

天明大師與她自「迷蹤谷」晤面後，睽離已久，這時瞧她雖然容貌如花，猶似往昔，神情之間，卻流露出長時期風霜浸蝕之後，那種堅挺、自信、成熟，以及一種令人望而卻步的肅殺

之氣，再看她雙眉之間，那三道紫紋業已由顯而隱，但卻栩栩欲活，不時在晶瑩如玉的皮肉下跳動，一時之間，不禁百感交集，怔立當地，不知如何開口才是？

倏地，谷寒香移步上前，向天明大師盈盈一拜。

天明大師雖然久在佛門，定力深湛，此時亦不禁慈懷激動，不克自主。

老禪師見她一言不發，不由微微一愣，道：「香兒，你怨恨師父麼？」

谷寒香拜伏在地，搖了搖頭，默然不語。

天明大師浩嘆一聲，道：「或許老衲打錯了主意，唉！如果柏齡身死之後，老衲將你帶在身畔……」

谷寒香未待他將話講完，重又螓首一搖。

天明大師戚然道：「老衲也未善盡爲師之責。」

說著將她攙扶起來，接道：「你那孩子尙在『冷眼神梟』高嶙手中，咱們快點趕去，設法營救。」

谷寒香歉然望他一眼，平靜地道：「一切自有天意，弟子並不焦急。」

說罷面龐一轉，向酆秋望了一眼。

酆秋靜立一旁，目光緊隨谷寒香身上，瞧她望向自己，頓時雙目一亮，露出驚喜之色。

谷寒香玉容之上，瞧不出絲毫喜怒之色，但見她目挾霜刃，橫掃眾人一眼，淡然問道：「有哪一位想要三妙老人的遺珍麼？」

此言一出，眾人齊齊一怔！寂然片刻，「人魔」伍獨忽然含笑問道：「你見過什麼？得了

什麼？這室中尚還留有什麼？」他一連問了三個「什麼」，關切之心，似是難以抑制。

谷寒香冷冷望他一眼，道：「我見過三妙老人，得了一身武功，這室中寶藏無盡，我尚未得其萬一。」

只聽「鬼老」水寒乾笑一聲，道：「如此恭喜你了。」

谷寒香目光一掠，在水寒、伍獨、「毒火」成全，以及「陰手一魔」等四人臉上一掃而過，漠然問道：「你們不想分一杯羹麼？」

四人目光閃動，飛快地交互一瞥，「毒火」成全忽道：「這甬道中十一個人，就此決一死戰，也未始不是快事。」

谷寒香暗暗忖道：「他這話似在告訴自己，出洞而戰，不若在此有利。」

轉念之下，移目一望紫陽道長、一休大師、曼因師太三人，道：「三位都是堂堂一派掌門，想必不致輕於犯險。」

紫陽道長稽首一禮，肅容道：「胡夫人，少林派的天禪大師率領門下百餘弟子，在『萬花宮』前布下了『羅漢大陣』，武當派的百餘徒眾，亦已設下『五行劍陣』，此外尚有崑崙、峨眉等派的人，俱在宮前待命。」

說到此處，他微微一頓，接道：「然而我等志不在於夫人，更不覬覦先賢的遺珍，干戈玉帛，但憑夫人裁奪。」

忽聽天明大師道：「香兒，你若成為罪魁禍首，如何對得起九泉之下的胡柏齡？」

谷寒香淡淡地道：「如果眼下之人，就在這山腹之內同歸於盡，從此豈不天下太平了？」

那一休大師、曼因老尼，以及紫陽道長等，俱是釋、道兩門的高人，雖聽她出語霸道，竟都不動嗔念，只將目光朝天明大師望去，看他有何意見？

天明大師本已將純鋼禪杖握在手中，這時重往地面一插，道：「如此也好，是老衲穿針引線，將你誘導至三妙老人洞中，實只望你受前賢感召，放下屠刀，立地成佛，既然天意已定，人力無法挽回，老衲也不再逆天行事了。」

說罷坐於地上，伸出雙掌，意似要與她一拚內力。

谷寒香格於自己的誓言，終生至多只能殺死四人，因而她頗欲就在這山腹之內，引起一場火拚，令正、邪兩派的首要人物自相殘殺，同歸於盡，然而，她未料到天明大師偏要選上自己動手，而且一上來就以內力相拚。

她呆了一呆，搖頭道：「弟子不能與師父動手……」

天明大師淡然截口道：「老衲不是你的師父，正如那翎兒不是你的兒子一般。」

言外之意，便是假若自己是你的師父，你豈能違抗師令？假若那翎兒是你的親生之子，你聽他落入了敵人手中後，豈能不急於營救？

谷寒香冰雪聰明，聞絃歌而知雅意，心知他責備自己是個六親不認之人，她情切夫仇，有口難辯，不禁怔怔地呆立當地，一時手足無措。

「人魔」伍獨暗暗忖道：「此時是六對五的局面，出到洞外，卻得落入『羅漢大陣』和『五行劍陣』之中，大江南北的綠林人物到的雖多，烏合之眾，終難勝得少林、武當兩派久經訓練的陣法……」

天香飆

思忖未畢，人已舉步上前，道：「天明，伍獨不才，就與你捉對拚拚。」說罷在天明大師身前坐下。

金陽道長忽向紫陽道長躬身一禮，道：「金陽請掌門師兄的法諭，與胡夫人勉力一搏。」

紫陽道長打量周遭一眼，見天明大師和「人魔」伍獨的手掌業已抵上，「鬼老」水寒蠢然欲動，「毒火」成全與「陰手一魔」目光閃動，似在暗中估量一休大師和曼因師太的實力，谷寒香則眼露殺機，望住自己哂笑。

他微作沉吟，立即肅然說道：「師弟可向水老英雄請教，胡夫人由為兄接待。」

天明大師雙掌已與「人魔」伍獨接上，倏地手腕一震，將「人魔」伍獨的手掌彈開，仰面朝谷寒香道：「江湖人物，須得信守然諾，你出洞之後，應將白陽道長釋放……」

言未了，忽見谷寒香蓮足一跺，淒聲喝道：「統統出去！」

語音甫落，人已微一晃身，掠出八、九十丈外，足不沾地，由那斷門石上穿洞而出。

這等驚世駭俗的輕功身法，縱然在天明大師、紫陽道長，以及「鬼老」水寒等尖頂高手的眼內，亦是見所未見，聞所未聞。

眾人駭然驚顧，瞬眼之下，谷寒香業已身影渺然，酆秋拔足就追，身形連晃，隨後竄出了洞外，展眼間，甬道內的各人，俱向出口處奔了過去。

谷寒香見自己的輕巧，倏地到了這種念動即至，幾可蹈虛而行的境界，芳心之內，亦是暗暗震驚，她明白所以如此，全靠那龍鬚寶竹之力，想到龍鬚寶竹，不禁追念起三妙老人的恩

德，同時也想起天明大師所說，是他穿針引線，將自己領來此處之言，霎時之間，心內百感交集，怔忡不已。

她入了「問心齋」中，向那玉壁上的畫像拜了一拜，看那斷門石上同樣有一個八、九寸方圓的小洞，於是嬌軀一晃，飛身鑽了出去。

來至那洞穴之下，她仰首一望，看出洞穴下豐上銳，四壁毫無藉力之處，洞穴之上卻有一僧、一道，正在俯首下望。

她正在調息運氣，欲待姑且一試，瞧瞧自己傾力一躍，究竟能達多高？驀地風聲颼然，酆秋趕到了身旁，接著人影連閃，甬道中的諸人俱已趕了過來。

金陽道長落地之後，仰首向洞穴上輕嘯一聲，洞穴之上，立即垂下了一條長繩，谷寒香正待攀繩而上，忽聽「人魔」伍獨訕笑道：「這『三妙書生』的確有點玩意兒，你難道不帶點東西走麼？」

谷寒香冷然說道：「我是垂死之人，要身外之物何用？你們也活不長久，我便帶了什麼，於你們也有害無益。」說罷之後，雙手移動，沿繩而上。

她縱出洞口，守護洞穴的一僧、一道，正自緊握繩索的一端，兩人與她目光一接，竟然身子同時一震，四手齊鬆，將那垂落穴中的繩索脫手鬆掉。

谷寒香一臉冷漠之色，蓮足一伸，踩住了下墜的繩索，片刻工夫，下洞之人全都相繼爬了上來。

眾人在不知不覺之間，全都以她作爲鵠的，見她未走，亦都佇立當地，豈料她玉臂一舒，霍地抓住了「毒火」成全的右腕。

「毒火」成全雖也貪慕她的美色，但是對她畏如蛇蠍，戒心極重，連行路也不敢與她離得太近，這時見她本在一丈開外，倏地到了自己身前，攫住了自己的手腕，駭然之下，要待左手揮掌，右手翻腕一奪，豈料腕寸一麻，一股灼熱如火的力道，霍然沖上了自己心口。

他明白這等現象，乃是血脈逆流，反攻心臟所致，情知谷寒香指上略一加勁，自己頓時就得心臟潰裂而死，敢急而不敢怒之下，只得強笑問道：「夫人要什麼?」

谷寒香皓腕一伸，漠然道：「成兄的霹靂彈，權且借給谷寒香一用。」

「毒火」成全急忙探手囊中，取出一顆霹靂彈遞去，道：「須以內力震爆，力道須得恰到好處，否則就要炸著自己。」

谷寒香冷冷一笑，接過霹靂彈，托在掌中掂了一掂。

只見人影晃動，「陰手一魔」首先腳底揩油，閃身溜出了洞外，「人魔」伍獨向「鬼老」水寒一施眼色，兩人電閃雲飄，眨眼不見。

紫陽道長不知她意似何爲，但知那霹靂彈威力驚人，倘若在這狹隘的洞中爆烈開來，縱有通天的本領，也難倖免一死，於是向一休大師等招呼一聲，齊往洞外走去。

谷寒香見眾人俱已退開，立時拉著「毒火」成全退至洞口，將霹靂彈朝洞內揚手擲去。

只聽轟然一聲巨響，洞頂山石應聲塌了一片，疾風震蕩中，谷寒香玉手已自伸入「毒火」成全囊中，瞧那霹靂彈尚有一粒，摸了出來，隨手便向洞中扔去，只因「毒火」成全的暗器過

於陰損霸道，用之於偷襲暗算，更是神鬼難逃，因之正、邪兩派的人，無不對他心存疑忌，谷寒香也防他心腸一狠，對自己猝下毒手，因而藉這機會，上下其手，將他衣囊和雙袖中藏的暗器洗劫殆盡，悉數往洞中扔去。

連聲暴震中，「驚天魔火彈」、「白燐箭」、「奪魂子母梭」……諸般火器，連續爆裂，烈火狂燄，遍及全洞。

「毒火」成全激忿填膺，但是右腕被谷寒香捏住，渾身無半點氣力，火光照耀之下，鴛鴦臉白中帶青，紅裡泛紫，醜怪得不成形象。

谷寒香眼看這洞穴無法封閉，芳心之內，正自暗暗焦灼，忽聽洞穴底部，傳出一陣殷殷雷鳴，勢若萬馬奔騰，令人聽來心驚肉跳。

忽聽天明大師喝道：「香兒速即退開！」

谷寒香也感到這山壁似要崩塌，當下鬆了「毒火」成全，飄身向後疾退。

轉眼間，轟隆之聲大起。那山壁悠悠搖晃，響起一陣崩裂之聲，「毒火」成全則如喪家之犬一般，縱躍如飛，往外狂奔而去。

忽聽一個少女的聲音喚道：「嬸嬸……」

谷寒香轉眼一望，只見萬映霞滿面淚痕，立在一旁，另外尚有包九峰和「萬花宮」的一群下人，此外只有天明大師和酆秋，紫陽道長和「鬼老」水寒等人俱已不見。

天明大師蹙然道：「香兒快走……」

谷寒香懸念翎兒的安危，芳心實是憂急如焚，這時見山壁有下塌之勢，那三妙老人長眠洞

底，遺體免受侵擾，於是不待天明大師話了，截口道：「有勞師父帶路，香兒這就趕去。」

天明大師微一頷首，手提禪杖，當先馳去，谷寒香皓腕一舒，抓起萬映霞的手臂，隨後起身，行不多久，身後震天暴響起處，那山壁果然整個地崩塌下來。

谷寒香正欲回首察看，耳中又聞得前山人聲鼎沸，這音響雖然微細，她卻聽得頗爲清晰。當下雙足加勁，越過天明大師，迸力朝前馳去。

片刻間，鼓譟之聲，聒耳欲聾，只見通往紫石牌坊的那片坦岩之上，聚集了數百餘人，兵刃映日，耀眼生花，殺氣騰騰，似乎一場集體血戰，即將觸發。

原來百餘名武當道士，手仗長劍，五人一組，五組一群，扼守在入宮的隘道之前，百餘名少林僧人，每十八名列成一陣，據守在出宮的通道前面；崑崙、峨眉，以及其他門派的人，則都散佈在兩側，坦岩中央，則是南七北六聞風趕到的綠林好漢和黑道高手，爲數之多，竟然不下於少林、武當兩派的人。

如許多的黑道人物，亦是三個一群，五個一組，一堆一堆，自成部落，各有統屬，形式並不紊亂，「江南雙豪」所率之人，亦爲其中之一。

靠北一面，情勢最爲驚人，只見羅錚、丁一魂、「追魂手」莫信，和另外八、九個人，據守著一座高約六、七十丈的斷崖。這斷崖上不沾天，下不著地，形勢極爲險惡，一個鷹鼻鷂眼，目光陰冷的瘦削男子，單獨坐在斷崖的一邊，一個唇紅齒白，英氣勃勃的男孩，滿面怒容地坐在他的身旁。

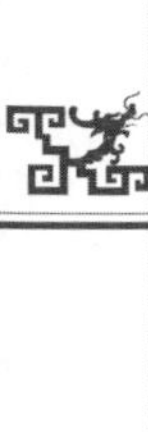

這斷崖之下，圍坐著二十餘人，當先一個，正是天池奇人龐士沖，另時寅、余亦樂、鍾一豪、麥小明、一叟、二奇、苗素蘭、「江北三龍」、張敬安，所有「迷蹤谷」的首要之人俱都在場，連那受傷遭擒的武當白陽道長，亦在其中。

另一邊，武當派的紫陽、金陽，和崑崙、峨眉兩派的掌門，與「鬼老」水寒等僵峙在一處，兩方都有數十名門人手下簇擁在後。

谷寒香目光銳利，大異常人，身在數百丈外，已將偌大一片廣坪看得巨細無遺，眼見一場驚天動地的血戰一觸即發，不覺氣凝丹田，引吭一聲急嘯！

此時的谷寒香，其內力之深厚，已至驚世駭俗，無可比擬之境，這引吭一嘯，宛若龍吟方澤，鳳鳴九霄，聽得坦岩上人人心驚，個個凜然，齊向聲音來處望去。

她來勢若電，聲到人到，瞬眼之間，登上了場邊的一座岩石之上，朗聲說道：「黑、白兩道，為首之人過來答話！」

在場之人，聽那清朗的語音聚而不散，在頭頂盤旋不去，一時之間，俱都噤口無聲，驚怔當地。轉眼間，酆秋縱躍如飛，趕到了谷寒香身側，天明大師則向自己的掌門方丈天禪大師奔去。

苗素蘭一見谷寒香現身，頓時疾奔過來，道：「夫人……」她激動過甚，語不成聲。

谷寒香淡淡一笑，道：「姊姊別急，咱們按部就班，一件件地解決，反正盡其在我，聽天由命便了。」

忽聽那龐士沖怒聲罵道：「你這喪心病狂的女人，只顧自己好勇鬥狠，連兒子的性命也不管了。」

苗素蘭見谷寒香勃然震怒，急忙哀聲道：「夫人息怒，這位老前輩俠義爲懷，他目不交睫，守在此地一、二十天了。」

谷寒香暗暗忖道：「這名怪老何以對翎兒如此關心？俠義爲懷，豈有此理？」心中在想，口中卻淡然問道：「這麼多人僵在此地，難道都不吃飯睡覺？」說著重又凝目向那斷岩望去。

自她現身後，斷岩上的人俱已站起身來，那翎兒向她搖了搖手，小臉之上，頓露笑容。

苗素蘭隨著她的目光，向翎兒望了片刻，道：「少谷主饒有父風，英雄氣概，完全像個大人。」

她低聲一嘆，接道：「這些人有的來此多日，有的剛到不久，有些是自備乾糧，有的由『萬花宮』供應飲食，你不出面，大夥既不願戰，亦不願走……」

說話中，少林天禪、天明兩位大師，武當紫陽、金陽二位道長，崑崙一休大師、峨眉曼因師太，以及另外兩個白髮老叟，相繼走了過來，「鬼老」水寒和「人魔」伍獨等，也都往這面走來。

忽見少林、武當兩派的徒眾，撤陣移動起來，一會兒工夫，齊齊列站於坦岩北面，黑道群雄頓時紛紛向南走動，轉時之間，成了南北對陣之式。

斷岩之上，那鷹鼻鷂眼，目光陰冷的男子突然一把抓起翎兒，高舉過頂，厲聲喝道：「谷寒香，火速還我師父本來面目，否則姓高的將這小兒撕作兩半，令你終身抱憾，後悔莫及！」

谷寒香目射寒電，冷冷地向上望了一眼，道：「你最好下來講話，死了這個孩子，我將你師徒踏為肉泥！」她的聲音又冷又峻，聽得在場之人心頭直冒寒氣。

說罷之後，她舉手向「迷蹤谷」的人一揮，飄身向場中躍去，余亦樂等只得撇下崖上之人，往她身後奔去。

斷岩上的羅錚見谷寒香神情冷漠，似乎並不將那翎兒的生死放在心上，一時之間，少了主意，只有轉眼向「冷眼神梟」高嶙望去。

「冷眼神梟」高嶙獰聲一笑，道：「師兄不要中了那女人欲擒故縱之計，咱們死守住這個小兒，不愁她不肯就範。」

羅錚蹙眉道：「師弟不知這女人的性情，她六親不認，何況這小兒又非她親生之子。」

「冷眼神梟」高嶙微作沉吟，突然怒哼一聲，道：「下去！」挾起翎兒，當先躍下。

此時，黑、白兩道的首要人物，俱已會集陣前，龐士沖獨自一人立在一側，看來似乎不屬任何一方，但他目中兩道湛湛神光，一會兒睨著谷寒香嘿嘿冷笑，一會兒又飄向斷崖之上。

「冷眼神梟」高嶙挾著翎兒，奔到谷寒香和龐士沖的八、九丈外，立時止步不前，冷聲說道：「姓高的雖然武功低微，但要捏死一個小兒，依然容易得很，誰若輕舉妄動……」

谷寒香截口道：「少說廢話，你要怎樣？」

忽聽天明大師道：「香兒，你就釋放他們的師父吧，反正恩恩怨怨，都在今天解決，『迷蹤谷』濟濟多士，少了酆秋一人，對你亦無所損。」

谷寒香早已見到「迷蹤谷」群豪之中，多出了六個來歷不明的男子，這六人與時寅站在一起，神情器宇，微顯倨傲，看來都是武功不俗，特立獨行之士。

她環顧四周一眼，略一轉念，立時揚聲道：「白陽道長請上前來。」

白陽道長立在「江北三龍」之間，聞言之下，舉步向前走去，他的外傷早已痊癒，因被麥小明點了「厥陰心脈」，真氣無法凝聚，武功不能施展，因而未曾綑綁。

只聽谷寒香道：「武當派既未趁我不在時動手救人，我也依江湖規矩，將你先行釋放，少時兩軍陣前，再憑武功決勝。」

白陽道長默然無語，轉身向本陣走去。

天明大師口齒啓動，正欲講話，谷寒香倏地玉掌一揚，朝白陽背心遙遙擊去，武當弟子一見，不禁譁然怒喝。

白陽道長行了幾步，突感一陣灼熱的潛力暗勁透體而入，直湧自己的「厥陰心脈」，頓時身子一顫，張口吐出了一股濁氣，試一運行真氣，業已八脈俱通，於是快步向紫陽道長走去。

少林天覺大師、峨眉曼陀、崑崙瞿道陵、範玉崑，這批人全都在場，幾人瞧谷寒香上次解穴，須要連擊八掌，如今卻只舉手一揮，月餘工夫，進境如斯，各人心中，除了駭異不置外，對於今日一戰的結局，也都生出黯淡的感覺。

忽見谷寒香玉手一伸，揭下了酆秋蒙面的黑罩，將一粒藥丸塞入他的口內，酆秋宛如一個不解人事的嬰兒，任她擺布，絲毫不予抵抗。

谷寒香轉向張敬安將手一招，張敬安立即奔上前去，見她遞過一粒藥丸，頓時接過手中，吞服下去。

忽聽龐士沖怒喝道：「高嶙，你再不放人，老夫先將你一掌斃掉。」

那「冷眼神梟」高嶙一手抓住翎兒的肩胛，一手按住翎兒的頭頂，羅錚等十餘人手橫兵刃，擋在他的身外，數十道目光，齊注在酆秋和張敬安身上，對於龐士沖的話充耳不聞，不加理睬。

谷寒香忽然轉向「陰手一魔」道：「陰手兄，你這解藥服下之後，何時始有反應？多久……」言未落，那張敬安倏地大吼一聲，身子原地亂轉起來。

只聽羅錚厲喝道：「谷寒香！」

谷寒香也怕「冷眼神梟」猝施辣手傷害翎兒，強捺心頭跳動，道：「這是藥性發作，你們稍安勿躁。」

語音甫落，酆秋亦是大吼一聲，團團轉動起來。

高嶙等驚疑不定，齊齊向「陰手一魔」望去。

忽聽「叭噠」一聲，張敬安一跤摔落地面，暈死過去，那酆秋尙自轉動不已。

「陰手一魔」見谷寒香面含冷笑，兩道懾人心神的目光倏向自己臉上射來，不覺心氣一餒，道：「我這『向心露』對於武功愈高之人，其效力愈大，不過解藥服下之後，至多半個時辰，即可神智恢復，清醒轉來。」

龐士沖突然怒氣沖沖，大步向高嶙等人走了過去。

只聽「冷眼神梟」高嶙厲聲道：「谷寒香，你趁早將龐老怪攔住，否則休怨高某心狠手辣！」

谷寒香陰沉沉一笑，道：「無知鼠輩，誰叫你不心狠？」

在場數百餘人，都在冷眼旁觀，靜待此事解決之後，再來料理黑、白兩道積年來的宿怨，眼看谷寒香心腸之剛硬，大異常人，不覺齊皆一怔！

正當眾人驚怔不置，暗暗興嘆之際，龐士沖已自身形電掣，霍地閃過丁一魂和羅錚二人，欺近「冷眼神梟」高嶙身前，雙手同出，疾馳襲去。

只因酆秋狀似瘋狂，原地亂轉，卻又久不倒地，谷寒香一副冷漠無情，令人望而心寒的神情，使得羅錚等心神微分，舉棋不定，待得警覺，龐士沖業已趁虛而入，一招得手。

「冷眼神梟」高嶙只道谷寒香投鼠忌器，不敢妄自逞強，熟料龐士沖事不關己，卻這等性急躁進，驚疑之下，一股凌厲懾人的銳利指風，業已直對自己「天池」重穴撞到。

百忙中，高嶙身軀猛仰，避過指風，倏感左臂一痛，手中抓的翎兒頓時落空。

只見羅錚手揮一柄閉穴金鏰，與丁一魂等齊聲怒叱，同時朝龐士沖身後襲到。

龐士沖是何等人物？但見他左手袍袖一捲，業已將那翎兒抱入懷中，身形一旋，隨手一掌，將羅錚等逼得同退一步。雙足頓處，飛身縱出了數十丈外。

谷寒香見他離自己遠而又遠，不禁哂然一笑，道：「龐士沖，你有何冀圖？」

說話中，那原地亂轉的酆秋倏地身子一頓，隨即「叭噠」一聲，猛向地面摜下。

龐士沖環顧四周一眼，冷冷說道：「你若想這孩子活命，必須立時隨老夫離開此處……」

言未了，那翎兒倏地大喝一聲，手足齊施，猛地向外一掙。

龐士沖瞿然一驚，手臂一緊，猛地暴退三丈，就瞬眼工夫，谷寒香業已悄無聲息地站於了

他原來所立之處。

這兩人的行動，俱是快逾電掣，瞧的場中一眾高手，無不心搖神駭，目眩不已。

只見谷寒香滿面怒容，道：「我一直以爲你志在三妙遺珍，因而對你疏於防範，不想你竟然打的這等主意？」

她語音微頓，惑然問道：「你逼我離開此地，其目的安在？」

龐士沖知道谷寒香的一身功力，已至出神入化，匪夷所思的境界，因而對她絲毫不敢大意，這時雙目盯住她一瞬不瞬，道：「老夫一無所求，只是你的這身武功，係由『問心子』所得，老夫不許你施展而已。」

谷寒香聞言之下，冷冷一陣長笑，道：「黑、白兩道，積怨多年，今日之局，有谷寒香是戰，無谷寒香也戰，你爲人不黑不白，非邪非正，我就將這孩子交託於你，若有差錯，我唯你是問。」

說罷之後，縱目一掃全場，看出除了「毒火」成全外，有關之人全都在場，於是氣凝丹田，縱聲說道：「少林、武當、崑崙、峨眉各派掌門聽了，自今之後，黑、白兩道，前仇一筆勾消，各行其是，互不干擾，諸位意下如何？」

語音甫落，嗡嗡議論之聲大起，一時聚蚊成雷，嘈雜的耳語之聲，竟然聒耳欲聾。

忽聽少林掌門方丈天禪大師朗誦了一聲佛號，聲貫全場，響遏行雲，展眼之間，坦岩上重新寂靜下來。

天禪大師邁上幾步，合十說道：「胡夫人，黑、白兩道若能前仇一筆勾消，化干戈爲玉

帛，化暴戾爲祥和，那正是武林蒼生之福，大快人心之事。」

他語音微頓，肅穆的臉上，泛露出一片難以抑制的憂戚之色，接道：「但若黑、白兩道各行其是，互不干擾，那時姦擄燒殺，唯利是視，巧取豪奪，隨心所欲，眾暴寡，強凌弱，肆無忌憚，江湖正義，蕩然無存，民不堪命，生不如死……」

谷寒香突然冷笑一聲，截斷天禪大師的話頭，道：「名門正派替天行道，爲小民謀命，與綠林道勢難兩立，老禪師可是這個意思？」

天禪大師聽出她語意之中，含有挑激搧動之意，心中暗暗忖道：「黑、白兩道水火難容，那乃是不爭之論，但若定說勢不兩立，必須拚個你死我活，那也未免過分。」

他心中在想，口中卻平靜地道：「名門正派中，固多慈悲爲懷的人，綠林道上，何嘗沒有大仁大義、捨己爲人之輩，夫人才智超群，絕藝在身，緬懷胡柏齡大俠的高清遠致，想必也能爲天下蒼生造福，做出一番轟轟烈烈，有益人間的事了。」

忽聽「人魔」伍獨厲聲道：「老禿驢，你花言巧語，講的好不中聽！我且問你，胡柏齡是否死在你們這批自認正道，自命俠義的人手內？」

只見「江北三龍」齊聲狂喊道：「咱們要爲盟主大哥復仇！」

頓時，一呼百應，立於北面的綠林群雄中，「爲盟主大哥復仇」之聲如春雷乍動，響徹青冥，震耳欲聾。

忽見「羅浮一叟」霍元伽揮舞著青龍奪，厲聲吶喊道：「天禪、紫陽，你們如果真認爲胡盟主是大仁大義、捨己爲人的英雄，就該立刻僕劍自刎，以謝天下，以平胡夫人心頭的積恨！」

天明大師倏地飄身向前，沉聲道：「香兒，這些人在挑撥仇恨，製造殺劫，你千萬不可受人利用！」

忽聽人叢之內，一個粗豪的嗓音嚷道：「俺們替盟主報仇，粉身碎骨，死而無怨！」話音甫落，應聲暴起，群情激動，此起彼落，盡都是替盟主復仇之聲。

這一陣騷動持續頗久，呼吼之聲，彷彿千軍萬馬吶喊奔騰一般，苗素蘭和萬映霞兩人真情激蕩，熱淚盈眶，少林、武當、崑崙、峨眉等派的弟子因爲早有掌門人的嚴命，未得號令，全都肅然靜立，不作一聲。不過眼瞧這片沸沸騰騰的騷動，亦是人心惶惶、忐忑不安。

忽聽「鬼老」水寒淒聲大喝道：「谷寒香，你尚不動手，要待何時？」

武當金陽道長倏地嗔目喝道：「水寒，你何不與貧道單獨一戰？」

這兩人的內功造詣，俱已超凡入聖，雖在吼聲如怒潮澎湃中，兩人的語音依然清晰異常，字字鑽入眾人的耳中。

數百雙眼睛，全都集中在谷寒香身上，等待她一聲令下，那金陽道長雖然出言向「鬼老」水寒挑戰，亦是沒有動手的樣子，「鬼老」水寒滿面厲容，張口欲言，卻也凝立不動。

谷寒香卻是出奇地鎮靜，她胸中仇火熊熊，眼中殺機隱隱，面龐之上則是一片極端冷漠。

只見她兩道懾人心魄的目光，在四大掌門人的臉上緩緩移動，最後凝注天明大師面上，冷冷一笑道：「師父，你們好似計議已定，不論我是否出手，你們終要背城一戰，藉此將天下綠林一網打盡，師父請講，我這猜測對或不對？」

只見武當掌教紫陽道長神色激動，昂聲說道：「我等雖無斬盡殺絕之心，但有將少數凶名久著，罪不容誅的人剷除之意！」

只聽「人魔」伍獨厲聲道：「谷寒香，咱們幾個老鬼在劫難逃，那是沒有說的了，你問問那個雜毛，你這天下綠林盟主，是否也算凶名久著，罪不容誅之人？」

谷寒香沉聲一笑，道：「你也知道我是天下綠林盟主麼？」

「人魔」伍獨狂笑一聲，道：「那是當然！」

谷寒香暗暗忖道：「我忍辱含垢，夫仇豈可不報？但我立有毒誓，終身只能殺害四人，爲今之計，少不得一石兩鳥了。」她滿腔仇恨，積怨多年，這時放眼一掃全場，凝氣縱聲說道：「黑白兩道，水火難容，與其殺戮相尋，了無休止，不如藉今日一戰，以分高下，永決雌雄。」

她語音微頓，眼望紫陽道長，冷冷一笑，道：「貴教的始祖老子，有一句很中肯的話，所謂『聖人不死，大盜不止。』依谷寒香想來，若要造福蒼生，挽救武林浩劫，十惡不赦之人該死，自居俠義、假冒僞善之人，更應首邀誅滅……」

只聽天明大師戚然道：「香兒，你將李老君的話曲解了。」

紫陽道長輕輕嘆息一聲，道：「貧道忝爲武當掌門，雖然德薄仁鮮，多有損越，但卻自信不是假冒僞善，爲害武林蒼生之人。」

語音甫落，倏地人影連閃，萬映霞與文天生手橫兵刃，雙雙躍出了行列。

只見萬映霞玉臂一抬，指住紫陽道長，切齒道：「你滿口假仁假義，好似天下英雄全是三

歲孩童一般？我且問你，我父『神鞭飛梭』萬曉光何罪，因何死在你的掌下？」

紫陽道長聞言之下，心神暗暗一凜，打量眼前這對少年男女，男的眉清目秀，女的亭亭玉立，兩張面龐，俱都依稀相識。

剎那間，紫陽道長的腦海之內，現出了萬曉光自碎天靈，血濺荒出的一幕。

往事歷歷，如在目前，紫陽道長重又輕聲一嘆，道：「事出誤會，貧道有口難辯。」

他微微一頓，接道：「此乃貧道一生中最大的憾事，天幸萬大俠承繼有人，貧道不才，定然有所交代。」

萬映霞傷痛逾恒，淚如雨下，但因久受谷寒香薰陶教導，雖然父仇當前，依舊心神不亂，

這時與文天生雙雙轉身，朝谷寒香躬身一禮，依然由萬映霞開口道：「姪女父仇不共戴天，有心拚捨性命，鬥一鬥殺父的仇人，只恐武功低微，挫了嬸嬸的銳氣……」

她雖力持鎮靜，終因傷心過甚，語不成聲。

谷寒香冷冷一望兩人，斬釘截鐵地道：「今日之事，公義在先，私仇在後。」

說罷面龐一轉，朝著「人魔」伍獨道：「伍兄惡名在外，想在誅滅之列，谷寒香權以天下綠林盟主的地位，請伍兄施展絕藝，出戰武當掌門。」

「人魔」伍獨聞言之下，先是一怔，繼而暗暗忖道：「好丫頭，你倒真的揀著雞毛當令箭了？」

他心中雖想，人卻為谷寒香的氣勢所懾，不由自主地飄身出列，朝紫陽道長縱聲叫道：「老雜毛，伍獨領教領教你的武當綿掌和『兩儀劍法』。」

紫陽道長未及開口，金陽道長已自稽首一禮，道：「掌門人統籌大局，未可輕動，金陽請出會伍老英雄。」

金陽道長乃是武當派的第一高手，自是頭一陣的理想人選，紫陽道長低聲囑咐了一句，金陽道長頓時反身向「人魔」伍獨走去。

谷寒香早料到對方有此一著，這時冷森森一笑，轉向身後的時寅道：「時兄出陣，向武當掌門人討教幾招。」

時寅閃身上前，向谷寒香低聲講了一句，立時躍出數丈，昂然說道：「紫陽，你最好是自己上來。」

說話中，金陽道長與「人魔」伍獨二人業已在兩軍陣前動起手來，四掌一揮，身影頓失。

倏地，一條人影飛落場中，厲聲道：「時寅，貧尼與你走上幾招。」

原來出陣的是峨眉曼因師太，老尼說打就打，虛晃一劍，旋即揮刃攻上。

時寅怒氣勃發，眼前這一派掌門劍勢凌厲，非其師妹曼陀老尼可比，只得展開掌法，與曼因傾力接鬥。

霎時，坦岩之上的氣氛空前緊張起來，曼因的峨眉劍法，時寅的「黑煞掌力」，金陽道長的玄門「太清真氣」，「人魔」伍獨的寒陰神功，每一樣都是名動江湖，一等一的功夫，這四人捉對廝殺，勝負一分，生死立判，四人固是竭盡全力，絲毫不敢大意，兩方之人，亦是心神凝重，不敢輕抱樂觀。

谷寒香靜觀片刻，看出激鬥中的四人俱是穩紮穩打，門戶守得極緊，一時之間，殊難分出勝負，於是轉身叫道：「龍兄上前，出會武當紫陽真人。」

只見余亦樂身畔站的一個瘦長老者，飄身到了谷寒香身前，抱拳一禮，道：「龍行風聽令。」

原來此人乃是「白魔」申旡的首座弟子，四十年前，黑白雙魔被武當、崑崙、峨眉三派高手圍剿，黑白雙魔雖然血鬥數日，終於突圍，但因負傷過重，不久之後，依然傷發致死。由此之後，雙魔的子弟門人，俱都隱跡潛蹤，苦練絕藝，不在江湖上公開露面，兩派門下，雖然時思復仇雪恥，無奈武當、崑崙、峨眉三派，不但人多勢眾，而且聲氣相通，動輒聯合出手，使出以大吃小的手段，因而雙魔門下隱忍遷延，始終未敢輕動。

時寅報效谷寒香麾下後，立時將兩派的門下招來，這幹人本來都是桀驁不馴，極難服人之輩，雖有時寅從中推戴，仍然是意存觀望，並無真正臣服之心，然而，彼等見谷寒香凌人的威儀、過人的氣魄後，頓時不知所以地心悅誠服了，至於谷寒香艷絕人寰的美色，深不可測的武功，彼等反而未曾留意。

且說龍行風身形微晃，直對紫陽道長縱去，紫陽道長、少林天禪、天明兩位大師，以及崑崙一休大師，這幾個為道之人俱都眉頭暗蹙，感到難以處置，一則兩處激鬥方酣，勝負難料，再則這龍行風來歷不明，深淺難知，紫陽道長既不便親自出場，又不知應派何等人物應敵？

適在此時，忽聽時寅發出一陣厲嘯之聲，跟著蓬然一聲暴響，金陽道長與「人魔」伍獨竟然雙掌齊揮，硬拚了一記。

這一震石破天驚，引得全場之人的目光，俱都朝兩人移去。

只見金陽道長與「人魔」伍獨手掌一撞，立時「蹬蹬蹬」齊退三步，狂飆激蕩，沙塵瀰天，裹著兩人迴旋飛舞，呼嘯不止，兩人卻都靜立不動，看不出熟勝熟負？

那龍行風朝二人略一凝視，立即轉向紫陽道長道：「姓龍的乃是『白魔』中祖座下首徒，你衡量輕重，是否應該親自出馬？」

紫陽道長正待答話，崑崙一休大師忽見武當青陽、峨眉曼陀，以及自己的師弟展雲翼全部躍躍欲動，似要越眾上前，不禁瞿然一驚！趕緊飄身縱起，朗聲道：「紫陽真人，這一陣權且讓與貧僧吧！」

四大門派的掌門，無不顧念門下弟子的安危，谷寒香卻是顯然漠視屬下的生死，她似乎只管硬拚，不論是勝是敗，甚至誰死誰活，亦不放在心上。

紫陽道長聽這瘦長老者是「白魔」申旡的大弟子，心中正感為難，待見一休大師出場，始才心頭略定，舉掌一禮，道：「多謝大師代勞！白魔『壞血掌力』為武學一絕，至今尚無人能以解救，大師動手之時，請勿輕敵大意。」

一休大師含笑點頭，轉身向龍行風合十一禮，道：「尊駕只管劃道，一休但憑吩咐。」

龍行風傲然一哼，欺身直進，倏然揮出一掌，一休大師揮掌反擊，霎時打在一起。

另一邊，金陽道長與「人魔」伍獨重又以快打快，雙雙搶攻起來。

此時曼因師太與時寅相搏已逾百招，曼因師太展動長劍，緊守門戶，伺機還擊，時寅似已傲性復發，雙掌翻飛，猛攻不已，厲嘯連聲，勢道懾人。

乍看起來，曼因師太似已落於下風，然而在場的一些高手，均知峨眉劍法凌厲綿密，兼而

有之，宜攻宜守，長於耐戰，加以曼因師太一派掌門，數十年的功力，劍法爐火純青，絕無半點破綻，如果時寅不能出奇致勝，在對方沒有破綻中製造破綻，則勝負之分，須在彼此功力耗損之後了。

這時一場慘烈異常的搏鬥，交戰之人，所爭的不是勝敗榮辱，而是生死存亡，因而誰也不敢手下留情，自取殺死之禍。

忽聽谷寒香冷冰冰的聲音道：「水兄、陰手兄，兩位可以出陣了。」

「鬼老」水寒和「陰手一魔」聞言之下，心頭齊齊一怔！這兩人全是久涉江湖、機智頗深之人，稍一轉念，即知谷寒香存了玉石俱焚，令黑、白兩道的首要人物同歸於盡之心。

兩人不約而同地相視一眼，心中都不願意出戰，但又感到此時此地，若與谷寒香翻臉，定然陷於兩面受敵，左右夾攻之境。

「陰手一魔」眼珠一轉，倏地一躍五丈，朝著天明大師和天覺大師兩人揚聲叫道：「兩位老禪師，哪一位不吝指教，與在下走上幾招？」

原來「陰手一魔」老奸巨猾，看出局面凶險，自己惡名在外，武當、少林等派，將自己列爲剷除的對象之一，谷寒香心懷叵測，也不會放過自己，處身兩大之間，要想待機突圍，保全性命，首須避免惡戰，保存功力，然而，谷寒香過於可怕，幾番周旋，他已膽氣俱喪，谷寒香制住「毒火」成全，洗盡其周身暗器後，他更是百倍警惕，步步爲營，絕不靠近谷寒香一步。

他既不敢公然抗命，與谷寒香翻臉，又不願傾力拚鬥，枉自斷送性命，因而特地找上天明大師和天覺大師兩人，指名索戰，其實卻是看出兩人是佛門高僧，心腸軟弱，大可與其動手，

藉以拖延時間，靜以觀變。

天禪大師見武當、崑崙、峨眉三派俱已有人出場，未待天明、天覺二人開口，立時傳命，吩咐天覺大師下場。

天覺大師躬諾一聲，手提錫杖，肅然向「陰手一魔」走去，轉眼之間，亦自動起手來。

同時間，「鬼老」水寒走近谷寒香身前乾笑一聲，道：「彼方高手如雲，我方好手不多，你盡出精銳，不留餘力，一旦彼等的『羅漢大陣』與『五行劍陣』展開，綠林道上的烏合之眾，豈能抵抗得住？」

他語音甚低，面上猶露笑容，豈料谷寒香聽罷之後，冷漠的玉靨上，陡地泛起一片肅殺之色，冷若嚴霜的目中，倏地迸射出兩股毒怨的光芒。

「鬼老」水寒心神大凜，情不自禁地暴退三尺，雙掌微提，低聲說道：「此時此地，不宜自相殘殺，授敵以隙……」

言猶未了，忽聽余亦樂高聲喝道：「夫人留意身後！」

谷寒香凝立如山，絲毫未見移動，僅只面龐微轉，從容望了過去。

只見人影乍現，黑袍白髯，面如滿月的酆秋，倏地躍到了近處，只見他雙目電射，緊盯在谷寒香面上，看他鬚髮微顫，口齒緊閉，似是心頭憤怒已至極點。

谷寒香好似未將酆秋放在眼中，冷然一哂道：「你歷劫餘生，理該善自警惕……」

言未了，陡聽「人魔」伍獨淒厲一聲長嘯，聲如梟鳴鬼哭，懾人心神，同時人隨聲起，向東南方飛射而去，金陽道長則如影附形，隨後縱起。

剎那間，情勢疾變！

喝吼聲中，「鬼老」水寒恍若流星經天，直往二人身後趕去，「人魔」伍獨和「鬼老」水寒的上十名弟子從人，亦都揮動兵刃，紛紛奔了過去，同時間，武當弟子的「五行劍陣」霍然展動，首尾一變，轉往右側移動。

原來「人魔」伍獨久戰力絀，情知再不見機，勢必難保性命，因而疾攻數招，立時抽身遁走。他一躍十餘丈，身法原是快極，無耐武當、少林等派早經部署，陣法一轉，瞬眼便將出山的隘道堵死。

「人魔」伍獨起落之間，忽見五名持劍道人，直對自己衝來，劍氣森森，充滿了肅殺之勢，他見多識廣，入眼之下，立時看出其中的厲害，當即袍袖一揮，折而向右閃去。

但見人影閃動，又是五名持劍道人衝了過來，同時金陽道長亦電射而至。

這都是頃刻間的事，「毒火」成全的幾名弟子見師父久不現身，心頭俱感惶恐異常，俟見「五行劍陣」一動，立時返身向「萬花宮」內奔去，豈料少林派的「羅漢大陣」亦在轉動，晃眼之間，攔住了左側的通路。

綠林群雄到的雖多，但是大部分都是聞風而至，彼等原是暗存觀望之心，是戰是走，見機而做，這時眼看少林、武當兩派堵塞出路，一網打盡之心揭露無遺，不禁群起怒吼，喝罵連天，使得情勢更為火爆。

酆秋瞧那激鬥中的幾人全都到了猛烈階段，崑崙、峨眉兩派的弟子全都向自己的掌門人移近，似是打算上前接應，金陽道長已和「鬼老」水寒鬥在一處，「人魔」伍獨在「五行劍陣」

中東穿西閃，武當青陽道長正向他身前撲去，瞧這情形，只待一有人死傷，情勢即將混亂。

他略一沉吟，立時縱聲喝道：「谷寒香，究竟是你主持大局，或是由老夫來發號施令？」

谷寒香雙目電閃，朝著屹立數十丈外的龐士沖望了一眼，漠然說道：「咱們各行其是，互不相犯，你的人由你率領，我的人聽我指揮。」

龐士沖挾著翎兒，老少二人都在全神觀戰，一聽谷寒香講話，齊齊移目望來，谷寒香目光轉動，亦自望了過去。

那翎兒掙扎了一下，突然高聲叫道：「娘，不要管我，我不怕！」

此時喝罵震天，人聲嘈雜，但谷寒香耳力敏銳，依然聽清了翎兒的話，她芳心暗急，正在籌思對策，忽見酆秋凝氣縱聲，亢聲叫道：「綠林兄弟聽了，武當、少林等派早已定下毒計，要將咱們黑道兄弟一鼓殲滅，掃盡殺盡……」他內功深湛，中氣充沛，聲聲如雷，直擊眾人耳鼓，綠林群豪方自寂靜下來，聽到此處，重又群情激動，鼓譟喧譁起來。

只聽酆秋繼續叫道：「咱們不能束手待斃！綠林兄弟要挺身而鬥，湔雪前恥，揚眉吐氣，不要令人趕盡殺絕了……」

忽聽龐士沖插口叫道：「酆秋老匹夫，你要不要臉！」

綠林群豪一聽，頓時紛紛向龐士沖喝罵起來。

但聽酆秋重又叫道：「綠林兄弟聽了！南七省的兄弟攻武當右側，北六省的兄弟攻少林左首！」說罷之後，頓時口發厲嘯，直對少林掌門天禪大師撲去。

霎時，殺喊震天，酆秋、「毒火」成全、「鬼老」水寒、「人魔」伍獨，這幾人的弟子首

先發動，朝左右兩翼衝了過去，綠林群豪本已人心浮躁，再經酆秋一陣鼓動，不禁理智潰散，熱血上沖，隨在方天瀾等人之後衝了過去。

此時，情勢大亂，天禪大師一見酆秋撲了過來，立時振袂而起，八寶禪杖一招「挾山超海」，疾迎上來。

展眼間，混戰已經開始，少林、武當兩派的弟子隨著陣法轉動，直往這面迎來，崑崙、峨眉兩派的門下向掌門人身前擁去，黑白雙魔的門下亦向時寅和龍行風兩人奔去，雙方一湊，頓時惡鬥起來，「迷蹤谷」的諸人原本穩立未動，亦被勢如潮湧的綠林群豪迫得朝前移動。

忽聽谷寒香縱聲喝道：「映霞、天生隨在我的身後，其餘的人將龐士沖守住！」說罷嬌軀疾晃，直向紫陽道長撲去。

黑白兩道，展開了一場慘烈絕倫，史無前例的火拚。

紫陽道長一看谷寒香撲向自己，立時清嘯一聲，長劍一揮，疾迎上去。

倏地，一聲洪亮的佛號起自身側，只見天明大師純鋼禪杖夾著震耳嘯風，猛向谷寒香劈面擊去。

谷寒香怒不可抑，忿然道：「師父，你是逼我放手殺人麼？」身軀一側，打出一記劈空掌力。但聽「呼」的一聲，一陣強猛絕倫的掌飆，直向天明大師撞去。

萬映霞與文天生則越過天明大師，朝紫陽道長竄去。

天明大師一杖擊出，倏感禪杖重逾山嶽，似欲脫出手掌，駭然之下，急忙變招換式，一杖攔腰掃擊，同時口中道：「香兒，爾夫志在肅清江湖敗類，造福天下蒼生，他甘冒不諱，親訪

少林，就教於天禪掌門，你枉自聰明，不能愛人以德……」

他見谷寒香隨手一揮，掌力驚人，越發不敢放其脫身，只是杖杖頓盡功力，依舊難以將她纏住，所講的話，也是斷斷續續，含混不清。

谷寒香聽他提起亡夫，忍不住仇火如熾，獰聲道：「師父火速退開！若不報大哥之仇，我死不瞑目！」揮手一掌，猛擊過去。這一掌她使了八成功力，一陣如潮怒勁，洶湧而出。

天明大師知道紫陽道長絕非她的敵手，死了武當掌門，武當弟子勢必與其拚命，那時仇讎糾結，不知多少人須得喪命？他憂急如焚，不遑多想，右手一鬆禪杖，一掌反擊過去。

兩股強猛無疇的掌力相撞，但聽蓬然一聲暴響，滿地砂石，狂飛四濺，排空疾飆，波濤怒湧。天明大師吭了一聲，雙足拖動，連退三步，嘴角兩旁溢出兩滴鮮血。

谷寒香嬌軀不過晃了晃，目睹天明大師受傷慘重，心頭頓感一陣歉疚，但她啣恨負仇，含冤蒙垢，積年累月下來，心腸業已剛硬異常，這時牙根一咬，撇下天明大師，飛身便向紫陽道長撲去。

此時殺喊震天，數百人混戰，兵刃相擊之聲響成一片，慘嗥之聲此起彼落，殘骸橫飛，鮮血四濺，慘烈之狀，令人不忍卒睹。

萬映霞與文天生二人，一人持劍，一人執鞭，正向紫陽道長猛攻不已，紫陽道長隨手揮劍敵住二人，目光卻始終未離谷寒香與天明大師二人。眼見天明大師硬接一掌，頓時震成重傷，不禁暗暗嘆息一聲。

天明大師一看谷寒香要從身旁掠過，禪杖一掄，再次擊了過去，紫陽道長急忙大喝道：

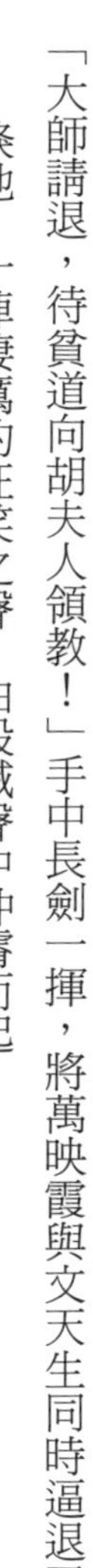

「大師請退，待貧道向胡夫人領教！」手中長劍一揮，將萬映霞與文天生同時逼退了數步。

倏地，一陣淒厲的狂笑之聲，由殺喊聲中沖霄而起。

原來黑白雙魔的門人子弟，與崑崙、峨眉兩派之人混戰在一處，時寅與曼因師太則在混亂之中纏鬥不休，兩人同是剛烈成性，都是寧折不彎的脾氣，激鬥既久，時寅一掌擊在曼因師太胸上，曼因師太一劍劈上時寅的左肩，時寅左臂齊肩斷落，曼因師太則被黑煞掌方震碎內腑，當場口噴黑血，倒地身亡。

時寅一掌斃敵，頓時厲聲狂笑起來，他左臂被齊肩斬下，血流如注，隨聲狂笑之聲泉湧而下，猙獰之狀，觸目驚心。

峨眉弟子眼見掌門師太殉命，全都悲痛逾恒，展眼之間，紛紛擺脫對手，轉向時寅撲去，原已混亂的局面，頓時更爲混亂不堪。

這一場廝殺，令人慘不忍睹，綠林群豪中，多是雄踞一方，武功高強之輩，少林「羅漢陣」與武當「五行劍陣」變化神妙，威力奇猛，雙方各有所長，火拚不久，立時喪亡累累，屍橫遍地。

慘鬥下，金陽道長與「鬼老」水寒，龍行風與崑崙一休大師，俱已鬥至生死一髮，險象環生的熾烈階段。

金陽道長見混戰開始，知道谷寒香即要出手，並知其志首在武當掌門，憂急之下，頓時拔出肩後的長劍，朝「鬼老」水寒猛攻不迭。

「太清真氣」為玄門無上神功，金陽道長閉關十年，潛修至今，業已成就不凡，他長劍展動，翔靈如飛，太清真氣化作劍炁，由劍上迸湧而出，使得那柄劍忽長忽短，時寬時窄，精芒刺目，耀眼難睜。

展眼之間，「鬼老」水寒已是岌岌殆危，他驚駭莫名，暗萌悔意，無奈金陽道長殺機已動，劍劍緊迫，再不容他脫身。

惡戰中，金陽道長霍地怒嘯一聲，長劍疾揮，接連攻出三劍。

「鬼老」水寒早已面色如土，只見他雙掌翻飛，連閃帶躍，堪堪將金場道長的三劍化解，但那縱橫交迸的劍炁，突破密佈如牆的寒陰掌力，將他的鬚髮割得寸寸斷落，袍袖片片飛舞。

霍地，金陽道長震聲一喝，躍起半空，揮劍劃出一片驚虹，猛向「鬼老」水寒罩下。

一柄鋼質略佳的長劍，入了金陽道長手中，竟似通靈變化，毫芒萬丈的絕世寶物一般。

「鬼老」水寒驚駭欲絕，危急之下，擰腰振臂，不顧一切地雙足猛頓，迸力激射而起，詎料，為時已晚，只聽半聲慘嗥起處，金陽道長「太清真氣」所化的劍氣，由水寒腰際一掠而過，頓時將其斬為兩段。

適在此時，震耳欲聾的金鐵交鳴聲和殺喊聲中，響起了龍行風的狂叫之聲，這聲狂叫莫可名狀，附近武功較次之人，全都聞聲一凜，手中招式為之一頓。

只見崑崙一休大師長劍斜舉，由下至上，將這「白魔」申无的大弟子劈做了兩半，鮮血淋漓，濺起半空，狂叫之聲未絕，兩片屍體已自倒地，但那崑崙派的一代掌門也被龍行風的「壞血掌」擊在胸口，呆立當地片刻不到，立時全身轉為蒼白，斷氣身亡。

金陽道長劍斬「鬼老」水寒之後，立時功凝雙目，觀察全陣情勢，只見少林掌門天禪大師與酆秋打得如火如荼，由於兩人的武功太高，身法招式全都過於快捷，因而黑、白兩道的人雖在左近惡搏，但卻涇渭分明，未與兩人混雜。

青陽道長和「人魔」伍獨也正打得激烈異常，但兩人同在「五行劍陣」之中，「人魔」伍獨雖與青陽道長惡戰，卻要不時抽手抵擋攻上身來的武當弟子，但因伍獨和「鬼老」水寒、以及「毒火」成全的弟子都在附近，以致青陽道長亦須不時分身去應付突如其來的襲擊，如此一來，戰況雖然火熾，青陽道長和「人魔」伍獨二人，反而無法全力火拚，一時難以分出勝負。

「陰手一魔」與天覺大師也激鬥方酣，兩人前後左右，俱是江北道上的綠林人物，少林弟子的「羅漢陣」三人一組，四人一排，在人群中穿來插去，看似雜亂無章，其實縱橫交織，次序井然，所向披靡，往來自如，綠林群豪雖然高手如雲，卻因各自爲戰，應接不暇，顧此失彼，陷入極爲不利的地位。

「迷蹤谷」的群雄，本是奉命困守龐士沖的，無奈黑、白兩道出戰之人，爲數不下五百，這坦岩雖然寬廣，武當「五行劍陣」和少林「羅漢陣」展布開來，仍舊沒有敵方容身之地，何況龐士沖人在兩軍之間，血戰一起，「迷蹤谷」群雄不由自主地就和少林弟子接戰起來，龐士沖何等武功，幾起幾落，頓時蹤影不見，眨眼之下，又在谷寒香與紫陽道長附近出現。

谷寒香已與紫陽道長和天明大師二人惡鬥起來，紫陽道長手仗長劍，武當太極劍法夾雜左手的綿掌，天明大師純鋼禪掌之下，展盡了少林絕藝和將近一甲子的功力，饒是如此，依然被谷寒香逼得守多攻少，岌岌可危。

天香飆

金陽道長默察全場形勢，心中暗暗忖道：「酆秋雖然厲害，有少林天禪、天儀兩位大師，足可與其力敵，『人魔』伍獨的『陰寒神功』雖非小可，如果自己上前，亦能取其性命，『陰手一魔』鼠首兩端，看來無足爲慮，龐士沖武功似在諸人之上，但瞧他所作所爲，又似站在白道俠士一邊。」他心念急轉，覺得真正的心腹大患，仍然是谷寒香和「迷蹤谷」諸人。

思忖中，忽見「人魔」伍獨閃開五名武當弟子的聯手一劍，飛起一掌，猛擊青陽道長的左肩，青陽道長回劍不及，迫得左手一揮，硬接了一掌。

兩掌一交，青陽道長被震得横飛丈餘，「人魔」伍獨唧身欺上，接著又是一掌，若非四面趕到的武當弟子將其截住，青陽道長勢必難逃性命。

金陽道長見「人魔」伍獨攻勢凌厲無比，似乎未因惡鬥許久功力減退，不禁長嘯一聲，閃電般疾躍過去。

「人魔」伍獨聞得嘯聲，頓時捨下武當弟子反身迎敵。

金陽道長惦念掌門師兄的安危，立意盡展絕學，速戰速決，只見他人隨聲到，一招「風雲崩天」，劍化萬道驚芒和無數銀星，猛地朝「人魔」伍獨襲去。

「人魔」伍獨大驚失色，眼看一片星芒如潮水般狂湧而至，危急之下，疾地擰腰一縱，直向兩排武當弟子之間躍去。

他臨危一躍，雖然倖逃金陽道長一劍，無奈「五行劍陣」威震江湖，確有驚神泣鬼的威力，他雙足尙未著地，寒光過處，身上業已皮開肉綻，整整中了武當弟子的十劍。

這是一場驚天動地、慘烈無倫的血戰，任何秉性善良，寬大爲懷的人，只要投入這場血戰

之內，都得為那鬼哭神號，天愁地慘的殺氣感染，變得捨死忘生，心狠手辣起來。

「人魔」伍獨的三名弟子俱在左近，彼等俱是一流高手，然而自顧不及，眼看師父性命難保，但是除了厲喝悲吼之外，只有徒喚奈何而已。

金陽道長見「人魔」伍獨疾落疾起，飛快地往少林陣地逃竄，「五行劍陣」竟然困他不住，不禁怒哼一聲，身形連晃，一掠十丈，直追上去。

只聽「鬼老」水寒的大弟子嘶聲喝道：「伍師叔留意！」

「人魔」伍獨雖在重傷之餘，仍舊心神未亂，但見他身子猛地一旋，淒聲喝道：「金陽！老夫交給你了！」雙掌並出，猛力推出。

金陽道長臉色肅然，只見他長劍一揮，一道匹練般的驚虹，霍然激射，直對「人魔」伍獨當頭罩下。

忽聽「人魔」伍獨震天一聲狂笑，身軀一側，陡地橫撲過來，右掌一掄，驟然襲至。

這一招「冰河解凍」，乃是寒陰功中毒辣至極，猛惡非凡的招術，「鬼老」水寒與「人魔」伍獨，窮三十年的歲月精研「寒陰神功」，熟料金陽道長「太清真氣」過於玄奧，鏖戰之中，真氣隨意念而動，攻敵防身，令人無隙可乘，「鬼老」水寒遲遲不敢以命相拚，以致身死金陽道長劍下，幾招厲害殺手，始終未能施展。

金陽道長亦未料到他力窮勢盡，重傷臨危之際，竟會暴起反噬，百忙之下，長劍疾落，電斬而下，同時功凝左掌，猛力迎了過去。

但聽「啪」地一聲脆響，金陽道長的左腕骨竟被伍獨硬生生地予以震斷，「人魔」伍獨則

被金陽道長的「太清真氣」將五臟內腑震碎，未待長劍臨身，即已七竅溢血，氣斷身亡。

適在此時，忽聽龐士沖震聲喝道：「谷寒香，你放眼瞧瞧四周，難道真要血流成河，屍積如山，全都死在這『萬花宮』前麼？」

原來就這須臾工夫，戰況業已急轉直下，武當、少林兩派的弟子，初時因為對手太多，而且都是綠林中的上上之選，以致「五行劍陣」和「羅漢陣」的威力，無法盡行發揮，惡戰既久，武當、少林兩派的弟子雖也傷亡不少，綠林群豪則死傷更重，因此雙方的人數，愈戰差得愈多，而人數愈是懸殊，「五行劍陣」和「羅漢陣」的威力，也越發猛惡難當。

此時，武當、少林一邊，已轉為絕對優勢，整個的「五行劍陣」和「羅漢陣」已經合圍，將百餘名綠林人物圍困陣中。綠林群豪方面，除了「迷蹤谷」的人集聚一處，彼此應援，尚無死亡外，「黑白雙魔」的門下，由於龍行風喪命、時寅斷臂，崑崙、峨眉兩派掌門人齊皆戰死，雙方弟子同抱悲憤，但欲親手復仇，火併的結果，兩方都傷亡累累，若非少林弟子插足其間，崑崙、峨眉兩派到場之人，勢必傷亡殆盡，無人生還了。

天禪大師和酆秋惡鬥了兩百餘回合，天禪大師逐漸不敵，天儀大師業已上前，二人雙戰酆秋，霎時攻守易勢，將酆秋逼落下風。

然而，當此綠林群豪相繼殆危、覆亡在即之際，谷寒香卻愈戰愈勇，掌上的威力如驚濤駭浪，愈來愈是淩厲懾人，天明大師和紫陽道長，這僧、道兩門的頂尖高手合力之下，仍然處於負隅頑抗、浴血苦戰的境地。

谷寒香激鬥至此，對三妙老人所傳的九招掌法，業已得心應手，然而，她並不立即施展

殺手，卻在惡鬥之際，冷酷地瀏覽戰局，仇火在她胸中燃燒，她渾忘了一切，唯一記得的是：「復仇！殺！殺！只能殺四人！」

黑幕逐漸低垂下來，兵刃相擊之聲依舊響成一片，如雷的殺喊之聲，卻已漸趨沉靜了。

倏地，出山的通路之上，燃起了一片耀眼的火光，這火勢蔓延極快，轉眼工夫，西面出口的山石樹木之上，盡是熊熊燃燒的火焰。

人聲譁然中，兩面峭壁上響起了如雷的獸鳴，使這場慘烈的拚鬥，更顯得血腥可怖。那龐士沖早已點了翎兒的「睡穴」，這時突然解開袍服，將他裹在胸前，小心翼翼地綁紮停當。

只聽激鬥中的谷寒香厲聲道：「龐士沖，你待怎樣？」

龐士沖冷聲道：「『毒火』成全在山前縱火，血戰已近尾聲，你已無可藥救，老夫也要回轉長白了。」

谷寒香突地掌勢一變，連施殺手，招招不離紫陽道長的要害，口中卻獰聲大叫道：「你若不留下我那孩子，我叫今日到場之人，全都死在此處……」

話猶未了，金陽道長和迄未動手的白陽道長，突然齊聲怒喝，揮劍一擁而上，「迷蹤谷」的群雄睹狀之下，亦都竭力往這面移動。

龐士沖沉吟了一陣，忽然鬚髮顫動，高聲說道：「實對你講，這孩子是老夫的外孫，我那不肖之女盜了老夫的『問心子』與人私奔……」他似是過於激動，說到此處，突地啞然失聲。

忽聽慘嗥厲吼、嘶叫、狂笑，各種聲音此起彼落，相繼傳了過來。

谷寒香遊目四顧，發覺時寅滿身浴血，正自搖搖欲墜，酆秋被天禪大師一杖擊在背上，打了一個踉蹌，但卻一縱而起，重與天禪、天儀二人惡鬥起來。

她暗暗忖道：「我本想取下黑、白兩道重要人物的首級，去奠祭大哥的英靈，瞧這情形，那是難以如願了。」她本欲報仇雪恨之後，即在胡柏齡墳前自戕，如今聽說龐士沖是翎兒的外祖，要將翎兒帶走，芳心之內更是生趣全無，但她想起懷中尚有三妙老人的遺物未曾處理，欲待交與龐士沖帶走，將來轉投翎兒，畢竟此時耳目眾多，殊有不妥。

天明大師與紫陽道長原已招架不住，待得金陽、白陽上前，始將戰局穩住，不過金陽道長左手腕骨已斷，加以連戰「鬼老」與「人魔」二人，功力已是大爲減弱，白陽道長的「厥陰心脈」雖解，身子尙還虛弱不堪，紫陽道長與谷寒香力戰過久，功力已近強弩之末，天明大師原已被谷寒香的掌力震傷，此刻見她以一敵四，師徒之情，油然而生，再也不忍與其拚命。

忽見少林掌門天禪大師一杖擊空，酆秋大喝一聲，一掌擊在天禪大師胸上，天儀大師則禪杖疾揮，一杖擊在酆秋肩上，兩人全是口噴鮮血，踉蹌不已。

另外一面，「江北三龍」、「搜魂手」巴天義、鍾一豪、麥小明，幾人接連受傷，但是所有「迷蹤谷」的群豪，卻都衝到了谷寒香的近處。

忽聽谷寒香厲聲叫道：「龐士沖，你可知道翎兒是我夫妻由死中救活的麼？」

龐士沖聞言一怔，道：「知道又怎樣？」

谷寒香大聲道：「我要他盡養子之義，親手埋葬我的屍體。」

龐士沖雙眉一蹙，道：「你當真已萌死志了？」

紫陽道長見自己一面，合武當三陽及天明大師四人，群鬥谷寒香一人，內心實是羞愧欲

死，爲了武當一派的聲譽，又不能口頭示弱，因而他心頭早已決定，只要谷寒香自行停手，他立即橫劍自刎，了結這一場公案，以謝胡柏齡和萬曉光於泉下，然而谷寒香始終不肯歇手。

忽聽谷寒香獰聲叫道：「龐士沖，不許任何人接觸我的屍體。」

龐士沖不知她究竟做何打算，聞言之後，默然不答。

天明大師忽然縱聲道：「香兒，你先停下手來，有話好好地講。」

忽聽不遠處的苗素蘭叫道：「夫人，報仇不在一日，你多加思量。」

倏地「颼颼」連聲，鍾一豪、麥小明、余亦樂，三人渾身浴血，相繼竄到了一旁。

只見鍾一豪暴喝一聲，緬鐵軟刀一揮，直向金陽道長砍去，麥小明和余亦樂二人，俱都疾撲紫陽道長。適在此時，少林天儀大師也手提禪杖，凌空躍了過來。

谷寒香暗暗一掠四周，看到酆秋正往地面倒下，幾名少林弟子正向搖晃不定的天禪大師奔去，「陰手一魔」居然無恙，尚在「羅漢陣」中東逃西竄，苗素蘭和萬映霞披頭散髮，正與武當弟子在苦苦拚鬥，綠林人物已是傷亡過半。

屍橫遍地，血泊之中，到處都是殘肢斷骸，和閃閃生光的兵刃，殺喊之聲也小得多了！

烈火卻愈來愈大，燃燒中的藤蘿、榛莽和參天古樹，已開始發出「剝剝」之聲，鳥鳴獸吼，充滿了驚惶和恐怖。

霍地，一陣淒愴的狂笑之聲，發自谷寒香的口內。

這狂笑之聲響徹霄漢，眾人雖在激鬥之中，亦是入耳心驚，毛骨悚然，那武功定力較差之人，更是駭得魂飛魄散。

忽聽天明大師亢聲喊道：「天儀師弟上！諸位道友留神！」

但聽谷寒香狂笑乍歇，道：「師父！事到如今，您老人家還想兩全其美麼？」

話音甫落，忽見她身形一晃，轉瞬間只剩一溜淡淡的輕煙，閃電似地朝紫陽道長捲去。

金陽道長目力最佳，怒喝一聲，揮劍疾攔過去，天明大師與天儀大師也都齊宣佛號，左右截擊而上。

只聽「砰」的一聲，紫陽道長已被谷寒香一掌擊上，身軀凌空飛起，直對萬映霞頭頂落去。

萬映霞只見一人當頭飛到，惡戰之下，不遑多想，寶劍迎空一撩，頓時將業已五臟俱碎的紫陽道長斬爲兩段。

殘屍落地，武當弟子立時認出是自己的掌門祖師，展眼之間，哭喊之聲雷動，血戰場中，現出天翻地覆之勢。

谷寒香一掌擊在紫陽道長身上，自己的身形也爲之一慢，金陽道長電掣追到，驚虹暴漲，猛然襲至。只聽她咬牙一哼，身影一閃，霍地到了白陽道長背後，玉掌一揮，隔空劈去。

金陽道長身法雖較谷寒香慢了許多，但是劍法和「太清真氣」卻非小可，眼看一條血雨由身側掠過，知道谷寒香中了自己一劍，受創定然不輕，於是猛地旋身，再度追蹤撲去。

但見白陽道長慘哼半聲，身子摔出了場外。

剎那之間，死了紫陽道長和白陽道長，連素性謙和的青陽也激憤填膺，目眥皆裂。

忽見少林掌門天禪大師手舞禪杖急奔而至，道：「谷寒香，胡柏齡死在老衲手中……」

谷寒香連斃二人，頓時殺紅了眼，她身法快得肉眼難辨，聞言之下，立即嬌軀一擰，反向天禪大師迎去。

天明大師驚魂欲出，眼看掌門人身帶重傷，哪裡堪她一擊？心急如焚之下，丟了禪杖，擁身向她身後撲去。

谷寒香掌如飄風，正待擊向天禪大師，忽覺背後有人撲到，立時纖腰一擰，回掌擊去。

這一掌奇幻絕倫，天明大師自知閃躲不過，不禁慘然一笑，不退反進，猛地迎了上去。

谷寒香覺察得不謂不早，詎料天明大師自行迎上，再想換招變式，為時已是晚了。

「砰」的一聲，一代高僧，就此溘然長逝，然而，就在谷寒香心神一怔之際，天禪大師的禪杖也不由自主地擊到了谷寒香背上。

這是一場目不忍睹的搏鬥，但見谷寒香身形一現，在地面滾了幾滾，旋又轉成一道輕煙，直向金陽道長撲去。

金陽道長亦正撲了過來，兩下一湊，寒光暴閃，一聲淒涼嬌啼起處，金陽道長的長劍，業已脫手飛出，刺入谷寒香的胸口。

幾乎是同時間，與天儀大師和青陽道長纏鬥的鍾一豪、麥小明、余亦樂三人，由三方猛撲上來，刀、劍、鐵板齊下，將金陽道長屍分了三片。

就這樣，由近及遠，偌大的一片坦岩，逐漸沉寂下來。

再也無人打鬥，黑、白兩道尚保殘身的人，由四面八方圍了攏來，可是，屍橫遍地，血流成渠，人們幾乎無法舉足。

烈火愈燒愈廣，大有焚毀天台山之勢，鳥鳴獸吼，卻顯得聲嘶力竭起來。

谷寒香倒臥在血泊之中，清澈如寒潭秋水的美眸，向四周緩緩移動。

苗素蘭、萬映霞、文天生，三人跪在谷寒香身側，淚下如雨，但是不敢哭出聲來。

龐士沖臉色蒼白，一絲血色俱無，他是唯一袖手旁觀，將這一場慘絕人寰的血戰，看得巨細無遺的人，他伸手去解縛在胸前的一根綢帶，打算將翎兒放下，讓他與谷寒香訣別。

谷寒香忽然搖了搖頭，徐徐道：「不必了。」

她左肩之上，血肉模糊，胸口一個劍創，鮮血汩汩，如泉水外湧，但是她的語音，依然清脆異常，語氣之中，仍舊充滿了威嚴，充滿了不可抗拒的力量。

忽見她目光一寒，殺氣畢露，環掠周遭的人一眼，最後目注龐士沖道：「你獨自將我的屍體帶走，絕不許旁人觸及。」

這兩句語，講得字字如刀，冷酷至極，龐士沖先是一怔！繼而點頭道：「你放心，龐士沖拚了老命，絕不負你所託。」

谷寒香冷冷一笑，美眸流盼，在「迷蹤谷」群豪的臉上逐個移動，最後停在人叢中的「陰手一魔」臉上。

「陰手一魔」楞了一楞，分開身前的人走上前去，道：「夫人可是傳喚在下麼？」

谷寒香目光轉動，一瞥跪在身旁的苗素蘭，重又盯住「陰手一魔」蒼白的面龐之上，露出一片詭異莫名，令人望而生畏的微笑。

「陰手一魔」身形微躬，神情謹肅，道：「夫人大去之後，在下立時回山歸隱，絕不敢多

生事端，招惹『迷蹤谷』和『萬花宮』的屬下。」

谷寒香漠然一笑，目光流盼，再向眾人臉上望去，此時四周全是綠林人物，武當、少林等派的弟子，業已各自抱走自己師長的遺體，另在一旁料理後事，這面綠林群豪圍在谷寒香身旁，人人臉上，俱是一片沉痛之色，絕無一人例外。

忽然，另一邊的少林弟子開始朗誦經文，聽那經文之意，似在超渡亡靈，護送新魂啓程。

谷寒香笑了一笑，突然舉起手掌，朝龐士沖問道：「我一共打死了幾個人？」

龐士沖雙肩微蹙，道：「武當紫陽、白陽、少林天明和尚，一共是三人。」

谷寒香淡淡一笑，道：「他們錯殺了我的大哥，我錯殺了師父。」

她語音微頓，接道：「我答應過三妙老人，終生只取四條性命，那姓范的既然不在，看來只好拏自己湊數了。」說罷皓腕一翻，猛向胸口的劍創按了下去。

眾人脫口驚呼，然而已無法挽回，谷寒香雙目一合，香消玉殞了。

她！美絕塵寰，艷蓋人間，但是來也匆匆，去也匆匆，像一陣起自天際的狂飆，橫掠大地，重又消逝於無形，留給世人的，除了永難磨滅的記憶，便是永不消散的芬芳，一種來自天上的香氣。

少林弟子仍舊在朗誦經文，人群之中，開始響起了哀哀的哭聲。

全書完

臥龍生武俠經典珍藏版 16

天香飆（四）大結局

作者：臥龍生
發行人：陳曉林
出版所：風雲時代出版股份有限公司
地址：10576台北市民生東路五段178號7樓之3
電話：(02) 2756-0949　　　傳真：(02) 2765-3799
執行主編：劉宇青
美術設計：許惠芳
行銷企劃：林安莉
業務總監：張瑋鳳
出版日期：臥龍生60週年珍藏版 2022年5月
ISBN ：978-986-5589-69-1
風雲書網：http://www.eastbooks.com.tw
官方部落格：http://eastbooks.pixnet.net/blog
Facebook：http://www.facebook.com/h7560949
E-mail：h7560949@ms15.hinet.net
劃撥帳號：12043291
戶名：風雲時代出版股份有限公司

風雲發行所：33373桃園市龜山區公西村2鄰復興街304巷96號
電話：(03) 318-1378　　　傳真：(03) 318-1378
法律顧問：永然法律事務所 李永然律師
　　　　　北辰著作權事務所 蕭雄淋律師

行政院新聞局局版台業字第3595號 營利事業統一編號22759935

定價：320元　　

國家圖書館出版品預行編目資料

天香飆／臥龍生 著. -- 臺北市：風雲時代出版股份有限公司，2021.06- 冊；公分（臥龍生武俠經典珍藏版）
ISBN：978-986-5589-66-0（第1冊：平裝）
ISBN：978-986-5589-67-7（第2冊：平裝）
ISBN：978-986-5589-68-4（第3冊：平裝）
ISBN：978-986-5589-69-1（第4冊：平裝）

863.57　　　　110007328